la presse française

Nouvelle édition

la presse française

Pierre Albert

Professeur émérite à l'Université Panthéon-Assas (Paris-II),
ancien directeur de l'Institut français de presse

La Documentation française

Collection dirigée par Isabelle Crucifix
Conception graphique : Studio graphique/La Documentation française

ISSN 0029-4004

Les opinions exprimées dans cet ouvrage n'engagent que leur auteur.

CHEZ LE MÊME ÉDITEUR

Communication et médias
Éric Maigret (dir.), coll. « Les notices », 2003

MédiaSig 2004 : les 7000 noms de la presse et de la communication
Service d'information du gouvernement (SIG), 30e éd., 2004

Tableaux statistiques de la presse
Premier ministre, Direction du développement et des médias,
Département des statistiques, des études et de la communication sur les médias, 2003

Médias et violences urbaines :
débats politiques et construction journalistique
Institut des hautes études de la sécurité intérieure, Angelina Paralva,
Éric Macé, coll. « La Sécurité aujourd'hui », 2002

Devenir journalistes : sociologie de l'entrée sur le marché du travail
Direction du développement et des médias/Centre de recherches administratives
et politiques, 2001

« Les médias à l'Est »
dossier *du Courrier des pays de l'Est,* n° 1021, 2002

Tableaux statistiques de la presse. Édition 2002.
Données détaillées 2000, rétrospective 1985-2000
Premier ministre, Direction du développement des médias, 2002

Médias, e-médias
Groupe des écoles des télécommunications, Danielle Bahu-Leyser, Pascal Faure, 2001

La publicité : théories, acteurs et méthodes
Éric Vernette (dir.), coll. « Les études », 2001

Les agences de presse : institutions du passé ou médias d'avenir ?
Henri Pigeat, coll. « Les études », 1997

DU MÊME AUTEUR

Histoire de la presse
Coll. « Que sais-je ? », n° 368, Puf, Paris, 10e éd., 2003

Les médias et leur public en France et en Allemagne
Éd. Panthéon-Assas, Paris, 2003

La presse
Coll. « Que sais-je ? », n° 414, Puf, Paris, 12e éd., 2002

(Avec Ursula Koch), *Les médias en Allemagne*
Coll. « Que sais-je ? », n° 3523, Puf, Paris, 2001

(Avec Christine Leteinturier), *Les médias dans le monde :*
Enjeux et diversités nationales
Ellipses, Paris, 1999

(Avec André-Jean Tudesq), *Histoire de la radio-télévision*
Coll. « Que sais-je ? », n° 1904, Puf, Paris, 5e éd., 1996

Images médiatiques franco-allemandes
Reinhard Fischer, Munich, 1993

(Avec Ursula Koch *et al.*), *France et Allemagne, deux paysages médiatiques*
Peter Lang, Francfort-sur-le-Main, 1990

(Sous la dir. de l'auteur), *Lexique de la presse écrite*
Dalloz, Paris, 1989

Sommaire

AVERTISSEMENT

La presse écrite recouvre l'ensemble des publications imprimées à diffusion périodique, diffusées chacune sous son propre titre. Son unité se dilue dans la multiplicité de ses organes et la variété de ses contenus. Son observation se heurte de plus à la complexité de ses mécanismes de collecte, de traitement et de diffusion de l'information[1] qu'elle véhicule. L'ambition de cet ouvrage est simplement d'offrir un tableau cohérent et ordonné du monde de la presse française en proportionnant, autant que faire se peut, l'importance de ses développements à celle des aspects successivement examinés.

La presse est l'enjeu de conflits d'intérêts entre tous les pouvoirs, politiques, économiques et culturels. Elle ne trouve son équilibre instable que dans un rapport sans cesse fluctuant entre toutes les forces qui cherchent à contrôler sa capacité à influencer le public. Elle est aussi l'objet d'une rude concurrence interne, entre ses catégories et ses titres, et externe de la part des autres médias, audiovisuels et télématiques. Par là, sa présentation se prête mal, et moins sans doute que tout autre secteur de la vie nationale, à la précision et à l'impartialité. L'auteur de cette étude a simplement cherché à décrire d'une plume greffière et à exposer sans juger, laissant à son lecteur la possibilité de fonder son appréciation sur la place et le rôle des journaux et des magazines à partir de données moins fragiles que ses partis pris moraux sur les vertus et les vices du journalisme.

La presse est affectée par tous les courants de la vie du monde ; elle est le reflet des péripéties de l'actualité ; elle est sensible à toutes les évolutions politiques et économiques de la conjoncture comme à toutes les variations de la mode et de l'« esprit du temps ». L'espoir de dresser un bilan clair et complet d'une réalité en constante transformation serait donc illusoire. Le tableau d'ensem-

(1) Sans entrer dans les controverses sur le sens des mots « information » et « communication », l'auteur emploie ici le premier pour désigner l'ensemble des contenus transmis par le média presse – nouvelles, commentaires, reportages, données factuelles, récits de fiction, illustrations diverses, annonces et réclames... – et le second pour exprimer les modes de transmission de ces contenus : sons et paroles de la conversation sur disque et à la radio ; écrits manuscrits, imprimés ou électroniques ; images fixes ou animées de l'estampe au film et à la télévision. La communication utilise comme supports de diffusion collective les médias : feuille volante, affiche, livre, presse, radio, télévision et le multimédia télématique.

ble ici traité conserve, dans certaines de ses parties, le flou de ces photos de groupe où tous les personnages ne se meuvent pas à la même vitesse ni dans la même direction.

Sans chercher non plus à dégager l'originalité du paysage français de la presse par rapport à celui des grands pays occidentaux, cet ouvrage tente de montrer combien nos journaux et notre journalisme conservent, malgré l'uniformisation de leurs techniques, l'internalisation des contenus et la mondialisation des entreprises, une spécificité sans doute plus grande que la plupart des autres médias.

Le premier périodique français est né en 1631. Notre presse a donc été façonnée par plus de trois siècles et demi d'histoire. Ses fonctions politiques, les structures de son marché, les pratiques de son journalisme, mais aussi les habitudes de lecture de ses consommateurs, sont plus fondamentalement marquées, malgré le constant renouvellement des générations, par le poids de son passé que ne le croient les gérants, les praticiens et les analystes contemporains. Sans chercher à restituer ici l'histoire de la presse, cette étude tente de donner leur place aux facteurs historiques[2].

La matière de cette étude provient des enseignements de l'auteur à l'Institut français de presse de l'Université Paris II, des travaux de ses collègues et de ses étudiants, et des données de son centre de documentation. Elle s'est enrichie des résultats d'enquêtes auprès des institutions publiques, corporatistes ou commerciales qui touchent aux activités de la presse. Pour l'essentiel, elle se fonde sur les derniers chiffres disponibles à la fin de l'automne 2003.

(2) Cf., en annexe, un bref survol de cette histoire (p. 183 et suiv.).

INTRODUCTION

■ Une nature complexe...

La presse n'existe que par ses milliers de titres, comme le cinéma par ses films, la littérature par ses livres, la peinture par ses tableaux... Cette multitude de publications hétérogènes et la divergence des intérêts qui les produisent estompent la similitude formelle de leur support de papier et d'encre, la communauté de leurs fonctions sociales ou l'identité de leur statut juridique. Comment décrire à la fois la forêt et ses arbres ? Comment rendre compte à la fois de l'existence de la presse et de la vie des journaux ?

Par ses sources et ses contenus, le journalisme s'intéresse à tous les aspects de la vie du monde, mondiaux, nationaux, régionaux et locaux. Par ses fonctions, elle affecte le comportement de tous les groupes sociaux, politiques, économiques et culturels, et touche pratiquement tous les individus. Comment, dès lors, délimiter le champ de la recherche et le cadre du tableau ? Comment dominer la masse foisonnante de ses contenus et de ses lecteurs ?

Une publication périodique est l'emballage matériel d'une œuvre industrielle. Cette double nature de support, relativement stable d'un numéro à l'autre, et d'information variée, constamment renouvelée à chaque parution, différencie la presse des autres formes d'imprimés. Comment concilier la présentation des contenants et l'analyse des contenus ? Comment décrire à la fois les caractéristiques formelles du produit et les tendances de la production intellectuelle des articles ?

Un journal ou un magazine n'existe que par et pour ses lecteurs, mais chacun d'eux le lit à sa manière, sélectionne les articles en fonction de ses goûts ou de ses besoins personnels du moment. D'où une infinité de lectures potentielles du même numéro[1]. Comment, dans ces conditions, non pas mesurer, mais simplement apprécier l'usage et les effets de la lecture de la presse ? Les journaux sont des organismes vivants, le renouvellement constant des contenus, les changements des attentes du lectorat, la vigueur de la concurrence, l'évolution générale du marché, les avatars propres à chaque entreprise édi-

(1) D'où la difficulté des études sémiologiques en la matière. À vouloir dégager, au-delà ou en deçà des articles, leur signification, ne risque-t-on pas, au bout du compte, d'aboutir à une lecture certes originale, mais artificielle car difficilement compatible avec la multiplicité de celles qu'en font individuellement les lecteurs ? Sans parler des variations de leurs perceptions dans la durée d'un numéro à l'autre sur un même thème ou sur une même suite d'événements.

trice affectent continûment la forme des contenants et parfois l'existence même des publications[2]. La presse ne trouve son équilibre que dans le mouvement. Comment, dès lors, réussir à présenter ensemble les novations et les permanences ? Comment saisir le sens d'un mouvement sans en connaître l'aboutissement ?

■ ...dans un paysage médiatique en rapide évolution

Les progrès conjugués des télécommunications et de l'électronique ont, depuis le début des années 1960, fait entrer le monde des médias dans une période de transformations continues. Pour l'essentiel et non sans des difficultés propres liées à la rigidité de leurs structures économiques et sociales, les entreprises de presse françaises ont réussi à moderniser leurs ateliers de fabrication et à adapter les pratiques de leur journalisme aux nouvelles techniques. Elles peuvent se comparer à celles des autres pays européens. Pourtant, comme dans tous les pays occidentaux, elles sont confrontées à de nouvelles concurrences dont les données et les perspectives restent encore assez confuses.

Le premier bouleversement tient à la révolution des médias audiovisuels (v. p. 28). La multiplication des chaînes de radio – grâce à la modulation de fréquence – et de télévision a commencé en France avec l'abolition, en 1981, du monopole du service public de la radio, puis, en 1984, de la télévision. La diffusion par câble, amorcée en 1982, conjuguée à celle, concomitante, par satellite, la généralisation des enregistrements sur cassettes audio et vidéo, accélérée par les techniques de numérisation, ont permis de présenter des dizaines puis des centaines de programmes généralistes ou spécialisés. En une vingtaine d'années, l'offre des médias audiovisuels est devenue, *mutatis mutandis*, aussi abondante et diversifiée que celle des publications de la presse écrite. L'écran de télévision offre désormais un choix de programmes comparable en quantité et en diversité à celui des éventaires des marchands de journaux.

L'expansion de l'internet (v. p. 30) fut annoncée comme l'ère nouvelle des « autoroutes de l'information ». Très vite, l'immense réseau de la Toile – le web – se mit en place et se relia aux ordinateurs d'entreprises, mais aussi aux PC individuels. Ce nouveau moyen de communication multimédia n'a pas fini

(2) Il suffira pour s'en convaincre de comparer les données de cette étude avec celles des éditions précédentes : *Notes et études documentaires* n° 3521 (1968), n° 4469 (1978), n°s 4729-4730 (1983), n° 4901 (1990) et n° 5071 (1998), La Documentation française, Paris.

d'inquiéter les entreprises de presse, qui cherchent à s'adapter à son insinuante concurrence dans les foyers des internautes.

Dans ce paysage médiatique bousculé par le progrès des techniques électroniques, la publicité s'est aussi profondément transformée (v. p. 91). Or, elle est une source essentielle des recettes de la presse : ses variations conjoncturelles, dont la chute très nette de l'investissement des annonceurs depuis la mi-2001, affectent évidemment la prospérité des entreprises de presse. De plus, les tendances à long terme de la répartition de la « manne publicitaire » peuvent les inquiéter : les progrès des supports « hors-médias » ne risquent-ils pas de réduire, proportionnellement du moins, les recettes de publicité de la presse ?

Tout aussi décisives sont les transformations progressives des statuts juridiques spécifiques de la presse française (v. p. 53). Tout se passe comme si, non sans de nombreuses résistances, le régime mis en place à la Libération s'était progressivement délité. Les ordonnances prises en 1944 et 1945 avaient instauré un système de presse qui, une fois assurée l'épuration des entreprises compromises dans la collaboration avec l'occupant allemand, s'inspirait de la politique dirigiste alors menée pour restaurer une économie ruinée par la guerre. Elles s'accompagnaient de la nationalisation de la radiodiffusion nationale. Pour garantir le « service d'intérêt public » – certains parlaient même plus radicalement de « service public » – rendu par le « quatrième pouvoir » et pour protéger le pluralisme démocratique, toute une réglementation – il est vrai fort hétérogène – visait à limiter la concentration des entreprises, à assurer l'indépendance des équipes gérant les nouveaux journaux, à donner aux services connexes des imprimeries, des messageries et du marché du papier journal, mais aussi aux agences de presse, un statut semi-coopératif, à réguler la concurrence entre les titres par la fixation jusqu'en 1957 d'un même prix de vente pour toutes les publications d'une même catégorie. Cette politique protectionniste qui, pour mettre les journaux à l'abri des « lois du marché », assurait aux entreprises de presse un statut spécifique et leur fournissait les aides financières, directes ou indirectes, les plus élevées du monde occidental, commença à être ébranlée à la fin des années 1970. Son effritement fut accéléré par l'abandon, en 1986, de l'ordonnance du 26 août 1944 en matière de concentration ; les grandes institutions mises en place sous la IVe République – Agence France Presse, Nouvelles Messageries de la presse parisienne, Fédération nationale de la presse française – sont aujourd'hui en crise. Les aides de l'État à la presse subsistent, toujours fort élevées, mais elles apparaissent aux yeux des autorités européennes de Bruxelles comme une curieuse forme de l'« exception française ». Aujourd'hui, alors que la tendance générale est à une déréglementation à l'anglo-saxonne, le système de presse français tend à se rapprocher de celui de nos grands voisins occidentaux. Beaucoup pensent désormais que la prospérité des entreprises est une meilleure protection de la liberté de la presse que la réglementation administrative de son marché. À la Libération, les législateurs, les nouveaux responsables de la presse et les

journalistes avaient cru le contraire. Reste que cette normalisation se heurte à la forte résistance des habitudes prises et à la défense des intérêts acquis.

Une abondante documentation

Curieusement, la presse, qui diffuse l'information, a longtemps été très discrète sur ses propres affaires, et ses entreprises restaient peu transparentes. Certes, la tendance s'est inversée, même si bien des aspects de la « vie privée » des journaux, surtout de ceux dont le succès est médiocre ou incertain, restent opaques à l'observation extérieure. L'ouverture du capital de certains d'entre eux, en particulier à l'occasion des achats ou des ventes par les grands groupes financiers, les a amenés, comme toutes les entreprises cotées en Bourse, à fournir leurs bilans et à exposer des détails sur leurs activités. Les différentes institutions officielles, corporatistes ou privées, publient une masse croissante d'informations statistiques fiables et de documents divers : certes, elles concernent plutôt les médias audiovisuels, les télécommunications et la télématique, mais elles sont tout naturellement conduites à étendre leur champ d'enquête au média presse. Les exigences des annonceurs sur l'audience des organes auxquels ils confient leurs messages contribuent à accroître la transparence : les officines de publicité, de mercatique ou d'audit éditent une masse considérable de littérature grise dont la confidentialité peut être assez facilement surmontée. L'intérêt d'un public d'actionnaires ou la simple curiosité d'un plus grand public, sans parler des indiscrétions de publications concurrentes, ont conduit à créer ou à développer dans les journaux, depuis 1980, des rubriques spécialisées régulières de « communication » ou de « médias » souvent fort riches : ainsi des quotidiens *Le Monde*, *Le Figaro*, *Libération*, *Les Échos*, *La Tribune*, *La Croix*..., sans parler des périodiques comme *Courrier international*, *L'Express*, *Le Point* ou *Le Canard enchaîné*. Si les périodiques spécialisés ont malheureusement disparu et si les revues plus récentes mènent une vie médiocre – à l'exception de la *Correspondance de la presse* (publication quotidienne) –, la littérature universitaire dans les domaines du droit, de l'histoire, de la sociologie, voire de la sémiologie, est fort abondante, beaucoup plus rare en matière d'économie. Quant aux journalistes, alors que se maintient l'ancienne tradition de publier leurs souvenirs ou le recueil de leurs meilleurs articles, ils sont de plus en plus nombreux depuis deux décennies à éditer sur leur métier, sur les grands patrons ou les groupes de presse, des ouvrages d'actualité souvent bien documentés.

Deux secteurs souffrent encore d'un déficit documentaire grave, celui de la gestion des entreprises de presse et celui des études d'audience. Malgré les progrès évidents dus pour l'essentiel aux exigences de la réglementation générale des sociétés et des entreprises et de la loi Sapin du 29 janvier 1993 sur la publicité (v. p. 92), le financement de la presse et ses budgets publicitaires sont trop souvent opaques. La volonté affirmée à la Libération de transformer les entreprises de presse en « maisons de verre » est encore bien loin d'être confirmée dans les faits. La pénétration dans leur capital d'intérêts extérieurs au monde de la presse et parfois même étrangers est trop souvent difficile à suivre. Quant aux pratiques de plus en plus sophistiquées des officines de « relations publiques » qui se situent en marge de la publicité proprement dite, leur influence sur le journalisme échappe en fait à l'observation extérieure.

Les relations entre les journaux et leur lectorat, les conditions de leur lecture, la composition sociologique des audiences, la crédibilité des messages de la presse et, plus généralement, le comportement et les goûts des lecteurs font certes l'objet de nombreuses études menées à grands frais par les services de mercatique des entreprises de presse, des annonceurs et/ou des publicitaires. Leurs résultats, dans le cas d'études générales du marché des médias, sont certes connus, mais leur fiabilité se heurte à l'extrême diversité du lectorat national et à la spécificité des habitudes personnelles de lecture. De plus, les profonds changements dans les mentalités et les comportements des Français depuis deux décennies ne facilitent pas la détermination de leurs attentes en matière d'information et de divertissement. Ces résultats globaux sont finalement peu significatifs. Quant aux études menées pour tel ou tel titre particulier, leurs résultats sont, la plupart du temps, confidentiels et uniquement destinés à l'état-major des décideurs de l'entreprise. Peut-être l'influence des journaux et des magazines est-elle trop subtile et trop variable selon les individus, les circonstances et la nature des messages pour être prévisible ou même mesurée valablement.

■ Les catégories de sources

▪ Les collections de journaux

Malgré quelques lacunes ponctuelles, les instruments bibliographiques (catalogues, fichiers et banques de données) des bibliothèques publiques, et en particulier de la Bibliothèque nationale de France, permettent un facile repérage des titres et des collections. Celles-ci sont, grâce au dépôt légal, qui remonte au XVIe siècle, conservées dans les bibliothèques publiques ainsi que dans les locaux des entreprises éditrices, mais leur consultation pose problème du fait de la fragilité du papier journal. Le recours au microfilm[3] ou à la microfiche, et aussi pour l'avenir aux cédéroms numérisés, est une solution

(3) En particulier, grâce à l'Association pour la conservation et la reproduction photographique de la presse périodique (ACRPP), 10, allée des Vendanges, BP 21, 77313 Marne-la-Vallée Cedex 2 (acrpp@compuserve.com).

indispensable, mais coûteuse. En matière d'indexation des contenus, la France est très en retard : les tables et les index de journaux sont beaucoup plus rares en France que dans les pays anglo-saxons ou germaniques, mais l'indexation électronique des sujets des articles, voire la restitution de leur texte sur écran d'ordinateur, commencent à faciliter, pour les grands journaux tout au moins, la recherche des textes et des illustrations. Cette manière de restituer à la demande les (principaux) articles des mois (voire des années) passés est une des voies les plus originales de l'introduction de la télématique dans les grands organes d'information : cette « seconde édition » électronique est malheureusement très coûteuse et peu rentable. L'*Annuaire de la presse,* depuis 1880, et *Tarif Média*, depuis 1961, sont de précieux auxiliaires pour la recherche.

■ Les sources officielles

Dès la naissance de la presse, les gouvernements se soucièrent de surveiller les périodiques et de contrôler leurs contenus et leur diffusion. Si la loi fondatrice du 29 juillet 1881 a accordé à la presse une grande liberté d'expression, les multiples réglementations qui encadrent la vie des journaux produisent une très abondante documentation.

Le droit de la presse (v. p. 53) constitue donc la source première de documentation en la matière. Ainsi du *Journal officiel*, dans ses éditions « Lois et décrets », « Débats » et « Documents parlementaires », pour l'étude de la loi de finances (budget des services du Premier ministre et des départements ministériels de la communication, des affaires culturelles, etc.), comme pour les projets ou propositions de loi concernant les médias, pour les rapports des commissions parlementaires, ainsi que les débats de l'Assemblée nationale, du Sénat ou du Conseil économique et social, etc. La Documentation française (services du Premier ministre), notamment dans sa collection « Les études de la Documentation française » ou dans la « Bibliothèque des rapports publics » (auparavant, collection des Rapports officiels), publie aussi occasionnellement des études sur ce domaine. L'Insee (Institut national de la statistique et des études économiques) offre dans les volumes de son Annuaire statistique de la France et ses autres productions des séries de données utiles, en particulier dans ses études sur les dépenses des ménages. On peut aussi trouver de la documentation dans les bulletins et publications du ministère de l'Économie, des Finances et du Budget, ou de celui de la Justice ou des services de La Poste, voire de France Télécom.

Une des originalités françaises tient à la survivance, après la guerre, d'un département ministériel né en juillet 1939, chargé d'orienter et de coordonner la politique médiatique du gouvernement, et de veiller au respect de la réglementation en la matière. Ce département, parfois rattaché à la présidence du Conseil sous la IVe République, puis au Premier ministre sous la Ve, prit en 1978 le titre de « ministère de la Communication » et fut alors associé à celui de la Culture. Depuis 1981, le département de la Communication, tantôt ministère, tantôt simple secrétariat d'État, a survécu ; son titulaire est souvent aussi le porte-parole du gouvernement. Créé le 17 novembre 1947 au sein du ministère de l'Information, le Service juridique et technique de l'information (SJTI) fut rattaché en 1975 aux services du Premier ministre. En 1982, il a été déchargé de l'essentiel de ses responsabilités en matière de radio et de télévision au profit d'un organisme autonome, indispensable depuis la privatisation d'une bonne partie des médias audiovisuels[4]. Il prit en 1995 le nom de Service juridique et technique de l'information et de la communication (SJTIC), lorsque son champ d'intervention fut étendu aux télécommunications. Par un décret du 3 novembre 2000, il a pris le nom de Direction du développement des médias (DDM). Son rôle est essentiellement administratif. Outre sa fonction de conseil auprès du gouvernement pour la mise au point de la réglementation et de la législation en matière de médias, il en surveille l'application. Il contrôle les organismes soumis à sa tutelle comme la Commission paritaire des publications et agences de presse, le Fonds de soutien à l'expression radiophonique ou le Fonds de modernisation de la presse quotidienne et assimilée d'information politique et générale, et supervise les mécanismes complexes de l'aide de l'État à la presse. La DDM comporte trois sous-directions (presse écrite et information ; communication audiovisuelle ; développement et société de l'information) et un département des statistiques, des études et de la documentation sur les médias, qui, depuis 1961, édite des tableaux annuels de plus en plus détaillés sur les structures de la presse et de son marché, ainsi que des analyses sur le marché de la publicité en liaison avec l'Insee, et avec le Centre national de la cinématographie et le CSA sur l'économie de l'audiovisuel.

En 1963, afin de mieux coordonner l'action d'information des différents ministères naquit, dans les services du Premier ministre, le Service interministériel pour l'information (SLII), qui devint en 1968 le Comité international de l'information (CII), puis en 1974 la Délégation générale de l'information (DGI) et en 1976 le Service d'information et de diffusion (SID), et finalement en 1995 le Service d'information du gouvernement (SIG) : ce service, outre la diffusion de l'information gouvernementale aux élus de la Nation et aux organismes publics, est chargé de rédiger des revues de presse et d'organiser les campagnes de publicité du gouvernement en faveur des grandes causes nationales. Il publie un annuaire qui présente un vaste panorama des médias en France, ainsi qu'un aperçu de l'univers de la communication institutionnelle, le *MédiaSig,* édité par la Documentation française (30e éd., 2004).

(4) La Haute Autorité de la communication audiovisuelle en 1982, devenue la Commission nationale de la communication et des libertés en 1986 et, depuis 1989, le Conseil supérieur de l'audiovisuel. Cf. le dossier en ligne http://www.vie-publique.fr/dossier_polpublic/audiovisuel.

Les sources professionnelles

Sans parler ici des syndicats des journalistes et des ouvriers du Livre (v. p. 73 et p. 80), ni du marché du papier journal (v. p. 81), ni des messageries de presse (v. p. 87), les organisations patronales des éditeurs sont une source importante d'informations sur le marché de la presse, collectées directement ou par le biais d'organismes spécialisés dans la mercatique ou l'audit médiatiques. La Fédération nationale de la presse française (FNPF), héritière de la Fédération nationale de la presse clandestine née en 1943, regroupait l'ensemble des entreprises éditrices ; elle fut l'interlocutrice privilégiée des gouvernements de la Libération pour la mise en place des nouvelles structures de la presse. En 1951, la majorité des quotidiens de province quittèrent la FNPF, pour des raisons politiques et économiques, et constituèrent autour du Syndicat national de la presse quotidienne une Confédération concurrente. L'unité fut reconstituée en 1986 : la FNPF put alors parler au nom de l'ensemble des patrons de presse français. Elle représente en 2003 plus de 2 000 titres regroupés en différents syndicats ou fédérations[5]. Cette unité fut compromise dans les années 1990 par les divergences d'intérêts entre différentes catégories de publications, en particulier les magazines grand public, qui contestèrent la politique de la Fédération, à leurs yeux trop favorable à celle des quotidiens en matière de distribution, de position à l'égard des médias audiovisuels, de répartition des aides de l'État, de modernisation des systèmes de production, d'approvisionnement en papier, etc. Ainsi l'impératif de la solidarité corporative se heurtait-il bien souvent à la divergence des intérêts catégoriels… De plus, les magazines édités par des grands groupes de presse (Lagardère, CEP, EMAP – East Midlands Associated Press –, Prisma Presse…) étaient assez puissants pour définir eux-mêmes leur politique sans tenir compte des consignes de la Fédération. Finalement, la rupture est intervenue en avril 1995 : fut alors créé le très dynamique Syndicat de la presse magazine et d'information, qui regroupe en 2003 quelque 60 sociétés éditrices de quelque 500 magazines[6]. Ces associés produisent au numéro 1,5 milliard d'exemplaires ; leur chiffre d'affaires représentait en 2000 un tiers de celui de l'ensemble de la presse édi-

(5) Syndicat de la presse quotidienne régionale (33 titres) ; Syndicat de la presse parisienne (22 titres), en association avec la Fédération nationale des agences de presse, photos et informations ; Syndicat de la presse quotidienne départementale (30 titres) ; Fédération de la presse périodique régionale (310 titres regroupés en 4 syndicats : presse hebdomadaire régionale, publications régionales, presse judiciaire de province, presse juridique nationale) ; Fédération nationale de la presse d'information spécialisée (1 509 titres regroupés en 7 syndicats ou fédérations : presse médicale ; économique, juridique et politique ; culturelle et scientifique ; presse sociale ; agricole et rurale ; professionnelle ; d'informations spécialisées) ; Syndicat professionnel de la presse magazine et d'opinion (89 titres) associé au Syndicat de la presse de la jeunesse (77 titres).

(6) La FNPF conserve, au sein de son Syndicat professionnel de la presse magazine et d'opinion (SPPMO), d'autres éditeurs de magazines, comme Bayard Presse (9 titres), Malesherbes Publications (*La Vie* et *Ulysse*), Le Nouvel Observateur (l'hedomadaire du même nom et *Challenges*), Rustica (6 titres)…

teur. Le SPMI, outre les études qu'il patronne sur son propre marché, participe avec la FNPF aux négociations avec les autorités, avec La Poste et au sein des Nouvelles Messageries de la presse parisienne (NMPP).

La presse tire des annonces qu'elle diffuse à ses lecteurs une part essentielle de ses revenus. En simplifiant les procédures très sophistiquées, la publicité se joue à trois partenaires : les annonceurs, qui financent les messages, les publicitaires, qui les mettent en forme et les répartissent entre les supports médias ou hors-médias. Les premiers ont constitué dès 1916 une association, l'Union des annonceurs (UDA), dont les membres assurent les trois quarts des dépenses publicitaires françaises. L'Association des agences conseils en communication (AACC), syndicat professionnel, regroupe depuis 1972 quelque 200 agences de publicité et de marketing : le monde de ces agences est de plus en plus international et en continuelle restructuration, mais les deux groupes les plus importants sur le marché français sont les héritiers de Havas Publicité et de Publicis. Les partenaires du marché publicitaire se sont associés dans deux organismes tripartites. Diffusion Contrôle-OJD est l'héritier depuis 1991 de l'Office de justification de la diffusion, né petitement en 1922. Il garantit, après enquête auprès des publications, les chiffres de tirage (nombre d'exemplaires imprimés) et de diffusion (nombre d'exemplaires ayant trouvé un acheteur) et il en ventile les chiffres par mode de diffusion : abonnement, vente au numéro, services gratuits, invendus, en France et à l'étranger et par zone géographique de diffusion. La quasi-totalité des quotidiens et les quatre cinquièmes des périodiques commerciaux adhèrent à DC et se soumettent à son contrôle. Ces données sont publiées annuellement, alors que leurs homologues anglosaxons et allemands les fournissent par semestre, voire trimestriellement.

Le Centre d'études des supports de publicité (CESP), né en 1947, analyse le lectorat des publications et l'audience d'autres médias. À l'origine, il menait ses enquêtes lui-même ou par le biais d'officines spécialisées (Ifop, Sofres, Ipsos...) ; depuis 1992, il se contente de contrôler en les labellisant le sérieux et la qualité des méthodes utilisées, et donc d'avaliser leurs résultats. Ces études des lectorats, fort coûteuses, concernent plus de 250 titres parmi les mieux achalandés. Les résultats sont présentés en nombre global de lecteurs et ventilés selon le sexe, l'âge, les catégories socioprofessionnelles, par habitat et par zone géographique, parfois aussi selon l'équipement du foyer. De plus, désormais, différents organismes fournissent ce type de données par catégories de publications : Euro PQN pour les quotidiens nationaux, SPQR-66 pour les quotidiens de province, AEPM (Audiences, études sur la presse magazine) pour les périodiques à fort tirage[7].

(7) Pour l'étude des audiences de la radio et de la télévision, l'organisme d'études de loin le plus important est, depuis la naissance de chaînes commerciales en France, Médiamétrie, société privée qui a pris la suite du SOP (Service d'observation des programmes) de l'ancienne ORTF.

En dehors de ces études d'audience, dont les techniques sont de plus en plus sophistiquées, de multiples organismes spécialisés dans la mercatique médiatique et publicitaire, souvent associés à de grands groupes internationaux, sinon directement filialisés, produisent à la demande des annonceurs ou des entreprises de presse des études et audits dont les résultats confidentiels échappent à l'observation extérieure.

L'évolution des investissements publicitaires est suivie annuellement depuis 1959 par l'Institut de recherches et d'études publicitaires (Irep), association créée en 1958, dont la fiabilité est allée croissant. L'Irep présente chaque année un tableau des recettes des grands médias par catégorie de supports dans le Marché publicitaire français. France Pub, autre organisme né en 1992, à l'origine de l'association du groupe Havas et de France Télécom, publie aussi une estimation des dépenses des annonceurs dans les grands médias et les supports hors-médias : malgré des différences de méthode et de sources, ces deux évaluations permettent désormais une bonne connaissance quantitative de la publicité française, dont les données peuvent être confrontées avec celles de la Secodip (Société d'études de la consommation, distribution et publicité), fondée en 1969. Cette société, aujourd'hui filiale d'un très grand groupe de mercatique mondial (Taylor Nelson Sofres) étudie, entre autres, le marché des annonces par recension des messages publicitaires : ses chiffres ventilent les dépenses de publicité par secteurs industriels et commerciaux.

L'interprofession patronne le Bureau de vérification de la publicité (BVP) depuis 1935. Cette association, chargée de veiller à la loyauté des annonces publicitaires, a élaboré une série de recommandations générales ou particulières à tel ou tel secteur, et conseille les annonceurs ou les médias en matière de convenance de leurs annonces ; elle vise à imposer une autodiscipline souple pour éviter le recours à une réglementation administrative trop rigide.

Pour les comparaisons internationales, et en négligeant les annuaires statistiques de l'Unesco, trop peu fiables, la Fédération internationale des éditeurs de journaux (Fiej), créée à Paris en 1948 et devenue en 1995 l'Association mondiale des journaux (*World Association of Newspapers*), publie tous les ans *World Press Trend,* dont les données statistiques sont, dans l'homogénéité de leur classement, sinon toujours dans les méthodes de collecte, le meilleur instrument de travail disponible : elle organise aussi, dans ses congrès et colloques spécialisés, des rencontres dont les actes offrent une abondante documentation. De même l'*International Association for Newspapers and Media Technology* (IfRA) de Darmstadt (RFA), qui réunit périodiquement des rencontres entre les spécialistes de différents pays, fournit une masse d'informations sur l'évolution technique des métiers de la presse.

Les entreprises elles-mêmes

Le secret des affaires est encore bien souvent la règle en matière de presse. À l'exception des publications obligatoires exigées par la réglementation des sociétés, les entreprises sont en général assez discrètes sur leur « vie privée », et la littérature fournie aux actionnaires ou aux lecteurs est rarement transparente. De plus, pour les titres intégrés dans les groupes qui les contrôlent, l'individualité des comptes d'un journal se dilue dans la masse de ceux des autres composants du *holding*. On constate simplement que les entreprises de presse prospères sont beaucoup plus ouvertes aux regards extérieurs que celles qui sont en difficulté, à l'exception parfois des journaux militants, qui, dans les appels à l'aide de leurs lecteurs, exposent « franchement » l'état souvent inquiétant de leur trésorerie. La connaissance des propriétaires réels (ou de leurs commanditaires) est souvent masquée dans l'enchevêtrement de participations anonymes croisées au capital de l'entreprise, et la complexité de la présentation des bilans ne permet que rarement de reconstituer le simple compte d'exploitation.

Reste, en contraste et comme déjà dit, la croissance des rubriques de « communication » dans les journaux, ainsi que les échos et les ouvrages produits par des journalistes eux-mêmes. Il en va en matière de presse comme en matière de biographie, où les hagiographies « autorisées » sont heureusement compensées par l'indiscrétion de celles qui ne le sont pas.

Les études universitaires

Dès le début du XIXe siècle, la vie de la presse a retenu l'attention d'érudits, de collectionneurs et d'essayistes, puis celle des juristes et, enfin, celle des universitaires des Facultés des lettres, en Allemagne d'abord, puis aux États-Unis. En France, la création de centres universitaires consacrés à la recherche et à l'étude des médias a été plus tardive : le premier fut créé en 1937 seulement, à la Sorbonne, dont l'Institut français de presse de l'Université Paris II (Panthéon-Assas) est l'héritier direct. À Bordeaux III, dans les années 1950, puis, après 1968, à Strasbourg, Grenoble, Paris III, Paris IV, Paris XIII, Poitiers, Aix-Marseille, Versailles–Saint-Quentin-en-Yvelines, Rennes, ainsi qu'à l'Institut d'études politiques et à l'École des hautes études en sciences sociales (EHESS), ces centres interdisciplinaires se sont multipliés et, avec eux, les études, les recherches et les publications de mémoires de maîtrise, les thèses, les comptes rendus de colloques et de journées d'études.

Reste que, sauf dans les domaines du droit et de l'histoire, où la compétence des universitaires n'est que rarement contestée par les professionnels des médias, même si quelques journalistes eux-mêmes diplômés de l'Université peuvent, en ces matières spéciales, publier d'intéressants ouvrages, les recherches universitaires souffrent d'un double handicap : d'abord, de la modestie de l'écho trouvé dans le grand public pour leurs travaux édités à faible tirage

dans des revues savantes ou par des éditeurs spécialisés, et dont, par une sorte de corporatisme latent, les « grands » journaux rendent rarement compte ; ensuite, de l'évidente supériorité des moyens matériels des organismes professionnels comparés à ceux des instituts universitaires : dans ce domaine comme dans bien d'autres, la recherche appliquée, directement financée par les entreprises de médias ou de mercatique, prive les chercheurs universitaires des moyens indispensables à des enquêtes de grande ampleur.

*

* *

Dans une première partie, cet ouvrage propose une réflexion sur la nature et les fonctions de la presse et esquisse les spécificités du modèle français de presse, par comparaison avec celui des autres grands pays occidentaux. Si la notion de presse est une notion familière à tous puisqu'elle est pour chacun un produit de consommation courante, elle recouvre un domaine si complexe que son exploration exige préalablement une mise en perspective distancée tant des pratiques du journalisme que des usages de la lecture des journaux et une prise en compte des enjeux en deçà des *a priori* idéologiques et au-delà des débats moralisateurs.

Dans une deuxième partie, l'ouvrage tente de décrire les mécanismes techniques et économiques du marché de la presse, les structures juridiques du journalisme et les caractéristiques de son lectorat.

Enfin, une troisième présente un tableau des grandes catégories de publications et esquisse un portrait de ses principaux organes.

PARTIE 1

Caractères généraux et originalités françaises

CHAPITRE 1

Nature et fonctions de la presse écrite

■ L'ampleur du secteur presse

Il est difficile de fournir le nombre précis des publications périodiques éditées en France. Les services du dépôt légal de la Bibliothèque nationale de France estiment avoir reçu, en 2000, environ 40 000 publications périodiques, dont une grande majorité de bulletins d'associations les plus diverses, journaux d'entreprise, feuilles administratives... Dans cette masse, beaucoup n'ont qu'une existence éphémère. De plus, de nombreuses publications alternatives « parallèles », souvent épisodiques, ne se soucient pas de l'obligation du dépôt, dont le défaut n'est, en fait, jamais sanctionné pour ces « petites feuilles » artisanales. La Commission paritaire des publications et agences de presse (CPPAP), qui accorde aux périodiques d'intérêt général, entre autres, les avantages des tarifs postaux réduits et de certaines aides de l'État, recense quelque 17 000 titres, mais ses décomptes sont très aléatoires, car beaucoup de ces titres meurent ou se transforment sans que la Commission puisse en enregistrer les multiples avatars. Le SJTI a cessé, en 1979, de prendre en compte les 16 503 titres alors avalisés par la CPPAP ; il ne retient, depuis cette date, que les organes de la « presse éditeur », c'est-à-dire ceux qui sont vendus commercialement dans le public et dont le tirage global représente plus de 90 % de celui de l'ensemble de tous les périodiques. Les études du SJTI/de la DDM marquent une régulière progression de leur nombre, puisqu'il est passé de 2 725 en 1985, dont 385 gratuits, à 3 936 en 2000, dont 392 gratuits, et à 4 069, dont 448 gratuits, en 2001.

Pour mesurer l'ampleur du secteur presse, le Service des études et des statistiques industrielles du ministère de l'Économie, des Finances et de l'Industrie comptait, en 2001, 29 202 salariés dans les 105 entreprises éditrices de journaux de plus de 20 salariés et 23 014 dans les 289 entreprises éditant des revues et des périodiques, soit au total 52 216 salariés. À ces chiffres doivent s'ajouter une grande partie des ouvriers du Livre, les employés de tout le secteur de distribution de la presse, les journalistes pigistes indépendants et une

part des 136 000 salariés des 15 400 agences de publicité et de communication externe des entreprises. Il est donc raisonnable de penser que la presse et ses activités connexes emploient au total quelque 200 000 personnes.

Quant au chiffre d'affaires global des entreprises de presse, vente plus publicité, le SJTI l'estimait en 2000 à 10,7 milliards d'euros et en 2001 à 10,56 milliards d'euros, ce qui situe la presse aux alentours du quinzième rang des secteurs économiques français.

■ Délimitation du domaine de la presse écrite

Ce domaine est, en principe, facile à délimiter, car ses structures sont, dans une large mesure, autonomes. Les publications qui le composent, les entreprises qui produisent journaux et périodiques, les journalistes qui les rédigent et les patrons qui les dirigent ont un statut juridique et administratif en grande partie spécifique. Pour sa rédaction, sa fabrication et sa diffusion, la presse utilise les services d'organismes divers : agences de presse ou de publicité, imprimeries, messageries, qui lui consacrent l'essentiel de leur activité. Pour sa vente, elle utilise des réseaux et des boutiques dont elle assure également l'essentiel de l'activité. En outre, au terme de plus de trois siècles d'existence, de solides traditions corporatistes confortent son originalité et sa cohésion, et entretiennent différents organismes patronaux et syndicaux.

Pourtant, depuis l'entre-deux-guerres, cette autonomie est remise en cause ; la presse écrite, qui avait, depuis des générations, exercé un monopole de fait dans la transmission des nouvelles et qui avait supplanté le livre comme moyen de propagation des connaissances et des idées, est aujourd'hui directement concurrencée par les médias audiovisuels. Alors que la lecture du journal ou du magazine était, avec celle du livre, le principal moyen de distraction à domicile, la télévision, la radio, la vidéo, le disque, les CD... sont aujourd'hui, plus que l'imprimé, les moyens du divertissement domestique. Cette intrusion de l'audiovisuel a profondément affecté la presse et continue de l'affecter : elle lui a imposé une véritable reconversion, sinon de ses fonctions, du moins de ses contenus, pour tenir compte des nouvelles conditions de son usage par ses lecteurs et elle a entraîné un nouvel équilibre entre ses différentes catégories.

Pendant des générations, les entreprises de presse avaient pour l'essentiel appartenu à des entrepreneurs qui se spécialisaient exclusivement dans le monde des journaux ou de l'édition. Les capitaux extérieurs étaient peu sollicités, alors même qu'occasionnellement, de grandes sociétés subventionnaient des journaux pour défendre leurs intérêts.

Depuis les années 1980, la situation s'est transformée. La fin du monopole public de la radio en 1981, puis de la télévision en 1984-1986 a attiré des entreprises industrielles ou financières extérieures (BTP, armement, traitement des eaux, télécommunications...) vers les médias audiovisuels, puis naturellement vers la presse, l'édition, la publicité, le cinéma et bien sûr la télématique éditoriale. En cela, le modèle français se rapprocherait de celui des États-Unis. Désormais, tout se passe comme si la presse écrite et ses entreprises s'intégraient progressivement dans l'ensemble plus vaste et plus complexe des industries de la communication. À l'ère du multimédia, la presse périodique perdrait-elle son autonomie et de sa puissance ?[1]

La presse et le monde de l'écrit

La presse et la correspondance

Pendant des millénaires, et mieux que la parole si malaisément conservée par la mémoire individuelle, l'écrit fut le seul moyen efficace de figer hors du temps les nouvelles et les idées. D'où le rôle majeur joué par les échanges de correspondances officielles et privées pour véhiculer l'information dans l'espace et en conserver la trace. L'écrit imprimé, à partir du milieu du XVe siècle, ne fit d'abord que multiplier les capacités des manuscrits, avant de créer ses propres œuvres et de revigorer le trafic des réseaux de diffusion. La presse périodique naquit un siècle et demi après la typographie, au tournant des XVIe et XVIIe siècles : elle fut autant la fille de la poste que de l'imprimerie.

Croissant et se diversifiant au fil des générations, elle acquit progressivement le monopole de la diffusion des nouvelles et de leurs commentaires dans le grand public. En cela, elle réduisit pour l'essentiel le rôle de la correspondance privée à la transmission des nouvelles de la vie intime et celui du courrier administratif aux relations des instances publiques et des sociétés privées avec leurs administrés, leurs usagers ou leurs clients. La presse, cependant, avec ses petites annonces et ses communiqués, voire parfois par ses rubriques de « courrier des lecteurs » ou de « conseils », a pu servir d'auxiliaire à cette forme de communication de messages à destination d'individus isolés [2]. De même, au sein des administrations et des associations de toutes natures, les bulletins sont aussi proches de la nature des circulaires que de celle des pé-

(1) L'idée a souvent été avancée que la presse écrite a trouvé son apogée à l'ère industrielle du XIXe siècle : elle régnait alors en maîtresse, partageant sa suprématie avec les grandes industries comme les chemins de fer, le charbon et la métallurgie. Au XXe siècle, leur déclin s'amorça avec l'expansion de l'automobile, du pétrole et des plastiques, comme celui de la presse devant le cinéma, la radio, la télévision et la télématique.

(2) Le téléphone et ses dérivés, même s'ils l'ont considérablement amplifiée et diversifiée, n'ont pas modifié la nature de cette forme de communication interindividuelle. On trouvera dans les actes du Congrès des sociétés savantes d'Aix-en-Provence de 1995, *Correspondre jadis et naguère* (éditions du Comité des travaux historiques et scientifiques, Paris, 1997, 762 p.), une série d'études sur l'évolution des formes et des usages de la lettre.

riodiques. Quant aux lettres confidentielles, héritières des anciennes « nouvelles à la main » de l'Ancien Régime, servies sous enveloppe à leurs abonnés et dont on compte des dizaines dans un peu tous les secteurs de la politique et de l'économie, elles échappent par leur nature à la presse, alors que leur contenu relève bien du journalisme.

La presse écrite et le monde du livre

Les progrès du livre ont été parallèles à ceux de la presse, dont il partageait le mode de fabrication. Ce n'est que dans le milieu du XIXe siècle que les exigences quantitatives et de rapidité d'impression des journaux ont différencié les presses des journaux de celles servant à la fabrication des livres.

Longtemps, deux critères permirent de distinguer le livre du périodique : la périodicité et la conservation. Ces critères restent pertinents, mais, sur les marges de la presse, certains types d'imprimés posent des cas d'espèce. Il s'agit des publications annuelles, du type almanach ou annuaire, ou des revues bi- ou trimestrielles, dont les formats se rapprochent de ceux des livres. De même, les ouvrages paraissant en fascicules destinés à être ensuite réunis, voire reliés, ou les collections spécialisées de livres, dont chaque titre est numéroté et de même présentation, du type « Que sais-je ? » des Puf ou « Harlequin ». Comment classer les suppléments ou les numéros spéciaux de certains magazines qui, par l'homogénéité de leur contenu, appartiennent en fait au monde du livre ? Par ailleurs, la nature de certains périodiques les rapproche de celle du livre, dès lors leur contenu n'a que peu de rapport avec les événements de leur période de parution : c'est le cas de bien des périodiques de lectures romanesques ou enfantines, dont la périodicité se fonde non sur le renouvellement du contenu par l'actualité, mais sur le rythme de vie de leurs lecteurs.

Quant au critère de conservation, il ne joue plus aussi nettement que par le passé. Popularisé, le livre bon marché devient périssable, alors que certains périodiques de luxe sont destinés à être conservés comme les revues : ces « périodiques de bibliothèque » sont à la marge de ces deux domaines.

L'interpénétration du monde du livre et de celui de la presse a d'ailleurs toujours existé. Littérature et journalisme se sont souvent confondus. En fournissent la preuve : la place tenue par les rubriques de livres de toute nature dans les périodiques, la collaboration d'auteurs « littéraires » dans les récits de fiction publiés sous forme de nouvelles ou de romans-feuilletons, et la multiplication des livres d'actualité écrits par des journalistes.

Depuis le milieu du XIXe siècle, la « littérature de gare » se diffuse dans les mêmes boutiques que les journaux ; de plus en plus de grands *holdings* associent à leurs activités l'édition de livres et de périodiques, voire de quotidiens ; de même, les sociétés éditrices de quotidiens tentent de différencier leurs activités en devenant des éditeurs de livres[3].

Au total, au-delà de quelques zones de concurrence, l'écrit imprimé constate, et renforce peut-être, sa solidarité pour mieux résister aux pressions croissantes des médias du son et de l'image.

Où finit la presse écrite ?

Outre les ambiguïtés déjà signalées pour les bulletins, les circulaires périodiques ou les lettres confidentielles, bien des catégories d'imprimés se situent sur les franges basses de la presse, auxquelles leur nature fait refuser le plus souvent l'accès aux avantages reconnus par le statut de la presse[4]. Il s'agit soit de publications à faible pagination, sortes de tracts, à parution épisodique, mais le plus souvent numérotés à la suite, soit de publications à vocation publicitaire (prospectus, catalogues saisonniers...), soit d'organes publiés par les services de relations publiques (dits souvent de « communication ») d'entreprises ou d'organismes administratifs, offerts gratuitement à leurs employés (journaux d'entreprise), leurs informateurs extérieurs (lettres d'information) ou à leur clientèle (revues de prestige). Dans leur très grande variété, ces organes apparaissent comme des sous-produits de l'activité des sociétés ou des associations éditrices. Ces publications sont de plus en plus nombreuses : leur multiplication s'explique à la fois par la généralisation des services de communication interne et externe et par le dynamisme nouveau de la vie associative.

Reste, en grande partie marginale, la presse parallèle de groupes « informels », éditée de façon parfois artisanale, souvent épisodique, avec des tirages confidentiels et une diffusion militante, sans respecter les règles du dépôt légal : *fanzines* divers (de *fan*atique et maga*zine*) illustrés, journaux de collégiens ou de lycéens, organes de cercles ésotériques, revues de jeune poésie, où des animateurs, le plus souvent jeunes, s'essaient au journalisme et à l'expression littéraire ou artistique. Lorsque l'une de ces publications trouve un succès, elle cherche, en général, à s'intégrer dans le cadre « normal » de la presse commerciale, comme ce fut le cas de certains des organes contestataires nés de Mai 68 (cf. *Libération*).

(3) Dès le Second Empire, de grands journaux comme *Le Siècle* offraient à leurs lecteurs des livres à prix réduit. L'expérience a été reprise fin 2002 par la *Repubblica*, journal italien qui offre à ses lecteurs, en prime, à prix réduit, des grands romans contemporains. La tentative de suivre cet exemple s'est heurtée en France, au début de 2003, à l'hostilité victorieuse des libraires.

(4) Pour être inscrits sur la liste par la Commission des publications périodiques et agences de presse (CPPAP), les publications doivent paraître régulièrement, consacrer moins des deux tiers de leur surface à la publicité, être vendues au public et non offertes gratuitement ou au titre de la cotisation à l'association éditrice, et présenter « un caractère d'intérêt général quant à la diffusion de la pensée : instruction, éducation, information, récréation du public ».

■ La presse et les médias audiovisuels

Les différences entre le périodique imprimé et la radiotélévision sont fondamentales ; les modes d'expression s'opposent : parole et musique pour la radio ; image animée, parole et musique (mais aussi écriture) pour la télévision ; écriture et image fixe pour la presse. Les messages de l'audiovisuel s'étalent dans la durée et ses programmes sont en fait permanents et susceptibles de modifications très rapides. Les articles de presse, figés hors du temps après le tirage, occupent un espace papier et leur parution est périodique. La radio et la télévision ont une capacité de réaction à l'événement sinon instantanée, du moins très rapide, alors que, pour le journal, les délais de préparation, de fabrication et de diffusion sont relativement longs.

Ces oppositions de nature ne sont pourtant pas décisives. En fait, information ou divertissement, leurs fonctions sont *mutatis mutandis* identiques. La fameuse formule « la radio annonce, la télévision montre, la presse commente » n'explique pas les rapports très complexes entretenus par les trois médias. Le journalisme écrit peut aussi révéler les faits, et les chroniques de télévision ou de radio peuvent aussi expliquer et analyser les situations.

La réception des trois médias est fort différente : la lecture de la presse est exclusive de toute autre activité, elle impose une grande attention et conduit à la réflexion ; elle est très sélective, car le journal est un choix de lectures et non une lecture unique et suivie. La consommation de l'audiovisuel est souvent compatible avec des activités domestiques ; son rythme est imposé à tous par le déroulement du programme dans le temps ; elle est passive (sauf à l'interrompre ou à zapper) et conduit moins à la réflexion qu'à l'affectivité.

La concurrence joue aussi quantitativement. 98 % des foyers disposent d'un récepteur de radio, souvent de plusieurs, et 95 % des foyers d'un téléviseur, voire de deux ou trois ; 75 % étaient, en 2000, équipés d'un magnétoscope et/ou d'un lecteur de cédéroms pour diffuser la vidéo. C'est en 1972 que le nombre des téléviseurs a dépassé celui des exemplaires quotidiens de journaux. Pour la presse, l'approche statistique est différente et plus malaisée à saisir. L'Insee, dans son enquête permanente sur les conditions de vie, estimait que 28 % des individus de plus de 15 ans lisaient au moins irrégulièrement un quotidien national, et 63 % un quotidien de province (50 % un magazine d'informations générales). Par contre, la consommation des magazines est quasiment aussi répandue que celle de l'audiovisuel : d'après AEPM, en 2002, 96 % des Français de plus de 15 ans en lisent près de sept par semaine.

La durée quotidienne de contact avec les médias, compte tenu de la différence de nature entre les trois médias (quatre avec la vidéo), ne peut être vraiment significative, mais elle mérite d'être soulignée : en moyenne, en 2000, selon Médiamétrie, un Français de plus de 15 ans écoute la radio pendant 2,5 h, regarde et écoute la télévision pendant environ 3 h 25 min, et consacre 35 min à la lecture, dont près de la moitié à celle d'un quotidien. Ces chiffres moyens recouvrent évidemment des différences considérables entre les individus.

Outre leur concurrence dans le partage du « capital-temps de loisir », c'est aussi dans celui des recettes publicitaires que s'opposent presse et médias audiovisuels. La presse reste, en France, le premier support publicitaire : en 2002, l'Irep estime que la presse recueille 49,6 %, la télévision 30,7 % et la radio 7,5 % des investissements grands médias.

Pour la consommation des ménages, l'Insee l'estime, pour les dépenses de presse, à 5 738 millions d'euros (journaux : 2 128 ; revues et périodiques : 3 610) contre 5 500 pour l'ensemble des dépenses en audiovisuel (redevance, abonnements aux chaînes payantes, appareillages divers : récepteurs, enregistreurs..., enregistrements audio et vidéo, vidéo domestique...).

En matière de chiffre d'affaires au moins, la presse est donc loin d'être inférieure aux médias audiovisuels. Quant à apprécier les effets globaux de leur concurrence sur le marché des journaux, les comparaisons internationales sont peu révélatrices : chez les Américains, les Anglais, les Allemands, les Scandinaves, les Japonais, la télévision est au moins aussi bien achalandée que chez nous, ce qui n'empêche pas que leur consommation de presse soit le plus souvent largement supérieure à la nôtre.

Dans les foyers, le porte-revues (journaux et magazines) et la bibliothèque voisinent désormais avec la sonothèque et la vidéothèque. Concurrence ou complémentarité ?

■ La presse, la télématique

Les télécommunications

Le télégraphe optique, dès 1793, puis électrique après 1845, fut à l'origine un monopole de l'État au seul service de son administration, mais il s'ouvrit dès 1850 aux dépêches privées. D'abord indirectement par le biais de l'agence de presse officieuse Havas, puis directement dans les journaux eux-mêmes, il pénétra dans leurs rédactions ; celles-ci furent aussi très vite reliées au téléphone dès les années 1880. Les télécommunications à fil, puis sans fil dans la seconde décennie du XXe siècle, provoquèrent, avec le bélinographe après 1912 pour la transmission des photographies, une première révolution du journalisme en accroissant sans cesse le flot des nouvelles et en favorisant les reportages. Dans l'entre-deux-guerres, les téléscripteurs, les téléphones et les récepteurs de téléphotographie devinrent des auxiliaires indispensables de toutes les entreprises de presse quotidienne et magazine.

Le Télétel...

Dans les années 1970, la télématique (association des *télé*communications et de l'infor*matique*) provoqua une seconde révolution en créant l'écriture électronique, cette nouvelle forme de diffusion de l'écrit et de l'iconographie (images photographiques ou dessinées, voire virtuelles). Ce mode de transmission de l'écrit sur écran développe un nouveau mode de communication : il est interactif, c'est-à-dire qu'il répond à l'interrogation par l'utilisateur d'une banque de données accumulées dans la mémoire du système, alors que la communication médiatique est magistrale, puisqu'elle offre, quant à elle, une masse d'informations que le lecteur ou l'auditeur reçoit en vrac, quitte pour lui à choisir dans ce contenu ce qui répond à ses curiosités ou à ses besoins.

On put croire à l'origine que la télématique n'intéresserait que les pratiques primaires de l'écrit, prolongeant, *mutatis mutandis*, celles de la correspondance ou des circulaires, et les usages didactiques de la recherche documentaire. De fait, les entreprises de presse l'utilisèrent d'abord comme un outil de gestion interne ou d'auxiliaire de leurs rédacteurs pour la recherche de données destinées à enrichir la matière de leurs articles. Pourtant, elle entraîna dans les rédactions, et d'abord à l'Agence France Presse, une transformation des modes de travail des journalistes : les écrans des ordinateurs avec traitement de texte remplacèrent progressivement, dans les années 1980, les machines à écrire et se relièrent aux ateliers de photocomposition. En fait, dès la généralisation des récepteurs du Minitel (système Prestel britannique en 1976, Télétel en France en 1978 – 6,7 millions de terminaux – et Minitel en 1982, Bildschirmtex en Allemagne en 1984...) dans les entreprises et chez les particuliers, se mirent en place, parfois à l'initiative d'agences de presse, de journaux économiques ou sportifs, des réseaux télématiques grand public. Ils offrirent des rubriques spécialisées de renseignements ponctuels ou sériels (cours de Bourse, résultats sportifs, petites annonces diverses, météo, annuaires et même informations en continu...), mais la faible capacité des appareillages limitait la croissance de cette « presse télématique ». Pourtant, le Minitel offrait en France plusieurs milliers de services, dont beaucoup gratuits. Il est caractéristique que, dès l'origine, les services issus directement des entreprises de presse ou de médias se révélaient déficitaires et que les services proposés par des serveurs non journalistiques étaient souvent les mieux achalandés.

...et l'internet

La troisième révolution est intervenue avec la mise en place de ces « autoroutes de l'information » annoncées en 1992 à l'occasion de la campagne pour l'élection présidentielle aux États-Unis : ce nouveau mode de télécommunication, numérisée et interactive entre les ordinateurs modernes multimédia, se mit rapidement en place en 1992-1993, lorsque de grandes sociétés comme AOL (*America On Line*) aux États-Unis ou Vivendi Universal permirent l'accès à un réseau mondial sans centre, le *web* (la toile), de sites de toute dimensions ; en 2000, on comptait déjà plus de 300 millions d'internautes, en majorité individuels, dont la moitié aux États-Unis. L'évolution des techniques, en particulier avec les ordinateurs à haut débit, offre des services de plus en plus performants, enrichis par l'iconographie et la réception de la nouvelle télévision numérique, voire de l'internet sans fil...

En France, pays en retard par rapport à l'Allemagne et à la Grande-Bretagne, les premiers sites se sont ouverts dès la fin de 1994. Tous les grands groupes de télévision, comme TF 1, M 6, Canal +, de radio comme Radio France, RTL et Europe 1, et les plus grands journaux et magazines se lancèrent dans cette aventure pourtant coûteuse en investissements et en personnel : on en a compté plus de cinquante pour la seule presse entre 1996 et 2000. Ces sites-presse offraient d'abord sur les écrans d'ordinateur leur journal en ligne, sorte de seconde édition électronique du journal papier, une rétrospective en dossiers ordonnés des articles consacrés à tel ou tel sujet, ou même une recension complète indexée des articles des mois, voire des années écoulés, mais aussi des services de petites annonces, de météorologie, de sport, d'économie, voire d'horoscopes, de programmes de spectacles, de renseignements divers ou de jeux vidéo...

Les espoirs mis dans la *net*économie se sont trouvés déçus : les crises récentes d'AOL, de Vivendi Universal et de tant d'autres entreprises de télécommunication qui s'y étaient fortement investies illustrent cette actuelle désillusion. En particulier, les espérances mises dans l'expansion de la publicité sur l'internet n'ont pas été satisfaites ; dès les premiers mois de 2001, avant même l'attentat du 11 septembre à New York, les annonceurs se sont faits de plus en plus rares. Les ventes « par correspondance » sur la Toile ont du mal à se développer ; les dot-com qui s'y étaient engouffrées n'ont pas rentabilisé leurs investissements. Les journaux avaient initialement offert gratuitement leurs services aux internautes : lorsqu'ils ont, pour réduire leur déficit, voulu les rendre payants, la plupart ont vu le nombre de leurs visiteurs s'effondrer.

Il est aujourd'hui bien difficile, vu la discrétion des entreprises en la matière, de prévoir l'avenir de la presse en ligne et des services électroniques des journaux. On peut cependant constater que, à l'exception peut-être des journaux de Bayard Presse, associé au groupe Suez, tous les autres journaux, du *Parisien* au *Figaro*, au *Monde*, à *Libération* ou à *L'Équipe*, y compris les journaux économiques, comme *L'Expansion*, *La Vie française*, *La Tribune* ou *Les Échos* (liés au groupe anglais Pearson, dont le site du *Financial Times*[5] est en mauvaise posture), *L'Agefi*, sans parler des grands régionaux, ont « réduit leur voilure » en 2001 et allégé souvent drastiquement leurs services électroniques. Il en va de même aux États-Unis, en Grande-Bretagne et en Allemagne. En attendant des jours meilleurs ?

En fait, en marge du marasme actuel, on peut se demander si, en dehors même de la conjoncture économique défavorable, il ne s'explique pas en partie par une surestimation par la presse – certes douée d'une compétence in-

(5) En 2000, son site internet employait 115 salariés, contre 415 pour la rédaction du journal papier.

déniable en matière de traitement de l'information – de ses capacités en la matière. On constate en effet que, bien souvent, l'appétit des internautes en matière d'information d'actualité est finalement faible et surtout que, pour les services spécialisés, bien d'autres opérateurs sont capables, dans les milieux d'affaires, du sport, de la médecine, de la météorologie, des spectacles et de l'informatique..., de mieux faire que les journalistes de presse écrite.

■ La double nature de la presse

■ Un produit original...

La presse est une véritable industrie consommant une abondante matière première (1,5 million de tonnes de papier en 2000), exigeant de lourds investissements mobiliers et immobiliers, employant de nombreux salariés : ouvriers, employés, journalistes et diffuseurs. Toutefois, par rapport à la plupart des autres productions industrielles, elle possède une quadruple originalité qui rend ce marché irréductiblement spécifique.

Sous une présentation permanente, identique et facilement identifiable, chaque numéro renferme un contenu original, régulièrement renouvelé. À la limite, toute l'industrie de la presse ne fabrique que des contenants qui, une fois lus, sont jetés comme des emballages vides sans avoir subi d'usure au sens matériel du terme. Le lecteur ne consomme que des contenus immatériels, comparables à la musique d'un concert ou à la prédication d'un prêtre. D'où la difficulté d'apprécier la qualité d'un journal ou d'un magazine : on peut analyser objectivement sa forme, non la valeur de son contenu. En réalité, tout débat sur ce qu'est ou devrait être un « bon périodique » est sans solution : les critères utilisables ne sont en fait que des arguments subjectifs de critique comme pour toutes les autres œuvres de l'esprit. On peut constater les succès qu'elles rencontrent dans le public sans réussir à les expliquer, ni à les renouveler. Pour beaucoup, la presse relève de la mode et le journalisme est un art, non une science.

Produit de consommation courante, le journal est en réalité une denrée périssable, car son prix dépend de la fraîcheur de son contenu. Un exemplaire du *Monde* est vendu 1,20 euro, mais ne vaut plus que quelques centimes le lendemain au prix de son poids de vieux papier[6]. Cette éphémérité du pro-

(6) Certaines catégories de publications échappent à cette usure du temps : les revues à périodicité longue ont évidemment une durée de vie plus grande. Quant aux publications de lectures romanesques ou enfantines, leur contenu a si peu de relation avec l'actualité du moment de leur parution que leurs invendus trouvent parfois un second marché et peuvent être vendus « à la poignée » ou en albums bien après leur période normale de vente. Quant au marché des vieux journaux, il relève du commerce des bouquinistes-antiquaires, sans lien avec celui de la presse.

duit presse provoque des pourcentages d'invendus – le bouillon –, qui n'ont de valeur marchande que pour les collecteurs de vieux papier. Aucune industrie ne fonctionne avec un tel pourcentage de déchet dans la commercialisation de ses produits.

Comme le marché de la presse est très concurrentiel, le prix de vente d'un périodique doit s'aligner sur celui des autres publications comparables. Jusqu'en 1967, le prix de vente des journaux était fixé par le gouvernement et identique pour tous les titres. Aujourd'hui, on peut classer dans chaque catégorie de presse les publications de « bas de gamme », moins chères et destinées au public « populaire », et celles de « haut de gamme », plus coûteuses.

Le prix de vente des publications n'a, le plus souvent, que peu de rapport avec son prix de revient. Un périodique est en effet l'objet d'un double marché : comme pour tous les autres produits, chaque numéro est vendu pour un prix fixé, à chacun de ses acheteurs, mais l'ensemble de son lectorat est acheté, en bloc, par des annonceurs qui placent leurs placards et leurs annonces dans ses pages. L'éditeur, associant ces deux types de recettes, fixe le prix de vente, qui n'a plus de rapport direct avec le prix de revient de l'exemplaire. Alors que l'acheteur-lecteur est essentiellement attiré par la qualité du contenu et en partie par l'aspect du contenant, les annonceurs ne prennent en compte que la qualité du lectorat et sa capacité à acheter leurs produits ou leurs services. De là naît l'extrême complexité de l'économie du double marché de la presse (et aussi de la plupart des autres médias).

■ ...et un service

Vendue par ses éditeurs comme une marchandise, la presse est achetée par ses lecteurs comme un service. Dans la banalité de son usage, la presse rend à ses lecteurs une multitude de services. À la question « pourquoi lit-on la presse ? », il existe une infinité de réponses selon les individus et les circonstances, et aussi, évidemment, selon les titres. Pour comprendre la nature de la presse, il faut donc d'abord savoir à quoi elle sert.

■ Les fonctions de la presse

Il peut sembler un peu artificiel de vouloir déduire les fonctions de la presse de la variété des attentes du lectorat et de la multiplicité de ses curiosités. À l'approche fonctionnaliste, réductrice et simpliste, chercheurs et observateurs modernes préfèrent souvent celles, plus sophistiquées, de l'analyse des discours ou l'interprétation sémiologique des textes et des images (un peu, *mutatis mutandis*, comme la mode de la psychanalyse remplace les analyses de la simple psychologie), ou alors une présentation descriptive ou anecdotique de la complexité du monde des journaux. Pourtant, c'est sur ses fonctions sociales que se fondent encore les législateurs pour réglementer les médias, ainsi que les journalistes pour justifier leur pratique professionnelle et leur déontologie.

Ces fonctions ne sont évidemment pas exclusives les unes des autres : on consomme les médias autant pour s'informer que pour se renseigner, se documenter, se distraire, conforter ses opinions, assouvir ses penchants... ; chacun le fait d'une manière irréductiblement individuelle, avec ses préjugés, ses connaissances, son expérience, en un mot selon sa personnalité, et aussi selon son humeur du moment. Ces fonctions restent pourtant le moyen le plus efficace pour comprendre la nature de la presse.

Les fonctions sociales

On peut, non sans quelque arbitraire, classer ces fonctions en deux groupes principaux, qui répondent à des besoins premiers, la transmission de l'information et la distraction, et deux autres dérivés, l'intégration sociale et la thérapie psychologique.

La première fonction de la presse est l'**information**, c'est-à-dire d'abord la transmission, l'explication et le commentaire des nouvelles de la grande actualité politique, économique, sociale et culturelle, nationale et internationale, mais aussi de la petite actualité, des faits divers, nouvelles locales ou informations sportives mettant en jeu des individus ou des petits groupes. Cette fonction d'information, qui vise à la fois à faire connaître des faits et exprimer des opinions, à exposer et à expliquer, a évidemment des implications politiques, puisqu'elle aboutit, en éclairant les individus, à aider les citoyens dans leurs choix électoraux.

L'information est aussi de plus en plus la transmission des connaissances, c'est-à-dire non de récits ou de jugements, mais de données précises dont le sens est peu susceptible d'interprétations divergentes : cette fonction de **documentation** tend à répondre non plus à des curiosités plus ou moins diffuses ou gratuites, mais à des besoins immédiats. La rapidité de l'évolution du monde moderne rend vite dépassés les ouvrages de type encyclopédique ou les bilans présentés par les livres sur les sujets qu'ils traitent. Par sa périodicité, la presse permet cette remise à jour régulière des connaissances, alors que les rééditions des ouvrages spécialisés sont toujours irrégulières et aléatoires. C'est souvent cette fonction de documentation qui justifie l'existence de la presse technique, mais elle conduit de plus en plus fréquemment la presse d'information générale elle-même, y compris les quotidiens, à publier des articles destinés en fait (et parfois dans leur présentation même) à être conservés. La presse entretient les connaissances et les valeurs acquises à l'école, au lycée ou à l'université, et apparaît comme un auxiliaire ou un complément de l'éducation. Certains l'ont même désignée comme une « école parallèle » ou un instrument de « formation permanente ».

Ce rôle documentaire se complète par celui de **renseignement** : il ne s'agit pas ici de transmettre des connaissances, mais de rendre au lecteur des services pratiques, directement utiles pour mieux organiser sa vie personnelle ou professionnelle (programmes de spectacles, horaires divers, météorologie, conseils divers, notices descriptives, communiqués, tableaux de données chiffrées ou non, « carnet », horoscopes, petites annonces...). Dans la mesure où la complexité croissante de la vie moderne multiplie les dépendances de l'individu à l'égard de la collectivité, cette information de service devient à son tour essentielle[7].

Une seconde fonction est la **distraction**. La simple lecture est en soi une activité de détente quel que soit son objet, mais la presse véhicule aussi toute une masse de textes et d'illustrations, sans rapport direct avec l'actualité, dont la raison d'être n'est pas de favoriser la connaissance du monde extérieur, mais de permettre de l'oublier, de s'en évader et de se replier sur soi. En dehors des rubriques proprement distractives ou consacrées à des activités de détente (jeux, sports, spectacles...), une part importante du contenu de la presse relève de la fiction, du roman-feuilleton (ou de la bande dessinée) au reportage d'évasion rapportant dans un style romanesque des histoires « vécues ». D'une manière plus générale se pose la question, au niveau de l'écriture mais aussi de la lecture, des rapports du journalisme et de la littérature populaire : le critère de l'actualité ne suffit pas à les différencier, car le contenu des journaux et le journalisme mêlent toujours le réel et l'imaginaire.

Par delà ces deux fonctions fondamentales qui justifient l'existence de la presse et motivent sa lecture, les journaux produisent indirectement des effets dérivés.

Par le dialogue qu'ils engagent entre le lecteur et le monde comme par la diffusion des valeurs civiques, morales et culturelles qu'ils assurent, ce sont des agents d'**intégration sociale des individus** dans la société globale et dans les différents groupes qui la composent. Selon des moyens, avec des finalités et des résultats évidemment fort différents, la lecture de *L'Humanité* ou du *Figaro*, d'*Elle* ou de *Confidences*, de *OK !* ou de *Notre Temps*, de *La Vie du rail* ou du *Chasseur français* est un acte de participation sociale qui contribue à briser l'isolement des individus.

(7) La longue grève des journaux new-yorkais, en décembre 1962 et janvier 1963, et les 26 jours de grève à *Sud Ouest,* en février-mars 1972, ou celle de 28 jours au *Midi libre,* en juin-juillet 1997, ont montré, par la négative, combien les journaux étaient indispensables au bon fonctionnement de la vie collective : l'absence des renseignements, fort banals, véhiculés par les quotidiens a gêné considérablement les activités économiques des entreprises de services (dont le commerce) et perturbé l'activité quotidienne des individus.

La presse a aussi des effets de **thérapie psychologique** : il est clair qu'à travers d'obscurs cheminements de l'imagination ou de l'inconscient, la lecture de la presse contribue à rééquilibrer la psychologie de ses lecteurs, par le défoulement des instincts ou des passions qu'elle rend possible (violence, sexualité...), par la compensation des frustrations ou des complexes d'infériorité par rapport aux grands de ce monde ou plus simplement aux autres, par les occasions que le rêve y trouve d'identification avec les vedettes de l'actualité.

▪ Les fonctions politiques

Le rôle des journaux comme régulateurs et animateurs de la vie politique est celui qui a entretenu dès le XVIIIe siècle les débats les plus vifs et qui est à l'origine du statut juridique spécifique de la presse.

De tout temps, les gouvernements ont eu besoin de s'adresser à leurs gouvernés ; or, les simples réseaux administratifs étaient insuffisants pour transmettre les ordres et les consignes de cette « information descendante ». La presse servit donc, dès sa naissance, à informer les sujets de leurs devoirs, à exalter la justesse des actes du souverain et à entretenir sa gloire. Les progrès de la représentation parlementaire, puis la démocratisation progressive des institutions, ont diversifié le rôle politique des journaux. La presse dut donc aussi diffuser l'« information montante », c'est-à-dire exprimer les revendications des citoyens pour éclairer les gérants du politique sur les attentes de l'opinion. La condition première de sa capacité à assurer cette fonction étant son indépendance, les journaux se posèrent alors en tenants d'un « contre-pouvoir », capable de s'opposer aux excès de l'exécutif, de surveiller le législatif et de dénoncer les dérives du judiciaire.

De fait, encore aujourd'hui, ils participent au jeu politique et sont utiles au bon équilibre des trois autres pouvoirs. Reste que ce « quatrième pouvoir » revendiqué par les journalistes n'est pas institutionnalisé et ne peut sans doute pas l'être. La confiance manifestée par un acheteur régulier à son journal n'est en rien comparable à la délégation de pouvoir à son élu du même lecteur-électeur par son suffrage. Un journal a tendance à prétendre parler au nom de ses lecteurs, mais il ne peut en fournir la preuve.

En réalité, la vraie justification politique de la presse tient à la diversité de ses organes au moins autant qu'à son indépendance. Le pluralisme, conséquence de la liberté de fondation, d'expression et de circulation des journaux, est la garantie fondamentale de la démocratie : la presse entretient le débat public par la diversité de ses nouvelles, de ses commentaires et de ses critiques, en permettant à tous les acteurs politiques – gouvernement, administrations, partis politiques, syndicats, associations religieuses, écoles de pensée... – d'exprimer leurs opinions et de défendre leurs programmes. Dans un État démocratique[8], où l'élection vient périodiquement remettre en cause les gérants du pouvoir, le rôle de la presse est d'exposer à l'électeur les vrais enjeux de la politique et donc de le rendre plus clairvoyant.

Reste la difficulté de concilier le pluralisme indispensable de la presse avec les contraintes économiques du marché : un journal ne peut vivre uniquement de la défense et illustration de ses engagements partisans. Au contraire, la recherche de la plus grande audience le conduit bien souvent à se réfugier dans une prudente modération, de peur d'éloigner les lecteurs plus politisés. Au XIXe siècle, on opposait traditionnellement les feuilles « d'opinion », clairement engagées, et les journaux « d'information », en principe neutres, sinon objectifs ; ces derniers furent de loin les mieux achalandés au fur et à mesure de l'extension du marché. Aujourd'hui, les publications partisanes sont réduites le plus souvent à un lectorat de militants, donc minoritaires.

■ Les fonctions économiques

La défense des intérêts financiers et commerciaux est, et a sans doute toujours été, aussi importante que celle des programmes politiques ; aussi bien les deux sont toujours étroitement associées. Les hommes d'affaires, les producteurs et, de plus en plus, les consommateurs cherchent à influencer le contenu des journaux avec autant de constance que les politiciens. L'évolution du monde moderne donne même aux enjeux économiques, avec leurs conséquences sociales, une importance croissante ; elle multiplie donc aussi le nombre et l'étendue des articles économiques. On doit également tenir compte de la publicité comme agent régulateur des marchés dans tous les secteurs. Pour les annonceurs, le lecteur de la presse est avant tout un consommateur.

Au total, la capacité de diffusion des messages de toutes les forces politiques, économiques, idéologiques, culturelles, religieuses... donne à la presse une influence notable dans la vie des sociétés comme dans le comportement des individus. Par là, elle sert finalement l'intérêt public. Certains de ses thuriféraires ou de ses critiques voudraient se convaincre que la presse et les autres médias sont un des moteurs de la vie du monde. En réalité, l'action du « quatrième pouvoir » est trop indirecte et diffuse pour exercer plus qu'une influence variable selon les circonstances : il n'est pas et ne fut jamais un moteur, plus simplement un indispensable lubrifiant sans lequel la machine sociale gripperait.

(8) Il en va différemment dans les régimes autoritaires ou totalitaires, qui vivent dans un système de parti unique. Chez eux, la presse, comme les autres médias, devient un simple service public dont les journalistes sont les fonctionnaires : ils ne sont plus que des agents de la propagande d'État au service du pouvoir exécutif.

CHAPITRE 2

Données et caractéristiques générales

La mondialisation des échanges tend à harmoniser les modes de vie des pays riches et entraîne l'internationalisation du marché des médias. Certes, l'écrit, irréductiblement lié aux langues nationales, résiste mieux en la matière que l'audiovisuel, dont la musique et les images ont par nature un langage universel ; de plus, alors que le doublage, le sous-titrage ou l'usage des voix hors champ facilitent la naturalisation des productions étrangères en radio et en télévision, pour la presse, la traduction impose une réédition complète des œuvres médiatiques.

Ainsi les caractéristiques nationales sont-elles mieux conservées dans le monde de l'imprimé, périodique ou non, et les différences entre les pays occidentaux sont plus nettes, car elles se fondent aussi sur de longues traditions d'écriture et d'usage du journalisme. D'où l'intérêt d'une double perspective, l'une historique, tendant à expliquer les structures spécifiques du marché de la presse comme les résultantes de son évolution sociopolitique, l'autre comparatiste, dégageant les différences les plus notables avec celui des grands pays voisins. Cette démarche est d'autant plus utile que les convergences constatées dans les méthodes des organismes d'étude des marchés ou d'analyse des lectorats, comme dans la gestion de la publicité, tendent à masquer les divergences toujours notables et les résistances nationales à la mondialisation des formules et des contenus.

Certes, les nouvelles techniques de production des journaux, de transmission et de traitement de l'information aboutissent tout naturellement à uniformiser les méthodes de fabrication et d'organisation des salles de rédaction, mais il n'est pas sûr que les pratiques du journalisme et les procédés de la publicité puissent être aussi servilement copiés sur les modèles américain, anglais ou allemand que le conseillent si souvent les spécialistes de la mercatique ou les publicitaires. Il existe un journalisme et une manière de lire le journal « à la française » qui pourraient être mieux pris en compte tant par les journalistes que par les gestionnaires des entreprises de presse.

Tableau 1. - Marché de la presse (1963-2001)

	Tirage annuel total	(dont quotidiens)		Recettes	
	en millions d'exemplaires	en millions d'exemplaires	%	en millions de francs	dont publicité (en %)
1963	6 931	3 814	56,6	—	—
1965	7 089	3 946	55,6	4 034	44,0
1970	7 249	3 954	54,5	6 040	42,0
1975	6 939	3 515	50,7	10 017	37,0
1978	7 248	3 630	49,4	14 449	38,7
1981	7 651	3 387	44,2	27 339	40,0
1985	7 799	3 556	45,5	40 861	41,0
1986	8 046	3 591	44,6	43 823	40,1
1990	8 083	3 443	42,6	57 160	47,6
1991	8 117	3 411	42,0	56 810	44,2
1992	8 278	3 423	41,4	56 890	42,1
1993	8 175	3 346	41,1	55 630	39,5
1994	8 212	3 376	41,1	56 670	39,8
1995	8 218	3 361	40,9	59 070	40,5
1996	8 249	3 055	37,0	60 962	40,5
1997	8 174	3 077	36,8	61 972	40,1
1998	8 306	3 041	36,6	63 449	42,1
1999	8 313 (a)	3 059	36,8	67 955	43,5
2000	8 270 (b)	3 464	41,8	70 365 (d)	44,8
2001	8 203 (c)	3 381	41,2	69 280 (e)	43,7

Sources : SJTI et DDM
(a) Dont 1 812 gratuits ; (b) Dont 1 823 gratuits ; (c) Dont 1 852 gratuits.
(d) 10,726 milliards d'euros ; (e) 10,56 milliards d'euros.

Les structures du marché français

Stagnation et baisse du marché des quotidiens

Un tableau de l'évolution historique du marché des quotidiens telle que les sources permettent de l'esquisser en donne une image claire ; malheureusement, on ne peut restituer aussi nettement celle du marché des périodiques : d'une part, la plus grande diversité et la multiplicité des titres rendent la récapitulation globale des tirages très aléatoire ; d'autre part, leur moindre intérêt politique les fit longtemps négliger par les autorités. Ainsi, les archives n'offrent-elles à l'historien qu'une documentation très lacunaire sur leur audience globale.

Au travers de bien des péripéties – forte augmentation en période révolutionnaire (1789-1799, 1830, 1848), baisse ou stagnation sous les régimes autoritaires –, la lecture du quotidien a crû régulièrement depuis l'Ancien Régime. L'abaissement du prix de vente après 1836 (de 20 à 10 centimes), puis 1863 (de 10 à 5 centimes) a été l'un des moteurs essentiels de la pénétration du journal dans les classes populaires, avec le progrès de l'alphabétisation et l'élargissement du suffrage.

Tableau 2. - Évolution du marché des quotidiens (1788-2001)

	PARIS		PROVINCE		Tirage total	Exemplaires par 1 000 hab.
	Titres (a)	Tirage	Titres	Tirage		
1788	2	4 000	1	500	4 500	0,2
1799	19	50 000	—	—	—	—
1803	11	36 000	—	—	—	—
1813	4	33 000	4	3 000	36 000	1,2
1815	8	34 000	—	—	—	—
1825	14	60 000	—	—	—	—
1831-32	17	85 000	32	20 000	105 000	3,0
1840	22	115 000	—	—	—	—
1846	25	180 000	—	—	—	—
1850	—	—	64	60 000	—	—
1852	12	160 000	—	—	—	—
1863	16	200 000	60	120 000	320 000	8,5
1867	21	763 000 (b)	57	200 000	963 000	25,0
1870	36	1 070 000	100	350 000	1 420 000	37,0
1880	60	2 000 000	190	750 000	2 750 000	73,0
1885	—	—	250	1 000 000	—	—
1908	70	4 777 000	—	—	—	—
1910	73	4 920 000	—	—	—	—
1911	76	5 170 000	—	—	—	—
1914	80	5 500 000	242	4 000 000	9 500 000	244,0
1917	48	8 250 000 (c)	—	—	—	—
1924	30	4 400 000	—	—	—	—
1939	31	5 500 000	175	5 500 000	11 000 000	261,0
1946	28	5 959 000	175	9 165 000	15 124 000	370,0
1952	14	3 412 000	117	6 188 000	9 600 000	218,0
1972	11	3 877 000	78	7 498 000	11 375 000	221,0
1975	12	3 195 000	71	7 411 000	10 606 000	200,0
1980	12	2 913 000	73	7 535 000	10 448 000	195,0
1985	12	2 777 000	70	7 109 000	9 886 000	178,0
1990	11	2 741 000	62	7 010 000	9 751 000	169,0
1995	12	2 844 000	58	6 881 000	9 725 000	156,0
2000	10	2 186 000	56	6 719 000	8 905 000	150,0
2001	10	2 254 000	56	6 717 000	8 971 000	149,5

Sources : jusqu'en 1939, estimations de l'auteur d'après diverses sources ; depuis 1945 : SJTI.
(a) Non compris les quotidiens spécialisés ; (b) Dont 560 000 exemplaires de petits journaux non politiques à un sou ; (c) Chiffres du 1er juillet ; 6 100 000 en octobre après le passage de 5 à 10 centimes.

L'apogée fut atteint en 1914 avec une pénétration de 244 ‰. Les Français étaient alors, avec les Américains (260 ‰), les plus forts lecteurs de quotidiens du monde occidental, devant même les Britanniques (190 ‰). Il est vrai que, moins bien pourvus en publicité, nos journaux n'avaient en moyenne que 6 à 8 pages, moitié moins que ceux de nos voisins anglais ou allemands : de plus, en Grande-Bretagne, le très fort marché de la presse populaire du dimanche compensait en partie la relative faiblesse de celui des quotidiens. Après avoir vu leur tirage monter avec la Grande Guerre et la formidable curiosité alors suscitée par l'actualité, le tirage des quotidiens nationaux stagna : peut-être leurs lecteurs leur gardèrent-ils rancune d'avoir été les instruments du « bourrage de crâne » pendant les années de souffrance. La légère croissance de la diffusion (261 ‰) en 1939 était due à la presse de province : grâce à l'automobile, elle pouvait désormais pénétrer plus facilement dans les zones rurales. Ses grands titres départementaux et surtout régionaux bénéficièrent de l'absorption de la clientèle de nombreux tri-, bi- ou hebdomadaires de canton ou d'arrondissement, dont l'importance notable au XIXe siècle n'est pas prise en compte dans le tableau 2. Cette relative stagnation est d'autant plus remarquable que la même époque fut marquée par une très forte croissance dans les pays anglo-saxons : 360 ‰ en Grande-Bretagne et 320 ‰ aux États-Unis en 1939.

Tableau 3. - Nombre d'exemplaires de quotidiens pour 1 000 habitants (1960-2000)

	1960	1970	1979	1990	1995	2000
Belgique	285	260	228	187	167	175
Danemark	353	363	367	355	310	371
Finlande	359	392	480	562	464	543
France	252	238	196	155	156	180
Grande-Bretagne	514	463	426	393	317	383
Italie	122	144	93	118	108	128
Norvège	377	383	456	615	600	705
Pays-Bas	283	315	325	313	310	363
RFA	307	326	323	343	314	371
RDA	—	445	517	—	—	—
Suède	490	537	526	529	464	543
Tchécoslovaquie	236	254	304	307	292	206
Urss	172	336	396	477	—	—
Canada	222	218	241	230	191	189
États-Unis	326	302	282	253	226	274
Japon	396	511	569	591	576	664
Australie	358	321	336	221	185	202

Sources : Unesco pour 1960, 1970 et 1979 ; *World Association of Newspapers* (WAN) pour 1990 et 1995 ; pour 2000, ces chiffres, calculés sur la seule population de plus de 15 ans, masquent la poursuite de la chute du tirage.

La seconde guerre mondiale fut pour la presse aussi une période noire : les journaux virent leur tirage baisser, autant par manque de papier que par la chute de leur crédibilité.

Après une brève embellie dans les années 1945-1946, le marché des journaux s'effondra de 1947 à 1952, retrouva ensuite quelques forces, puis, depuis 1972, en dépit de quelques petits soubresauts, subit une baisse régulière malgré la croissance de la population, passée de 1944 à 2000 de 40 à 59 millions d'habitants. Ici aussi, la situation française est originale, puisque la décrue du lectorat des quotidiens s'est aussi produite dans les autres pays anglo-saxons et germaniques, mais elle y a été bien plus tardive et le lectorat reste à un niveau beaucoup plus élevé qu'en France. De plus, la baisse actuelle des tirages chez beaucoup de nos voisins de l'Est et du Nord est en partie compensée par l'augmentation de la pagination, beaucoup plus forte que chez nous : au total, la masse de lecture offerte n'y diminue que peu.

Tout se passe comme si la France avait la première quasiment saturé son marché des quotidiens dans l'entre-deux-guerres, alors que ce phénomène n'atteignit les autres grands pays que dans les années 1970 ou 1980.

Quotidiens de province et quotidiens nationaux

Le marché des quotidiens fut longtemps dominé par les journaux parisiens, qui bénéficiaient, dans un pays fortement centralisé, de la proximité des sources de l'information nationale et aussi du rayonnement des lignes de chemin de fer à partir de la capitale. En 1939, les chiffres montrent une répartition équilibrée : désormais, les régionaux, avec leurs éditions locales et leur pénétration dans les zones rurales grâce au transport automobile, ont rattrapé les quotidiens parisiens, dont la pénétration restait encore très forte dans les départements. Après la Libération, la suprématie des feuilles provinciales ne cesse de croître malgré la diminution lente de leurs tirages. Les difficultés des transports dans les années suivant la Libération furent aussi un handicap décisif pour les journaux parisiens.

Dans les pays développés, la part des journaux régionaux et locaux est fort variable selon les structures politiques et géographiques des pays. Le tableau 5 présente, pour 2001, les pourcentages (fournis par WAN) de la part des quotidiens provinciaux par rapport à ceux qui conservent une diffusion sur tout le territoire du pays.

La France, avec 75 % de la production de quotidiens en province, a donc une position très différente de celle de la Grande-Bretagne, pays pourtant administrativement très décentralisé, où Londres domine largement le marché, et de celle des pays à structure fédérale, comme les États-Unis ou l'Allemagne.

Tableau 4. - La part des tirages des quotidiens provinciaux dans l'ensemble des quotidiens (1812-2001)

Sources :
jusqu'en 1939 : P. Albert ;
depuis 1946 : SJTI.

	Nombre de quotidiens provinciaux	% du tirage de l'ensemble des quotidiens
1812	4	8,0
1832	32	19,0
1863	60	37,5
1867	57	20,7
1870	110	32,7
1880	211	27,3
1885	252	29,0
1914	242	44,3
1939	175	50,0
1946	175	60,6
1952	117	64,4
1960	98	63,1
1970	81	63,9
1980	73	72,1
1981	73	70,5
1985	70	71,9
1988	65	70,8
1990	62	71,9
1992	62	72,4
1994	58	70,6
1995	58	70,7
1998	55	75,5
1999	56	74,7
2000	56	75,5
2001	56	74,9

Tableau 5. - Part de la diffusion des quotidiens provinciaux en 2001

Source : WAN.

Pays	%
États-Unis	96,0
Allemagne	92,7
Canada	86,3
Suède	75,9
Norvège	74,6
Espagne	65,1
Pays-Bas	53,3
Japon	43,8
Danemark	43,2
Italie	39,7
Belgique	36,2
Grande-Bretagne	29,9

■ L'expansion croissante des magazines

La relative médiocrité du marché des quotidiens en France est en grande partie compensée par un taux de lecture très élevé des magazines. Malgré l'incertitude des statistiques en la matière, due en grande partie à la différence des critères adoptés par les différents pays, il est clair que les Français sont parmi les plus grands lecteurs de magazines et de périodiques divers[1].

Les chiffres SJTI-DDM permettent de suivre la perte de la suprématie des quotidiens d'information générale sur les autres périodiques. De 1963 à 2000, les périodiques sont passés de 43 % à 59 % du nombre des exemplaires produits (v. tableau 1, p. 40). Prenant en compte, en 2001, les journaux du septième jour (32 titres), compléments naturels des quotidiens, les 14 quotidiens spécialisés grand public (dont un sportif généraliste et 6 hippiques), les 8 quotidiens des Dom-Tom et les 5 bulletins quotidiens techniques et professionnels, soit au total 123 titres à parution quotidienne tirant au total 3,46 milliards d'exemplaires par an, ils ne représentent que 41,2 % du tirage de l'ensemble de la presse française (mais encore 53,6 % si l'on exclut la presse gratuite), 34 % de son budget global et 41 % de sa consommation totale de papier. D'année en année, ce recul relatif des quotidiens s'accentue donc : tout se passe comme si, dans cette évolution sensible dans la plupart des pays occidentaux, le marché français avait été et restait précurseur, comme il avait été un des premiers au début du XIXe siècle à connaître une sorte de saturation dans la consommation des quotidiens.

■ La relative faiblesse du marché publicitaire

Alors qu'en Angleterre – nation commerçante – et en Allemagne – pays industriel dont la presse fut dès l'origine essentiellement locale –, les annonces privées ou commerciales ont, dès le XVIIIe siècle, joué un rôle essentiel dans la prospérité et dans l'expansion de la presse, elles n'ont longtemps eu, en France, qu'un rôle secondaire dans la trésorerie des journaux. Les causes de ce sous-développement publicitaire restent mal expliquées[2] : les structures de la

(1) Le français n'a pas l'équivalent de l'anglais « *newspaper* » ni de l'allemand « *Zeitung* ». Les statistiques britanniques et allemandes (et à leur suite WAN) confondent souvent sous ces termes les publications quotidiennes (non spécialisées), les hebdomadaires et les bi- et trihebdomadaires d'information locale ou régionale, les *news magazines* et les périodiques proprement politiques. En France, la périphrase « publications d'informations générales » recouvre cette notion de « papier-nouvelles ». De cette confusion dans le vocabulaire naissent bien des incertitudes statistiques.

(2) Heureusement, on dispose aujourd'hui du bon ouvrage de Marc Martin, *Trois siècles de publicité en France* (Odile Jacob, Paris, 1992) et de la magistrale étude de Gilles Feyel, *L'annonce et la nouvelle : la presse d'information sous l'Ancien Régime* (Fondation Voltaire, Oxford, 1999) ; ce dernier ouvrage expose clairement les causes du mépris de la publicité manifesté par les gazettes au début de notre presse.

production et du commerce en France, la méfiance quasi paysanne des consommateurs envers les mensonges de la « réclame », la répugnance à user des petites annonces, les modes de gestion de la publicité par de grandes agences comme l'Agence Havas, intermédiaire entre les annonceurs et les entreprises éditrices, ont longtemps rendu la publicité trop coûteuse et trop peu rentable. Même après que Girardin en eut, après 1836, avec son nouveau journal *La Presse*, vanté les mérites, les annonceurs utilisèrent plus volontiers l'affiche, le prospectus que l'annonce dans la presse. Certes, depuis trois décennies, le marché publicitaire fait des progrès considérables, mais il n'a pas encore rattrapé son retard par rapport à ce qu'il est dans la plupart des grands pays occidentaux. Par une sorte de compensation, l'aide de l'État à la presse est, en France, une des plus élevées du monde occidental.

Tableau 6. - Les recettes vente et publicité pour la presse d'information générale en 2000-2001 (en %)

	Vente	Publicité (entre parenthèses : petites annonces)
Allemagne	36	64
Belgique	44	56 (34,5)
Danemark	53	47 (49)
France	56	44 (22)
Espagne	41	59 (54)
Italie	42	58 (6)
Japon	59	41 (4,6)
Pays-Bas	44	56 (16)
Norvège	37	63
Suède	44	56 (46)
Royaume-Uni	35	65
États-Unis	14	86 (40)

Source : WAN.

Le pourcentage des petites annonces est calculé sur le total de la publicité presse.
Pour la Belgique, les petites annonces représentent 24,2 % des recettes des journaux nationaux et 66,7 % des journaux régionaux ou locaux ; pour le Royaume-Uni, respectivement 23,4 % et 65,8 %.

Les données du tableau 6 montrent bien que, malgré la progression globale de ses annonces, la presse française est encore bien loin de bénéficier de recettes publicitaires comparables à celles de la presse de ses grands voisins européens et, bien entendu, de la presse américaine. Les journaux gratuits affectent aussi assez lourdement le marché des petites annonces de la presse commerciale.

■ Des prix de vente élevés

Au XIXe siècle, l'abaissement du prix de vente des journaux fut un des facteurs principaux de l'augmentation du lectorat. Dès la Grande Guerre, le coût du quotidien n'a cessé de croître au-delà du taux de l'inflation.

Tableau 7. - Évolution du prix moyen d'un quotidien parisien entre 1834 et 1988

	En francs de l'époque	En francs de 1988 (a)
1834	0,25	13,03
1851	0,10	3,97
1871	0,05	1,54
1914	0,05	0,68
1919	0,15	0,81
1921	0,20	0,89
1936	0,30	0,87
1938	0,50	1,02
1944	2,00	1,52
1946	4,00	1,32
1947	5,00	1,10
1957	20,00	1,60
1959	25,00	1,50
1963 (nouveau franc)	0,30	1,70
1967	0,40	2,01
1968	0,50	2,40
1972	0,70	2,67
1973	0,80	2,84
1974	1,00	3,08
1975	1,20	3,36
1977	1,40	3,26
1978 (b)	1,80	3,55
1979	2,00	3,86
1980 (c)	2,50	4,25
1981 (d)	3,00	4,50
1982	3,50	4,69
1983	3,80	4,67
1984	4,00	4,56
1986	4,50	4,77
1987	4,50	4,59
1988	4,50	4,50

Source : P. Albert.

(a) Pouvoir d'achat du franc d'après l'Insee : années 1834 à 1871 ; indice des prix à la consommation à Paris d'après l'Insee à partir de 1914.
(b) 1,60 F en avril ; 1,80 F en septembre.
(c) 2,20 F en mars ; 2,50 F en juin.
(d) 2,80 F en mai ; 3,00 F en juillet.

NB : Depuis les années 1980, le prix moyen a perdu beaucoup de son sens, car l'éventail des prix s'est élargi entre Paris et la province, mais aussi à Paris même entre les différents journaux.

Depuis 1982, les données sont plus incertaines, car le prix des journaux n'est plus homogène : alors que les régionaux ont pu conserver un prix assez bas, à Paris, les différences sont très nettes entre les titres. En 2003, en province, le prix d'un exemplaire varie entre 0,75 et 0,85 euro, à Paris entre 0,75 et 1,20 euro. Le numéro du samedi, comportant des suppléments magazines, est souvent plus cher.

En fait, par comparaison avec l'indice général des prix de l'Insee, le coût du journal a nettement augmenté dans l'absolu et, relativement, un peu moins vite depuis 1992, mais plus vite que celui des magazines et revues, comme le montre le tableau 8.

Tableau 8. - Évolution du prix de la presse (1973-2002)

A. Évolution de l'indice (indice 100 : 1970)

	1973	1975	1977	1979	1981	1983	1985
Indice général	120,2	152,8	183,2	221,3	285,0	349,3	397,0
Indice journaux	138,4	211,1	258,6	342,9	488,7	648,0	759,4
Indice revues	143,6	208,5	231,6	275,9	353,3	439,7	510,9
	1990	**1992**	**1994**	**1995**	**2000**	**2001**	**2002**
Indice général	462,4	488,7	506,8	511,0	548,4	558,4	572,9
Indice journaux	835,0	924,3	957,7	985,3	1 054,6	1 078,7	1 108,8
Indice revues	659,0	704,1	711,7	717,6	741,4	748,6	767,1

Source : Insee, indice des prix à la consommation des ménages (295 postes de dépenses).

Par rapport aux autres pays développés, et sans tenir compte des différences de pagination, souvent défavorables à la France, on peut, pour 2001, établir les équivalences suivantes pour le prix de vente au numéro.

B. Évolution du prix (en euros)

France	0,75 à 1,20
Allemagne (a)	0,35 à 1,10
Belgique	0,75 à 1,20
Espagne	0,70 à 1,00
Italie	0,88 à 1,10
Suède	1,00 à 1,60
Suisse	1,00 à 1,40
Pays-Bas	0,90 à 1,30
Royaume-Uni	0,45 à 0,60
États-Unis	0,37 à 1,20

(a) Moins cher par portage à domicile.

Il semble donc que la France se situe désormais dans la moyenne européenne, même si les journaux de qualité anglais et italiens sont moins chers d'au moins 30 % que leurs homologues parisiens.

▪ Prépondérance de la vente au numéro

L'abonnement fut à l'origine le mode de diffusion dominant, conséquence du monopole postal imposé au transport des périodiques autant qu'à celui des lettres. Seuls les abonnés habitant dans la ville d'édition pouvaient recevoir leur exemplaire par portage à domicile. La vente au numéro, sauf pendant la Révolution et un temps en 1848-1849, limitée dans les grandes villes à quelques boutiques et kiosques, était très minoritaire. La suppression progressive du monopole postal en 1856, puis en 1871, et la naissance, sous le Second Empire, d'une « petite » presse populaire non politique permirent la naissance de messageries de presse et d'un réseau de diffusion spécifique. Sous la IIIe République, l'expansion du marché des journaux à un sou (5 centimes) fit de la vente au numéro le mode de diffusion majoritaire tant à Paris qu'en province, et l'abonnement fut réservé essentiellement aux journaux de notables. Cette tradition s'est maintenue jusqu'à nos jours bien que son coût soit plus élevé, la vente au numéro étant productrice d'invendus. La formule intermédiaire du portage à domicile, qui réduit le bouillon, est donc plus rentable : elle est très utilisée en Europe centrale. Les éditeurs français de quotidiens cherchent à la développer, mais elle exige des équipes de porteurs nombreuses, difficiles à stabiliser, surtout dans la région parisienne.

Les magazines et les périodiques spécialisés recherchent et utilisent beaucoup plus l'abonnement que les quotidiens.

Tableau 9. - Pourcentage d'exemplaires de journaux diffusés par la vente au numéro en 2000-2001

Allemagne	*32,5* (a)
Belgique	56,1
Danemark	20,0
Espagne	92,0
France	*73,2* (b)
Italie	91,6
Japon	6,0
Norvège	25,0
Royaume-Uni	87,0
Suisse	23,0
Suède	10,0
États-Unis	76,0

Source : WAN.

(a) En majorité les quotidiens populaires de la *Boulevardpresse*.
(b) Le portage assure plus du tiers de la diffusion des quotidiens provinciaux, moins d'un quart de celle des nationaux dans la région parisienne.

▪ Absence d'une presse quotidienne populaire

Même si c'est en France que naquit, en 1863, avec *Le Petit Journal*, la presse populaire à grand tirage, il n'existe pas chez nous de ces grands quotidiens vulgaires et racoleurs tels qu'on les connaît en Grande-Bretagne (*The Sun*, *The Daily Mirror*) ou en Allemagne (le *Bild-Zeitung*). Les excès de cette presse « de caniveau » nous sont donc étrangers... mais aussi leurs tirages plusieurs fois millionnaires.

■ Des traditions journalistiques originales

Le journalisme est toujours le reflet du régime politique, de la culture et des besoins d'une société : façonné par l'histoire, il est finalement très traditionnel. Les journalistes, observateurs myopes du présent, connaissent et reconnaissent mal ce que leurs recettes doivent au passé, car leur vision du monde est, par nature, plus prospective que rétrospective ; ce en quoi elle satisfait les lecteurs aussi soucieux de savoir ce qui va arriver que d'apprendre ce qui s'est passé. On peut penser qu'en plus d'un sens, on lit le journal comme un horoscope.

Le texte fondateur du journalisme moderne en France, l'article 11 de la Déclaration des droits de l'homme et du citoyen de 1789, est caractéristique de la conception française du journalisme : « La libre communication des pensées et des opinions est un des droits les plus précieux de l'homme ; tout citoyen peut donc parler, écrire, imprimer librement, sauf à répondre de l'abus de cette liberté dans les cas déterminés par la loi ». La liberté de la presse n'est qu'évoquée (« imprimer librement ») et elle se déduit de la liberté d'expression « des pensées et des opinions ». Par là, ce texte se distingue nettement du Ier amendement à la Constitution des États-Unis, de 1791, qui précise lapidairement que « le Congrès ne fera aucune loi (...) restreignant la liberté (...) de la presse » (v. chapitre 3, « Le statut de la presse »).

Le journalisme français a toujours été plus un journalisme d'expression qu'un journalisme d'observation : il accorde la préférence à la chronique et au commentaire sur le compte rendu et le reportage. Autant qu'à la présentation des faits, il s'est toujours intéressé à l'exposé des idées ; autant qu'à l'analyse des situations, il s'est attaché à la critique des intentions et à la prévision des conséquences. Par là, il est fondamentalement différent du journalisme factuel anglo-saxon, selon lequel la nouvelle doit être nettement séparée de son commentaire, comme du journalisme analytique, quasi pédagogique, allemand, plus préoccupé de traiter des sujets que de décrire des faits. On peut s'interroger à ce sujet sur la règle du journalisme anglo-saxon : « Les faits sont sacrés, le commentaire est libre ». Souvent cité par les journalistes français, ce principe est bien rarement respecté, car il est, en réalité, à l'opposé de leurs traditions, et sans doute aussi des attentes de leurs lecteurs. Ces derniers ne sont-ils pas plus soucieux de comprendre que de connaître les faits ?

Depuis la fin de l'Ancien Régime, les journalistes français assimilent la liberté de la presse à la liberté d'expression et se sont assez peu préoccupés de la liberté d'investigation ou d'accès aux sources. Parmi les raisons qui peuvent expliquer ce goût naturel du journalisme français pour le jugement et l'analyse subjective, et son relatif mépris pour le témoignage « objectif » du reportage, on peut en retenir deux.

La première tient à ce que l'on peut appeler l'ambition littéraire des journalistes, qui se sont longtemps considérés plus comme des hommes de lettres en devenir que comme des observateurs des événements ; de fait, la partie culturelle et les œuvres de fiction dans le contenu des journaux ont toujours été, en France, relativement importantes par rapport aux articles d'actualité.

La seconde tient à l'histoire : la presse française, jusqu'à l'avènement de la IIIe République, a été soumise à une forte contrainte des autorités gouvernementales ; la liberté d'investigation des journalistes français s'en est trouvée largement limitée. L'État, fortement centralisé et exerçant, à la différence des États-Unis par exemple, une influence décisive dans tous les secteurs de la vie politique, économique et même culturelle, contrôlait les principaux réseaux d'information et était, par son administration et ses services diplomatiques, la principale source de nouvelles.

La presse française fut donc souvent contrainte de s'en remettre, pour l'essentiel, aux sources gouvernementales, et le moteur du journalisme fut, non pas comme aux États-Unis ou en Grande-Bretagne, la chasse aux nouvelles, mais la critique d'une information officielle. Dès le milieu du XIXe siècle, alors même que la tutelle officielle se desserrait progressivement jusqu'à s'effacer entièrement, les services de l'Agence Havas, par leur abondance, perpétuèrent cette habitude et en firent une commodité. Encore aujourd'hui, il est clair que par l'étendue, la variété et la qualité de ses services, l'Agence France Presse allège la charge des journaux et favorise leur tendance à traiter l'actualité au second degré, non celui de la collecte des faits, mais celui de l'analyse réflexive et critique.

Lors même que, de nos jours, les journalistes français se réclament d'un nouveau journalisme « d'investigation » à l'américaine, ils s'en remettent, en fait, pour l'essentiel de leurs informations, à des sources institutionnelles gouvernementales, administratives ou autres. Il est caractéristique que les grands noms du journalisme français ont été, et sont encore souvent, des polémistes, des essayistes ou des hommes de lettres[3], et non des reporteurs.

Alors même qu'aujourd'hui, la professionnalisation des journalistes, c'est-à-dire l'apprentissage des recettes et des règles d'un métier si divers dans ses pratiques et dans ses productions, semble à l'ordre du jour, on peut se demander si le bon vieux journalisme « à la française », personnel et peu conformiste, n'a pas conservé ses mérites... et la sympathie de ses lecteurs.

(3) On peut noter que le prix Albert-Londres, créé en 1933 pour récompenser le meilleur journaliste de l'année, se réfère à un grand « reporteur » des débuts du XXe siècle, dont les séries d'articles s'inspiraient autant des techniques du roman naturaliste que des règles du reportage journalistique.

CHAPITRE 3

Le statut de la presse

Le droit de la presse française est fortement marqué par ses origines. Les journaux ont dû lutter pendant 250 ans, de 1631 à 1881, avant que la IIIe République, par la très libérale loi du 29 juin 1881, ne renonce à exercer sur eux une tutelle administrative limitative de leur liberté. Cette loi, véritable code, dans la ligne de la Déclaration des droits de l'homme de 1789, reste, dans son principe – dans la réalité, ses principales dispositions sont depuis longtemps abandonnées[1] –, une véritable charte de la presse française et elle a inspiré la législation de nombreux autres pays.

La presse française a définitivement conquis sa liberté contre les gouvernements un siècle après les États-Unis, où elle fut immédiatement reconnue dès 1781, et où jamais les Présidents ni le Congrès n'osèrent légiférer contre, ou plus simplement sur la presse, par respect du Ier amendement de 1791. D'où une différence notable dans le statut de la presse des deux côtés de l'Atlantique.

Aux États-Unis, et aussi dans une large mesure au Royaume-Uni, il n'existe pas de législation spécifique pour les journaux : on leur applique le droit commun. Ce sont les tribunaux qui font respecter le bon usage du journalisme[2], quitte à faire appel plus largement qu'en France aux arbitrages et à l'autocontrôle pour faire respecter la déontologie professionnelle. À l'inverse, en France et dans la plupart des pays européens, le législateur a pensé que la

(1) Par exemple, l'attribution du jugement des délits politiques de presse au jury (supprimée en 1944), l'existence du gérant, véritable paravent qui plaçait l'entreprise à l'abri de toute investigation judiciaire (supprimé en 1944), mais aussi l'extension à la presse de toute une série de nouveaux délits, alors que la loi de 1881 entendait rassembler en un code exclusif la nomenclature de tous les délits susceptibles d'être commis par voie de presse. Cf. P. Albert, « 1881-1981 : le passé et le présent de la liberté de la presse », *Presse Actualité,* nos 154 et 155, avril et mai 1981.

(2) Dans les pays anglo-saxons, c'est donc la jurisprudence (dont aux États-Unis, en particulier, celle de la Cour suprême) qui réglemente la liberté de la presse. Or, cette jurisprudence est au moins aussi complexe que la réglementation administrative française. On ne peut en tout cas pas dire, comme on le prétend parfois, que la liberté de la presse y soit mieux préservée qu'en France. Par exemple, le droit des citoyens y est moins bien protégé du fait de l'absence du droit de réponse ainsi que de la faiblesse de la protection de la vie privée.

meilleure garantie de la liberté tenait à la protection accordée par une législation spécifique, qui fixe exactement les limites de la liberté pour en prévenir les abus et non pour en restreindre l'usage.

Pour l'essentiel, la loi garantit le droit de chacun de fonder un journal sans contrainte préventive et d'en diffuser librement les exemplaires ; elle précise aussi le droit des citoyens, et donc aussi des journalistes, d'exprimer « leurs idées et leurs opinions » sans avoir à craindre le moindre contrôle *a priori* de leurs écrits par la voie d'une quelconque censure administrative ; elle confie aux seules autorités judiciaires, après un procès loyal, la sanction *a posteriori* des abus de la liberté d'expression.

Il reste que les contraintes administratives de l'État ne sont pas les seules dont la presse ait à se défendre et que l'indépendance des journaux et des journalistes dépend aujourd'hui de leur prospérité économique. La réglementation du droit de la presse ne met pas le journalisme à l'abri des « lois du marché ». La liberté de la presse et la capacité des journaux à résister aux efforts des différents groupes de pression, des milieux politiques ou d'affaires ne peuvent pas toujours trouver dans la loi les garanties suffisantes : elles sont en fait le résultat d'un très subtil rapport de forces.

Le droit de la presse peut être divisé en trois branches : le droit des entreprises, celui des publications et du contenu, celui des professionnels.

■ Le statut de l'entreprise

La loi de 1881, dans la droite ligne de sa mission libérale, avait associé la reconnaissance du « laisser dire » à celle du « laisser faire » et avait tenu l'entreprise de presse à l'abri de l'investigation administrative (comme elle ignorait les journalistes). À la Libération, l'ordonnance du 26 août 1944 dota l'entreprise de presse d'un statut original au nom de la spécificité de sa production – la presse n'est pas une marchandise comme les autres – et pour réduire l'influence occulte des puissances d'argent : on entendait en faire une « maison de verre » : actions nominatives dans le cas d'une société par actions, interdiction des prête-noms, interdiction de prises de participations d'actionnaires étrangers, nomination comme responsable civil et pénal du directeur de la publication, véritable mandataire des propriétaires du journal, substitué à l'ancien gérant paravent et homme de paille de la loi de 1881, agrément du conseil d'administration pour tout transfert de parts… L'entreprise devait publier ses comptes tous les trimestres avec la liste de ses actionnaires, ainsi que ses chiffres de tirage : en réalité, ces stipulations ne furent pas respectées, car le gouvernement oublia de publier les décrets d'application qui seuls les eussent rendues obligatoires. L'ordonnance, pour lutter contre la concentration des titres, interdisait à un seul directeur de publication de diriger plus de deux quotidiens. Cette dernière stipulation fut finalement efficace, puisque la presse quotidienne échappa longtemps à la constitution de groupes de titres qui, au contraire, prenaient dans le même temps un si fort développement en Angleterre, aux États-Unis et en Allemagne. Pour la presse magazine, qui était ignorée par l'ordonnance, la multiplication des titres dépendant d'une même société éditrice commença dès le début des années 1950.

Pourtant, ce gros effort pour donner aux entreprises de presse un statut spécifique s'essouffla très vite et leurs comptes restèrent le plus souvent opaques. D'autres mesures, prises dans les années qui suivirent la Libération, tendirent pourtant à préserver les entreprises de presse contre les effets pervers de la concurrence et à protéger la multiplicité des titres, garante du nécessaire pluralisme. Ces mesures touchaient le marché du papier journal (loi du 10 septembre 1947) (v. chapitre 5), les agences de presse (loi du 10 janvier 1957) (v. chapitre 4), les messageries de presse (loi du 10 avril 1947) (v. chapitre 6), la fixation d'un prix de vente identique pour tous les quotidiens (pour contrer l'abaissement de ce prix par les entreprises plus prospères) et surtout la mise en place d'aides de l'Étataux entreprises de presse (v. chapitre 7), qui furent et restent une des caractéristiques du système français : tous les ans, le vote de la loi de finances est l'occasion de débats sur le montant et les modalités de ces aides.

Tout ce système dirigiste et qui imposait aux différentes entreprises pourtant concurrentes sur le marché une sorte de solidarité fonctionna, vaille que vaille, sous la IVe République et les débuts de la Ve. L'efficacité du système ne fut que relative. Le nombre des quotidiens ne cessa de diminuer (v. tableau 2, p. 41), leur diffusion s'effondra dès 1947 et se stabilisa à un niveau bien inférieur à celui de nos grands voisins de l'Europe du Nord et de l'Est. Le marché publicitaire restait aussi en retard sur celui des autres grandes nations occidentales. L'uniformité du prix de vente des quotidiens fut abandonnée et le marché du papier journal retrouva progressivement sa liberté. Surtout, les progrès croissants du groupe Hersant dans la presse quotidienne nationale et provinciale portaient un défi aux stipulations de l'ordonnance du 26 août 1944.

L'arrivée des socialistes au pouvoir en 1981 allait curieusement amorcer un délitement du système. La tentative de sanctionner le groupe Hersant échoua malgré le vote de la loi du 23 octobre 1984. Cette loi, à laquelle le Conseil constitutionnel refusa de donner un caractère rétroactif, entendait limiter la concentration en interdisant à une entreprise de posséder plus de 15 % du tirage des quotidiens nationaux, 15 % de celui des provinciaux et au total 10 % de l'ensemble de la presse quotidienne. Une « Commission permanente pour la transparence et le pluralisme de la presse » se chargeait de veiller à la transparence des comptes et du capital des entreprises. En 1986, la nouvelle majorité de droite remit tout ceci en cause par la loi du 27 novembre 1986, instaurant pour lutter contre la concentration un système de quota du marché de la presse quotidienne et de l'audiovisuel si complexe qu'il en perdait toute efficacité. Pour les entreprises qui n'ont des intérêts que dans la presse, le quota maximum admissible est de 30 % du tirage global des quotidiens. Elle limite à 20 % la part du capital étranger dans les entreprises médiatiques, sauf pour les partenaires de la Communauté européenne.

La déconfiture du groupe Hersant, en 1989, alors qu'il contrôlait près du tiers du marché des quotidiens, enleva toute justification à la politique anticoncentration, en fait sinon en principe. On notera que cette législation ne concerne que les quotidiens et non les autres périodiques[3]. Depuis 1986, le statut des entreprises de presse n'a pas été remis en cause alors que, pour les entreprises d'audiovisuel, les constantes transformations des techniques et l'internationalisation des programmes imposent épisodiquement de nouvelles adaptations du statut de la radio, de la télévision et des télécommunications.

Le statut des entreprises de publicité fut en partie remanié par la loi Évin du 10 janvier 1982 à propos de la publicité du tabac et par la loi Sapin du 29 janvier 1993, qui imposa plus de rigueur et de transparence dans les relations entre les annonceurs, les publicitaires et les supports.

Les instances européennes, tant le Conseil de l'Europe que la Cour européenne des droits de l'homme (CEDH) que l'Union européenne, avec la Cour de justice des Communautés européennes (CJCE), sont intervenues pour harmoniser les principes et les pratiques des médias audiovisuels (directives sur la télévision sans frontière, interdiction de certaines publicités, droits d'auteur...), mais jusqu'ici très peu sur le statut de la presse écrite, sauf, comme nous le verrons plus loin, sur le droit des journalistes. Il est cependant à craindre que, dans les lustres prochains, elles ne contestent, au nom du libéralisme économique et de la libre concurrence, le système des aides de l'État à la presse ou de certaines réglementations nationales : leur intervention risquerait de réduire la spécificité du modèle économique de la presse française[4].

(3) Reste que le rachat par le groupe Lagardère des intérêts du groupe Vivendi dans l'édition de livres a provoqué en 2003 de violentes critiques contre l'énorme supériorité que ce rachat accorde à celui-ci dans un domaine actuellement si sensible. *V.* p. .129

(4) Déjà, la CJCE a, par un arrêt du 7 mai 1985, condamné une des stipulations du Code des impôts français applicable aux entreprises de presse. Depuis mai 2002, la Commission européenne a engagé une instance contre l'interdiction en France de la publicité télévisée dans les secteurs de l'édition, de la presse, du cinéma et de la grande distribution figurant dans le décret du 27 mars 1992. Si le gouvernement français a autorisé la presse à faire de la publicité à la télévision dès le 1er janvier 2004, les résistances sont encore très grandes pour les autres secteurs.

■ Le statut de la publication et des contenus

Si l'on excepte les simples obligations administratives (indication sur chaque numéro de l'adresse – ou de la raison sociale –, du nom du directeur de la publication et de celui de l'imprimeur, déclaration du titre au procureur de la République du lieu d'impression, dépôt légal d'exemplaires de chaque numéro de la publication au Parquet, à la préfecture, à la Bibliothèque nationale de France et à la Direction du développement des médias), les publications françaises échappent pratiquement à tout contrôle administratif spécifique[5].

Seules les publications destinées à la jeunesse, en vertu de la loi du 16 juillet 1949, font l'objet d'une surveillance spéciale et d'un contrôle de leur contenu par une commission *ad hoc* qui cherche à en éliminer, en accord avec les éditeurs, les éléments susceptibles de contribuer à « démoraliser la jeunesse » (violence, mensonge, sexualité...). L'action de cette commission est rendue fort délicate par l'émancipation croissante des adolescents, qui peuvent désormais avoir facilement accès aux publications et aux productions de télévision ou de vidéo destinées aux adultes. Dans la même lignée se situe la réglementation interdisant l'exposition à la vue du public et l'interdiction de vente aux mineurs des publications exploitant la pornographie ou la violence, dont l'application est de plus en plus délicate dans une société permissive...

L'essentiel du statut des publications concerne donc leur contenu, c'est-à-dire les délits que la justice peut retenir à l'encontre des articles publiés. Le délit de presse est relativement simple à définir en principe, mais sa matérialité est très délicate à saisir. Pour l'apprécier, les juges doivent à la fois tenir compte de l'intention du journaliste, des circonstances de la parution et de l'effet que l'article peut produire sur les lecteurs. On est ici, dans la plupart des cas, au cœur d'un conflit de droits : la liberté d'expression contre l'intérêt public, le droit à l'information contre le droit légitime du secret de la vie privée, des affaires ou de l'instruction judiciaire. En fait, chaque délit de presse est un cas particulier peu aisé à sanctionner par la seule référence au Code. De plus, la lenteur des procédures judiciaires est ici particulièrement néfaste : la révélation par l'article poursuivi de faits que l'instruction de l'affaire et le jugement reconnaîtront, peut-être, mal fondés provoque immédiatement des dommages à la réputation ou aux intérêts des victimes ; ces dommages sont irréversibles car l'opinion publique, sensible à cette révélation, en garde un souvenir que l'écho atténué et tardif du jugement ne peut effacer.

(5) L'administration conserve, certes, le droit d'interdire la diffusion en France de publications étrangères, mais elle en use très rarement : les engagements de coopération internationale et européenne limitent en fait ce pouvoir d'interdiction à très peu.

Dans les procès de presse, l'inculpé est le directeur de la publication, qui est responsable : le rédacteur de l'article incriminé n'est considéré que comme un complice, car le délit réside dans la publication et non dans l'expression. Les sanctions se limitent, au pénal, à des peines d'amende, car les peines de prison prévues par le Code, mais pratiquement abandonnées en matière de presse, ont été supprimées par la loi du 30 mai 2000. Les dommages et intérêts obtenus par les victimes, au civil, sont imputés à la société éditrice.

On ne peut énumérer les différents délits susceptibles d'être commis par voie de presse, tant il sont nombreux et complexes dans leur définition. Tout au plus peut-on tenter d'en présenter les principales catégories.

Fort peu nombreux sont les **délits politiques** poursuivis au nom de l'intérêt public. Toute poursuite engagée en la matière apparaît comme une sorte de manœuvre partisane aux yeux des journalistes et des éditeurs, qui se posent volontiers en victimes des rancunes politiques de l'exécutif. Dans ce cas, les débats publics risquent de réanimer, dans l'opinion publique, des affaires que le temps aurait contribué à faire oublier.

Ces délits « politiques » relèvent :
— de la provocation directe à crimes ou délits ;
— de l'offense ou de l'outrage au Président de la République[6], à des chefs d'États ou de gouvernements étrangers, aux corps constitués ;
— de l'outrage à la mémoire des morts ;
— de l'outrage à la justice ;
— de la diffamation de personnalités politiques ;
— de l'outrage aux bonnes mœurs ;
— de divulgations interdites : fausses nouvelles de nature à troubler l'ordre public divulguées avec une intention coupable, secrets de la Défense nationale ou de l'instruction judiciaire… ;
— d'injures ou de diffamation envers des groupes de citoyens en raison de leur appartenance à une race ou une religion déterminée (décret-loi du 21 avril 1939 et loi du 1er juillet 1972).

Les poursuites sous ce dernier motif sont les plus nombreuses : il est vrai qu'elles sont le plus souvent engagées sur plainte isolée ou collective, et non directement par le Parquet.

L'un des problèmes les plus délicats concerne les journalistes dans leurs rapports avec la justice : il s'agit du secret de l'instruction. Nécessaire au bon fonctionnement de la justice, ce secret est en réalité régulièrement bafoué, par les avocats qui ne sont pas liés à son respect absolu, parfois par les juges d'ins-

(6) Ce délit est tombé en désuétude : depuis Georges Pompidou, aucun Président de la République n'a engagé de poursuites en la matière.

truction qui ont besoin des journalistes pour prolonger leurs investigations, souvent aussi par les policiers qui entretiennent naturellement des relations de travail avec les reporteurs. La tendance récente de certains procureurs à poursuivre les journalistes du délit de recel du secret de l'instruction inquiète les milieux de la presse.

La CEDH a, par son arrêt du 21 janvier 1999, révoqué les arrêts de la justice française qui avaient condamné le directeur du *Canard enchaîné* et son rédacteur – ce dernier comme complice – pour avoir publié la feuille d'impôt d'un grand industriel français et révélé l'augmentation de son salaire alors que, dans le même temps, celui-ci refusait d'augmenter celui de ses employés. Par là, la CEDH privilégiait la révélation de la vérité sur le respect du secret administratif.

Les poursuites les plus fréquentes visent les **délits contre des personnes** privées : elles sont engagées par des personnes et non par le Parquet. La loi garantit aux individus, depuis 1818, l'inviolabilité de leur vie privée et ce sont les délits concernant sa violation, la diffamation ou l'injure par voie de presse qui fournissent l'essentiel des poursuites, même si, en la matière, les particuliers, retenus par la crainte du scandale renouvelé par le procès, évitent souvent de porter plainte.

Lorsqu'une personne est mise en cause par un journal, lors même que cette mise en cause n'est pas diffamatoire, elle peut user du droit de réponse qui contraint, sous réserve de conditions particulières, le journal à publier, au plus tôt, la réplique qui lui est adressée, à la même place et dans la même longueur que le texte original. Lorsque la mise en cause est injurieuse (qualification outrageante ou méprisante sans faits précis à l'appui) ou diffamatoire (allégation ou imputation d'un fait susceptible de porter atteinte à l'honneur et à la considération de la personne), le plaignant peut obtenir, en plus de la sanction pénale, en action civile, un dédommagement personnel sous forme de dommages et intérêts. Lorsqu'il s'agit d'une infraction de diffamation d'une personne privée, le journal poursuivi n'a pas la possibilité de faire la preuve des faits allégués ou imputés ; s'il s'agit d'une personne publique, la preuve est admise comme élément de justification de bonne foi du journal. Le recours à la procédure d'urgence, par référé, pour obtenir une première sanction rapide d'une diffamation ou même, dans des cas graves, la saisie judiciaire des exemplaires de la publication présumée fautive paraissent plus fréquents, mais le juge accorde bien rarement satisfaction au plaignant, renvoyant l'action en correctionnelle devant ses juges naturels. Se généralise, pour les plaignants diffamés, la plainte en dommages et intérêts devant la seule justice civile pour éviter la procédure pénale, peut-être plus rigoureuse.

Dans ces matières, la jurisprudence, très riche, est fort complexe. La protection des particuliers est un des points les plus délicats et les plus controversés du droit de la presse. Il devrait trouver sa solution dans le respect par les journaux des règles de la déontologie professionnelle, même si, en la matière, les exigences de la vérité, la passion partisane ou la recherche du sensationnel conduisent trop souvent les journaux à escalader, sans assez de scrupules, le mur de la vie privée. Il faut aussi prendre en compte l'intérêt de plaignants parfois plus attirés par l'appât des dommages et intérêts que par la restauration de leur honneur ou de leur considération[7]. La jurisprudence en matière du « droit à l'image » est en particulier fort complexe, parce que les demandes de dommages et intérêts se multiplient et que les législations européennes ne sont pas, en la matière, encore harmonisées. La loi du 30 mai 2000 visant à mieux protéger la présomption d'innocence a interdit la publication de photos portant atteinte à la dignité des victimes ou de prévenus menottés.

Pourtant, malgré la multiplicité des délits qu'il énumère, il convient de comparer les lois sur la presse au Code de la route. Comme pour ce dernier, la justice ne sanctionne jamais qu'un nombre infime des infractions commises et la sévérité apparente de la loi est aussi, en cas de poursuite, tempérée par la compréhension des juges.

■ Le statut professionnel

Les journalistes ont un statut professionnel qui leur offre les mêmes garanties que celles des autres salariés, mais la loi du 29 mars 1935 leur a accordé la « clause de conscience », disposition spécifique de leur métier (v. chapitre 4). La loi ne reconnaissait pas le secret professionnel des journalistes et ceux-ci réclamaient la reconnaissance officielle du droit à ne pas révéler à la police ou à la justice les sources de leurs informations. Une loi du 4 janvier 1993 a, non sans ambiguïté, comblé cette « lacune ». En réalité, les problèmes que rencontrent les journalistes relèvent moins de leur statut juridique que de leurs conditions de travail et de leur rôle dans les entreprises de presse ; beaucoup pensent que la solution à leurs revendications passe plus par la réforme du statut de l'entreprise de presse que par celle de leur propre statut professionnel.

La Commission de la carte d'identité des journalistes professionnels, composée de 14 membres (7 directeurs de publications et 7 journalistes), attribue, pour un an, une carte au journaliste qui « a pour occupation principale, régulière et rétribuée l'exercice de sa profession dans des entreprises d'information » et qui « en tire le principal des ressources nécessaires à son

(7) On peut jusqu'ici se féliciter que le « journalisme du chéquier », consistant à rétribuer les témoins d'événements pour leurs révélations exclusives, si fréquent en Angleterre ou en Amérique dans la presse « *people* », ait encore peu pénétré en France.

existence ». Une Commission supérieure, composée de trois magistrats, d'un représentant des directeurs de journaux et d'un journaliste, reçoit les appels des décisions de la première Commission.

À travers leurs associations professionnelles nationales ou internationales comme Reporters sans frontière, fondée en France en 1985, les journalistes formulent une série de revendications portant sur leurs droits d'auteur, en particulier pour la « réédition » électronique de leurs articles en ligne sur la Toile, sur certains abus, à leur sens, du droit à l'image des personnes privées, sur la protection des journalistes en mission périlleuse, sur les interprétations du secret Défense ou du secret de l'instruction...

PARTIE 2

Organisation et structures

La vie d'une publication périodique passe, avant sa consommation par les lecteurs, par trois étapes successives : la rédaction (c'est-à-dire la collecte de l'information et la mise en forme du contenu), l'impression (c'est-à-dire la fabrication des exemplaires), puis la diffusion (c'est-à-dire leur distribution aux acheteurs).

Les plus grandes entreprises, en particulier pour les quotidiens, intègrent les deux premières, voire en partie la troisième, mais la majorité des publications confient la fabrication, à façon, à des imprimeries indépendantes, la distribution à des entreprises de messageries pour la vente au numéro ou de routage pour les abonnements et leur publicité à des entreprises de régie. Cette division du travail accroît encore la complexité du monde des entreprises de presse où, du simple bureau de rédaction quasi artisanal à la grande usine, toutes les formes et toutes les tailles sont représentées.

L'économie de la presse est, de par la nature de sa production et de sa consommation, particulièrement complexe tant dans ses dépenses que dans ses recettes, d'où la présentation spéciale de la place de la publicité et des aides de l'État...

Malgré la difficulté d'analyser les effets de la lecture sur les consommateurs de la presse, les études sur les lectorats sont particulièrement nombreuses.

CHAPITRE 4

La rédaction

■ Les métiers du journalisme

Alors que les services rédactionnels sont les véritables créateurs du produit presse et que les autres services ne sont utilisés que pour sa duplication et sa diffusion, ils n'interviennent que pour une part minoritaire dans les dépenses des entreprises[1], à peine 10 % pour certaines magazines de lecture populaire, de 15 % à 30 % pour un quotidien de qualité, y compris les frais de transmission (télécommunications, abonnements à des services d'agences de presse ou services télématiques payants). Dans une entreprise intégrée, les journalistes sont toujours la catégorie de salariés la moins nombreuse[2]. Le nombre des rédacteurs est naturellement fort variable selon la périodicité, la pagination et la nature de la publication, mais leur décompte est toujours très délicat.

À côté de salariés mensualisés, les rédactions emploient aussi des collaborateurs occasionnels : les pigistes, payés « à la pige », c'est-à-dire à la ligne, ou au mieux à l'article, voire des bénévoles. Aux journalistes attachés à la rédaction centrale s'ajoutent des correspondants. Il s'agit de collaborateurs installés hors de la ville d'édition. Les correspondants permanents à l'étranger sont très coûteux pour l'entreprise, car elle doit assurer, en plus de leur salaire, des frais de séjour, de déplacement et de télécommunications, ce qui explique que les journaux français se paient rarement ce « luxe » et préfèrent compter sur des services de journalistes du cru, correspondants particuliers, qui sont payés comme des pigistes lorsqu'ils sont sollicités. Lorsque l'actualité exige la

(1) Malgré l'incertitude statistique de ses comptes d'exploitation (en particulier de la rubrique « frais généraux »), *Le Monde* estimait en 2000 que le papier représentait 8 % de ses dépenses, la fabrication 18 %, la distribution 27 %, la promotion 2 % et la rédaction 20 %.

(2) Il est, curieusement, malaisé de connaître précisément le nombre des journalistes salariés par les journaux en 2003. *Le Monde* en compte 315, *Le Figaro* quelque 300, *Libération* 246, *La Croix* 84, *L'Humanité* et *France Soir* une soixantaine, *L'Équipe* 274, *Ouest-France* quelque 500, *Sud Ouest* 286, *La Dépêche du Midi* et *Midi libre* plus de 200, *Le Canard enchaîné* plus de 60. Radio France en emploie quelque 180, LCI, chaîne de télévision en continu, 88. Pour l'année 2002, la DDM estime que le pourcentage des journalistes dans la masse des salariés des entreprises de presse était de 24,9 %.

présence d'un rédacteur du journal, celui-ci envoie un de ses reporteurs comme envoyé spécial, qui séjourne sur place le temps nécessaire pour « couvrir » l'événement. Les journaux de province, pour suivre la vie des petites localités de leur zone de diffusion, utilisent les services de correspondants locaux, qui sont en liaison avec les agences locales du journal, où quelques journalistes détachés recueillent les informations et où se récolte la publicité locale. Ces correspondants locaux sont très nombreux – *Ouest-France* en emploie quelque 2 000 pour sa quarantaine d'éditions locales, et les grands régionaux des centaines. Si leurs frais de correspondance leur sont remboursés, leur rémunération est le plus souvent symbolique.

La notion de journaliste recouvre un éventail de pratiques professionnelles très large et, dans le détail, elle est aussi floue que, par exemple, celle d'enseignant ou de commerçant. À côté des rédacteurs, bien des journalistes n'écrivent pas : les photographes, les dessinateurs de presse – caricaturistes, illustrateurs ou iconographes – mais aussi les très importants secrétaires de rédaction, qui assurent la liaison entre la rédaction et la composition, préparent le calibrage des textes et leur mise en page, leurs titres, illustrations et annonces, en fonction de la maquette préétablie ; ces derniers ont aussi parfois la charge de rédiger les titres et la légende des illustrations. Les conférences de rédaction préparent le « menu » du numéro suivant et critiquent le précédent : elles regroupent les chefs des différents services de la rédaction.

Même si chaque rédacteur, dans les publications à fort tirage, appartient à un service spécialisé, la polyvalence, c'est-à-dire la capacité d'écrire, dans l'urgence, un « papier » sur un peu tous les sujets, reste l'une des qualités premières du journaliste.

En suivant l'échelle des fonctions de la plus à la moins gratifiante et de l'écriture de la plus à la moins subjective, la tradition distingue plusieurs types d'articles. L'éditorial expose la position du journal face à une situation particulière. La chronique fournit, dans une rubrique spécialisée, une analyse personnalisée par une signature connue et appréciée des lecteurs. La critique, papier d'analyse et de jugement sur les œuvres ou les spectacles, est réservée aux rubriques artistiques, littéraires, voire sportives ; elle se distingue du courrier, simple présentation de l'actualité du secteur. Le compte rendu est un simple récit d'un événement.

Le reportage est normalement le témoignage direct d'un journaliste sur un événement particulier. Il s'oppose au journalisme sédentaire. C'est la fonction en principe la plus exaltante du journaliste, qui décrit à la fois les faits et les impressions ressenties. Sa forme la plus accomplie est celle du journalisme d'enquête, dit « d'investigation », puisqu'elle associe *interviews*, reportages et consultation rétrospective dans des sources documentaires diverses. Il se pratique en équipe et exige un long temps de recherche préalable à la publication : il est finalement si coûteux que peu d'entreprises sont à même de le pratiquer.

Face au foisonnement difficilement prévisible de faits et à la surabondance de l'information reçue de sources diverses (agences de presse, documents préparés par les services de relations publiques ou de communication, communiqués d'administrations, de sociétés ou d'associations diverses, ouvrages, renseignements fournis par les banques de données ou trouvés dans le service de documentation de l'entreprise[3], productions de la rédaction elle-même – *interviews* ou reportages –, sans parler de la lecture des autres journaux, qui est une source souvent très importante), l'acte premier du journalisme n'est pas la rédaction : c'est la sélection préalable faite, dans cette matière immense, des sujets qui seront réellement traités dans la publication ; certes, ce choix dépend de l'importance du sujet, mais aussi, autant et parfois plus, de l'intérêt qu'il peut présenter pour les lecteurs. Par là, le journalisme est d'abord distributeur de notoriété et il s'apparente en fait pour beaucoup à une sorte de secrétariat spécialisé, chargé de sélectionner et de mettre en forme une documentation déjà rassemblée par des sources dont il ne contrôle qu'imparfaitement la fiabilité.

Par ailleurs, il est à la fois récit et commentaire ; entre ces deux fonctions, la frontière est souvent très difficile à tracer.

■ Les agences de presse

La nouvelle fut, de tout temps, une marchandise : dès le XVe siècle, avec la création de réseaux postaux modernes, des officines de nouvellistes en ont organisé le trafic. Dans la première moitié du XIXe siècle, la multiplication des journaux a suscité la création de correspondances, qui permettaient aux feuilles de province de recevoir depuis Paris la matière déjà rédigée d'informations nationales. Dans la seconde moitié du XIXe siècle, le télégraphe électrique, puis hertzien au XXe, donna à certains bureaux de correspondance la possibilité d'étendre leurs activités et de devenir de grandes agences télégraphiques de presse, qui assurent le commerce en gros d'une information livrée au détail par les médias. La révolution télématique, depuis la fin des années 1960, a bouleversé le marché des agences. Les banques de données offrent un nouveau moyen de traitement et de diffusion de l'information.

(3) Une des caractéristiques des entreprises de presse françaises est bien souvent le relatif désintérêt dans lequel elles tiennent leur service de documentation rédactionnelle. Peut-être l'individualisme des journalistes français explique-t-il leur évidente répugnance à utiliser ces services, à la différence de leurs collègues américains ou allemands.

Le monde des agences de presse est très varié[4]. On en compte en France près de 200, dont la majorité ont des dimensions modestes et sont pour la plupart spécialisées dans la fourniture de nouvelles ou d'articles rédactionnels dans un secteur spécialisé : jeux, horoscopes, bandes dessinées, sport, commerce, finances, sciences, religion... À la limite, les services rédactionnels des grands journaux ou périodiques peuvent aussi trouver des clients avec la revente de leurs productions journalistiques.

Un secteur a pris un développement considérable dans les années de l'entre-deux-guerres, celui des agences photographiques, dans lequel la France a longtemps occupé une place remarquable : Keystone (1923, reprise par l'AFP en 1985), Rapho (1933), Magnum (1947), Gamma (1967), Sipa (1968, repris en 2001 par Sud Communications), Sygma (1973). Après avoir joué un rôle essentiel dans le photo-journalisme mondial, elles n'ont pas résisté dans les années 1990 aux transformations et aux investissements imposées par la substitution des photos numériques aux photos argentiques et à l'entrée sur l'internet pour leur diffusion. Sygma a été repris par Bill Gates (Corbis-Sygma), Rapho et Gamma par Hachette, et aujourd'hui Mark Getty dirige depuis les États-Unis la plus grande agence d'images du monde, Getty-Images. De plus, toutes les agences nationales ou mondiales ont leur propre service photographique. Le marché de l'image animée est pour l'essentiel dominé par les grandes sociétés de production ou de diffusion télévisée.

Si les médias sont les principaux clients des agences de presse, elles ont aussi des clients privés – services gouvernementaux, officines financières ou boursières, sociétés commerciales, paris mutuels ou *bookmakers*... Le monde des affaires (banques, assurances, Bourses, grandes entreprises commerciales, maisons de courtage) est un gros consommateur de données économiques fraîches. Les services économiques ont pris dans ces agences internationales une importance considérable : ils assurent plus des trois quarts du chiffre d'affaires de Reuters[5], la grande agence anglaise, et ont permis à l'agence Bloomberg de prendre la troisième place devant l'AFP, derrière l'*Associated Press* américaine et Reuters. D'autres grandes agences nationales de type coopératif comme la *Deutsche Presse Agentur* allemande et l'ANSA *(Agenzia Nazionale Stampa Associata)* italienne, ou privées comme l'EFE espagnole, ont, directement ou par échange avec les « quatre grandes », un rayonnement qui déborde leur propre pays. Il existe, dans la majorité des pays, des agences nationales, parfois sous tutelle gouvernementale, comme l'était, aux temps de

(4) Cf. Pigeat (H.), *Les agences de presse : institutions du passé ou médias d'avenir,* coll. « Les études », La Documentation française, Paris, 1997. Cf. aussi Mathien (M.) et Conso (C.), *Les agences de presse internationales*, coll. « Que sais-je ? », n° 3231, Puf, Paris, 1997.

(5) La crise économique, depuis la fin 2000, atteint très durement Reuters, qui, en deux ans, a licencié plus de 2 500 employés.

l'Urss, l'agence TASS (aujourd'hui ITAR-TASS, agence officielle de la Fédération de Russie). Certaines agences, comme *Press-Union* en Grande-Bretagne, fonctionnent de façon coopérative, comme des sortes de bureaux de rédaction communs de journaux de province. C'était aussi le cas de l'Agence centrale de presse, née en 1947 comme bureau parisien des journaux socialistes de province, ouvert ensuite à d'autres provinciaux ; elle prit dans les années 1980 un assez grand développement, avant de disparaître dans les années 1990. Les grandes chaînes ou groupes de publications possèdent aussi des bureaux de rédction communs fonctionnant pour les journaux de leur groupe.

Héritière de la branche information de l'Agence Havas qui, fondée en 1832, fut l'ancêtre de toutes les agences de presse du monde, l'**Agence France Presse** (AFP) fut créée à la Libération. Elle a été dotée par la loi du 10 janvier 1957 d'un statut original qui garantit l'objectivité des services de l'Agence : « L'Agence ne peut en aucune circonstance tenir compte d'influences ou de considérations de nature à compromettre l'exactitude ou l'objectivité de l'information ; elle ne doit en aucune circonstance passer sous le contrôle de droit ou de fait d'un groupement idéologique, politique ou économique (...). Elle doit donner aux usagers français et étrangers, de façon régulière et sans interruption, une information exacte, impartiale et digne de confiance ».

Au sein de son conseil d'administration composé de 15 membres (8 représentants des entreprises de presse française, 2 de la radiotélévision, 3 des services publics usagers, 2 du personnel), les représentants du gouvernement sont en minorité. Son P-DG est élu par le conseil pour trois ans[6].

L'AFP est au cœur d'un vaste réseau de télécommunications et, par sa filiale Polycom, d'un système de transmissions de données sur écrans d'ordinateur. Elle emploie quelque 2 000 salariés : 350 employés, 110 cadres administratifs, 300 techniciens et quelque 1 250 journalistes, dont 350 photographes. Huit cents d'entre eux résident à l'étranger. Elle utilise aussi plusieurs centaines de pigistes à l'étranger. Elle est présente dans plus de 160 pays grâce à une centaine de bureaux (36 en Europe, 25 en Asie et en Océanie, 9 en Amérique du Nord, 15 en Amérique latine, 9 dans le Proche et le Moyen-Orient). Elle possède 23 bureaux en France. Son service général (environ 2 millions de mots par jour) est diffusé en français, mais il est repris et complété en anglais depuis Paris, Washington, Hong-Kong et Nicosie, en espagnol depuis Montevideo, en portugais depuis Rio, en allemand depuis Francfort-sur-le-Main et en arabe depuis Nicosie. Au total, elle diffuse quelque 3 millions de mots par jour, 700

(6) Le rapide renouvellement des P-DG est l'indice des difficultés internes de l'agence. Se sont succédé à ce poste Jean Marin (1954-1975), Claude Roussel (1975-1978), Roger Bouzinac (mai 1978-octobre 1979), Henri Pigeat (1979-décembre 1986), Jean-Louis Guillaud (1987-1989), Claude Moisy (1990-1993), Lionel Fleury (1993-1996), Jean Miot (1996-1999), Éric Giuily (février 1999-septembre 2000), Bertrand Éveno (septembre 2000, réélu en 2003).

photos et 500 infographes sur ses téléscripteurs et ses terminaux d'ordinateur. Ses banques de données, nées en 1983, interrogeables aussi sur l'internet, conservent quelques dizaines de millions d'informations et 7 millions de photos.

Elle compte quelque 1 500 abonnés « privés », dont 370 services administratifs français, 650 journaux, périodiques et stations de radio ou de télévision, et 96 agences de presse nationales : directement ou indirectement, elle touche plus de 7 500 journaux, 2 500 stations de radio et 400 de télévision, soit au total près de 2 milliards d'individus dans le monde.

À côté de son service général diffusé en six langues, l'AFP anime des services spécialisés en sport, hippisme, économie-finances, infographie... Pour des secteurs particuliers (automobile, sciences, religion...), elle diffuse des bulletins papier et, pour les radios, un service audio. Ses tentatives pour développer un service de films vidéo d'actualité pour les télévisions n'ont pas réussi. Elle peut fournir à la demande des articles ou des reportages sur tel ou tel sujet. Le service photo de l'AFP est un des plus prospères de l'agence : il a même pris en 2001 un nouveau développement, après avoir abandonné son association avec la *European Photo Agency*, sorte de *pool* des services photo des grandes agences nationales continentales ; en 2003, il s'est lié avec Getty-Images (États-Unis).

Malgré des efforts renouvelés pour développer sa place dans le marché de l'information financière ou boursière, la création, en 1991, en association avec Extel Financial, filiale du groupe anglais Pearson, de AFX, agence d'informations économiques, et ses accords en 1996 avec l'agence américaine Bloomberg, elle n'a pas réussi à équilibrer son budget, ni à concurrencer efficacement les services de Reuters en la matière. Peut-être l'importance secondaire de la place boursière de Paris par rapport à celle de Londres explique-t-elle cet échec relatif. La crise économique depuis 2001 a conduit AFX, en 2002, à réduire ses ambitions.

Société d'un type original, sans capital et contrainte d'équilibrer son budget annuellement, l'AFP a toujours eu du mal à financer ses investissements : elle n'est entrée dans l'ère de la télématique qu'en 1976, en retard sur ses rivales internationales. L'État, à travers l'abonnement de 370 services diplomatiques et administratifs, mais aussi par des subventions ou des prêts bonifiés pour assurer la modernisation de ses réseaux de collecte, de traitement et de diffusion, tient une place notable dans le budget de l'AFP. La part des abonnements des services gouvernementaux dans l'ensemble des recettes est cependant en régulière diminution : 59 % en 1980, 56,2 % en 1984, 54 % en 1986, 51,3 % en 1988, 49,4 % en 1991, 46 % en 1996 et 37,5 % en 2002 (contre 27,5 % pour les abonnements des entreprises et médias en France, et 35 % pour les abonnements à l'étranger). Depuis plusieurs années, l'AFP a du mal à équilibrer son budget : 253,07 millions d'euros en 2002, 253,7 prévus en 2003. En 2002-2003, l'État a accordé à l'agence, par tranches successives, des « prêts participatifs » de l'ordre de 25 à 27 millions d'euros au total pour soutenir un plan d'économie et de restructuration qui se heurte à de fortes réserves des syndicats de l'entreprise, depuis toujours soucieux de préserver leurs avantages acquis. Cette tension interne, les pressions de l'État pour réduire ses participations financières et les réticences des représentants des médias au conseil d'administration à augmenter le prix des services de l'agence, la concurrence aussi des agences mondiales américaines (AP et Bloomberg) et anglaise (Reuters) handicapent le développement de l'agence, mais ne paraissent pas, pour l'instant, conduire à remettre en cause le statut de 1957.

L'AFP, au cœur du système médiatique français, est à la fois indispensable aux médias français qui, surtout pour l'information internationale, n'ont pas les moyens d'entretenir un réseau suffisant de correspondants à l'étranger. La participation de l'État au financement de l'agence lui est souvent reprochée dans le monde anglo-saxon, mais elle est à la fois naturelle et justifiée, car elle est un des instruments les plus efficaces du rayonnement de la France et de ses valeurs à l'étranger.

■ La profession de journaliste

L'image des journalistes de presse écrite tend à se troubler. D'une part, parce que le public tend à les assimiler avec les présentateurs, reporteurs ou commentateurs de la radio et de la télévision, dont les méthodes de travail sont très différentes des leurs, alors qu'il jouissent souvent du même statut spécifique (v. p. 60). D'autre part, parce que la multiplication des services de presse auprès des administrations, des sociétés ou des associations a créé une nouvelle catégorie d'informateurs-communicateurs qui, bien que situés en principe en amont du journalisme, exercent des fonctions et ont des pratiques professionnelles en grande partie similaires aux leurs : le souci des sources, institutionnelles ou non, de fournir une matière informative dégrossie rend de plus en plus floue la frontière du journalisme avec elles.

Le journaliste est un salarié d'une sorte fort originale : il engage sa responsabilité dans ses écrits tant vis-à-vis de ses lecteurs que de ses employeurs. Cette originalité est consacrée par la loi du 29 mars 1935, complétée par celle du 4 juillet 1974, qui fixe leur statut. La loi donne du journaliste professionnel une définition presque tautologique : « Le journaliste professionnel est celui qui a pour occupation principale, régulière et rétribuée l'exercice de sa profession dans une ou plusieurs publications quotidiennes ou périodiques, ou dans une ou plusieurs agences de presse, et qui en tire le principal de ses ressources ». Des lois de 1982 et 1986 ont étendu ce statut aux journalistes de l'audiovisuel. Cette définition exclut donc la masse des collaborateurs occasionnels, dont les revenus principaux proviennent de l'exercice d'un autre métier. Les journalistes professionnels sont enregistrés, annuellement, par la

Commission de la carte d'identité des journalistes professionnels : elle est paritaire – 9 représentants de patrons de presse et des médias audiovisuels et 9 journalistes. Pendant les deux premières années d'entrée dans le métier, l'impétrant reçoit une carte de stagiaire. L'attribution de cette carte garantit à son titulaire le droit, pour le cas où il démissionnerait de ses fonctions, aux mêmes indemnités que s'il était renvoyé par son employeur, du moins lorsqu'il peut prouver que sa démission est motivée par un changement dans la propriété ou l'orientation de la publication, qui porterait atteinte à ses droits moraux. Cette dérogation spécifique au droit du travail, dite « clause de conscience », a été souvent citée en exemple de la garantie de l'indépendance des journalistes, mais elle ne peut jouer que dans des cas très limités.

Tableau 10. - Évolution du nombre de journalistes professionnels (1955-2002) (au 31 décembre de chaque année)

	1955	1965	1975	1985	1995	2000	2001	2002
Journalistes								
Titulaires mensualisés	4 492	6 697	8 889	14 109	18 352	22 313	23 399	24 053
Titulaires pigistes	298	285	535	1 408	3 197	5 035	4 795	5 006
Demandeurs d'emploi	34	80	186	699	1 083	1 072	1 023	1 162
Directeurs (anciens journalistes)	186	284	352	423	602	462	473	486
Stagiaires mensualisés	992	1 484	1 856	2 285	2 128	2 735	3 461	3 339
Stagiaires pigistes	81	174	298	580	739	1 121	1 076	1 224
Journalistes assimilés								
Reporteurs-photographes	285	460	603	723	721	738	786	775
Reporteurs-photographes pigistes	51	91	195	518	523	650	660	673
Reporteurs-dessinateurs	45	34	56	40	24	30	24	25
Reporteurs-dessinateurs pigistes	116	76	107	123	36	37	30	34
Reporteurs d'images	46	49	280	357	661	626	657	694
Reporteurs d'images pigistes	–	–	–	–	–	341	332	356
Sténographes-rédacteurs	204	276	278	301	186	125	123	109
Traducteurs et réviseurs	–	–	–	183	219	221	292	222
Total	6 830	9 990	13 635	21 749	28 471	35 496	37 067	38 158
Dont femmes (en %)	–	15,3	20,9	28,7	36,9	38,0	39,0	40,0

Sources : statistiques annuelles de la Commission de la carte d'identité des journalistes professionnels ; cf. aussi l'enquête statistique éditée en 1967 et « Les journalistes, étude statistique et sociologique de la profession », *Dossiers du CEREQ*, n° 9, La Documentation française, Paris, juin 1974. *Répertoire français des emplois*, cahier 14, t. 1 : « Presse, édition, imprimerie et publicité », La Documentation française, Paris, 1981 et *50 ans de carte professionnelle*, CCIJP, 1986. Surtout Rieffel (R.) *et alii, Les journalistes français en 1990, radiographie d'une profession*, La Documentation française, Paris, 1991, et *Les journalistes français à l'aube de l'an 2000. Profils et parcours*, éd. Panthéon-Assas, Paris, 2000.

Tableau 11. - Résultats des syndicats de journalistes aux élections à la CCIJP (1976-2003) (en pourcentage de voix)

Source : CCIJP.

Notes :
— Pour 1982, 1985 et 1988 : liste commune CGC et CFTC.
— En 2000, 50,6 % de votants.
— En 2003, sur 36 021 inscrits et 14 374 votants (39,90 % de participation). Une nouvelle liste, Tatacarte, a obtenu 3,33 % des voix.

	SNJ	CFDT	CGT	FO	CGC	CFTC
1976	37,70	23,10	12,80	6,70	15,80	3,90
1979	31,30	26,40	13,80	8,00	16,40	4,30
1982	29,20	27,90	10,80	15,50	16,50	
1985	28,50	26,00	9,90	15,60	19,90	
1988	37,10	27,90	11,40	9,80	13,80	
1991	44,30	21,10	11,60	5,30	10,70	5,90
1994	43,40	21,20	11,80	6,70	7,00	11,00
1997	39,96	19,48	18,16	4,67	6,23	11,47
2000	45,66	17,10	15,87	5,63	4,79	10,98
2003	42,44	15,85	19,88	5,04	3,25	10,21

Les rémunérations des journalistes et leurs conditions de travail sont réglées, outre le contrat particulier du salarié avec son employeur, par des conventions collectives, régulièrement mises à jour et très complexes : elles accordent aux journalistes, tant pour les congés que pour différentes indemnités, des avantages non négligeables, dont un abattement fiscal, aujourd'hui plafonné, pour l'impôt sur le revenu.

La croissance du nombre de titulaires de la carte est régulière depuis la Libération. De 1955 à 2002, il est passé de 6 830 à 38 158. La féminisation de la profession est aussi régulière : le nombre des titulaires féminins est passé de 15,3 % en 1965 à 40 % en 2003 et elle s'accélère, puisque les femmes représentent 51 % des nouveaux inscrits qui restent « stagiaires » pendant deux ans (ou un an pour ceux qui sont diplômés des huit centres de formation reconnus par la profession). En 1999, 6,1 % des titulaires de la carte travaillaient dans les agences de presse, 8,5 % dans des stations de radio et 12,4 % de télévision, 27,5 % dans les quotidiens (20,1 % provinciaux, 7,4 % nationaux), les autres dans les différentes catégories de la presse périodique ; au total, 73 % dans la presse écrite.

On compte six syndicats de journalistes, qui regroupent plus de la moitié des titulaires de la carte. Le Syndicat national des journalistes, le plus important, est autonome et le seul à ne pas se rattacher à une centrale, à la différence des cinq autres : SNJ-CGT, Syndicat général des journalistes-FO, Union syndicale des journalistes-CFDT, Syndicat des journalistes CFTC et Syndicat des journalistes-CGC. On compte aussi un grand nombre d'associations indépendantes à vocation mutualiste ou corporatiste par spécialités ou affinités. Reporters sans frontières, association internationale née en France en 1973, défend ardemment la liberté de la presse partout où elle est bafouée dans le monde.

Comme dans la plupart des pays occidentaux, la formation des journalistes n'a pas reçu, en France, de solution générale : par tradition, le journalisme est

une profession ouverte. Cependant, la spécialisation croissante des métiers tend à imposer une formation spécifique qui doit concilier à la fois, outre une bonne culture générale, une connaissance des structures et des mécanismes de la société contemporaine, l'apprentissage des techniques professionnelles et, ce qui est parfois trop négligé, de l'histoire et de la psychosociologie de la communication et de l'information. De nombreuses institutions se consacrent à la formation des journalistes : écoles spécialisées comme l'École supérieure de journalisme de Lille (1922), le Centre de formation de journalistes de Paris (associé au Centre de formation et de perfectionnement des journalistes – CFPJ) et d'autres écoles privées. Alors que le CFPJ est en très grave crise financière, l'Institut d'études politiques de Paris devrait créer en 2004 une filière de formation au journalisme. L'Université a aussi ouvert des formations soit dans des IUT (Bordeaux III, Tours, Paris V, Nancy...) soit dans les premier, deuxième et parfois troisième cycles (Bordeaux III, Strasbourg III, Paris III, Paris IV, Paris X, Rennes...) ou les deuxième et troisième cycles (Panthéon-Assas, Institut français de presse).

En plus des préoccupations liées aux négociations des conventions collectives, le monde des journalistes français est, comme ses confrères des autres pays occidentaux, confronté à deux séries de problèmes.

La première, liée à la déontologie professionnelle, vise à concilier le respect des principes énoncés par la *Charte des devoirs professionnels* rédigée en 1918, remaniée en 1939 et complétée par la *Déclaration des devoirs et des droits des journalistes*, adoptée à Munich en 1971 par les principaux syndicats de journalistes européens. Les patrons de presse ont, à ce jour, refusé d'inclure cette charte dans les conventions collectives. Ces textes condamnent les pratiques indignes de diffamation, de mensonge, de compromission ou de plagiat et affirment les devoirs de véracité, de confraternité et de dignité professionnelles. Reste la difficulté essentielle de la sanction des fautes professionnelles : doit-on la confier aux seules autorités judiciaires ? L'expérience montre que la complexité de la procédure et la lenteur des tribunaux sont bien peu efficaces en la matière ; aussi bien, les tribunaux ne sont pas habilités à punir les fautes professionnelles non directement délictueuses. S'en remettre à la seule autorité des employeurs est difficilement acceptable. Les journalistes rêvent donc d'un jugement par leurs pairs, mais la justification et la mise en place de telles institutions corporatives sont tout aussi insoutenables : le journalisme n'est pas une profession libérale, mais un métier salarié. La constitution d'un « ordre des journalistes », comme ceux qui existent pour les avocats, les médecins, les notaires..., serait donc sans fondement. Confier à un « conseil de presse » indépendant la réception des plaintes formulées par des individus froissés dans leurs intérêts ou leur dignité par quelque abus du journalisme est tout aussi illusoire : les échecs du *Press Council* britannique et ceux de leurs homologues nés dans les années 1970-1990 en Europe ont largement fourni la preuve de l'inefficacité de ces « tigres sans dents ». Ces conseils ne pouvaient adresser que des avis et non prononcer des peines, et ils s'adressaient à l'entreprise éditrice, non aux journalistes « en faute ». Faudrait-il reconnaître aux rédacteurs un « droit à l'erreur » ?

Sur un point, les journalistes ont enfin obtenu la satisfaction partielle d'une de leur vieilles exigences : la reconnaissance d'une sorte de secret professionnel, puisque la loi du 4 janvier 1993 les autorise, lorsqu'ils sont entendus comme témoins par la justice, à ne pas révéler la source de leurs informations et elle encadre de garanties particulières les perquisitions judiciaires dans les locaux des entreprises de presse ou de communication.

Le second type de problème tient à la place des rédacteurs dans leurs entreprises de presse, c'est-à-dire au rapport entre leur dépendance à l'égard de leurs employeurs et les exigences de leur déontologie. Les journalistes revendiquent le droit d'être collectivement associés à la définition et à l'orientation de la politique de la publication qu'ils rédigent, mais ne dirigent pas. Ils mirent leurs espoirs dans des sociétés de rédacteurs pour lesquelles ils demandaient une part de la gestion, et même de la propriété de l'entreprise. La première, celle qui fut fondée en 1951 au *Monde*, a servi de modèle, puisqu'elle a finalement acquis le contrôle de la direction et une part décisive du capital de la société éditrice. Son succès fit naître des émules dans un grand nombre de journaux et de magazines après Mai 68. Leur faiblesse, née du refus des patrons de presse de les reconnaître – mais aussi de la méfiance hostile de la plupart des syndicats de journalistes – apparut lorsque les crises internes de *Paris-Normandie* en 1973, du *Figaro* en 1975, de *France Soir* en 1979... démontrèrent leur incapacité à intervenir efficacement auprès des propriétaires pour faire entendre leur voix et défendre leurs intérêts.

Il y a, semble-t-il, peu de chances que, dans un avenir proche, le Parlement ou le gouvernement accepte de réviser le statut des entreprises de presse pour faire préciser en leur sein le droit collectif de la rédaction : aussi bien se heurteraient-ils à la résistance des autres salariés de l'entreprise – ouvriers, employés et cadres. On peut noter que les accords passés entre les directeurs de journaux et leurs journalistes garantissent peut-être mieux aux États-Unis l'indépendance des journalistes qu'en France. Quant à la Grande-Bretagne et à l'Allemagne, les dérives du « journalisme de caniveau » pratiqué par les journaux populaires semblent bafouer les principes les plus communs du journalisme...

Charte des devoirs professionnels des journalistes français

« Un journaliste digne de ce nom :
- prend la responsabilité de tous ses écrits même anonymes ;
- tient la calomnie, la diffamation et les accusations sans preuve, l'altération des documents, la déformation des faits, le mensonge pour les plus graves fautes professionnelles ;
- ne reconnaît que la juridiction de ses pairs, souveraine en matière d'honneur professionnel ;
- n'accepte que des missions compatibles avec sa dignité professionnelle ;
- s'interdit d'invoquer un titre ou une qualité imaginaires, d'user de moyens déloyaux pour obtenir une information ou surprendre la bonne foi de quiconque ;
- ne touche pas d'argent dans un service public ou une entreprise privée où sa qualité de journaliste, ses influences, ses relations, seraient susceptibles d'être exploitées ;
- ne signe pas de son nom des articles de réclame commerciale ou financière ;
- ne commet aucun plagiat, cite les confrères dont il reproduit un texte quelconque ;
- ne sollicite pas la place d'un confrère, ni ne provoque son renvoi en offrant de travailler à des conditions inférieures ;
- garde le secret professionnel ;
- n'abuse pas de la liberté de la presse dans une intention intéressée ;
- revendique la liberté de publier honnêtement ses informations ;
- tient le scrupule et le souci de la justice pour des règles premières ;
- ne confond pas son rôle avec celui du policier ».

CHAPITRE 5

La fabrication et la distribution

■ La fabrication

En retard sur ses homologues américaine, allemande ou britannique, la presse française a achevé à présent une longue période d'adaptation aux nouvelles techniques, qui, en une génération, ont bouleversé ses méthodes d'impression et, par contrecoup, les conditions de travail de ses ateliers dans ses trois étapes successives : la composition, c'est-à-dire la réalisation des formes imprimantes ; le clichage, c'est-à-dire la duplication de ces formes pour servir différentes presses ; le tirage, c'est-à-dire le dépôt de l'encre sur le papier.

■ L'impression

Elle est assurée par des presses rotatives dont la forme imprimante est disposée sur des cylindres : leur rendement est très élevé, de l'ordre de quelque 80 000 exemplaires à l'heure pour des quotidiens de 48 pages et plus.

La presse utilise trois procédés d'impression :
— la **typographie**, qui est le plus ancien ; elle remonte à Gutenberg ; ses formes imprimantes sont en relief, en alliage de plomb. Sa suprématie a duré plus de cinq siècles, mais elle est aujourd'hui terminée. En vingt-cinq ans, en France, pratiquement tous les quotidiens l'ont abandonnée au profit de l'*offset*, alors que les Allemands lui sont restés plus longtemps fidèles[1] ;
— l'***offset***, dérivé de la lithographie ; elle utilise des formes imprimantes sans relief qui déposent l'encre sur un cylindre de caoutchouc (le blanchet) qui est ensuite mis en contact avec le papier : ce procédé, très bien adapté à l'impression en couleur et à la reproduction des illustrations, avait l'inconvénient d'être relativement lent. Les progrès réalisés dans cette technique pendant les années 1960, en particulier par la photocomposition, qui lui convient très

(1) Les premiers quotidiens à être imprimés en *offset* furent *France Antilles, Le Petit Bleu de l'Agenais* et *La République du Centre,* en 1964. En 1978, 35 % du tirage global de la presse était déjà réalisé en *offset.*

bien, l'ont finalement imposée dans le monde entier. Un autre de ses avantages est sa souplesse d'adaptation à l'importance des tirages : il a rendu leurs chances aux publications à audience réduite, qui peuvent s'imprimer désormais à des coûts raisonnables ;
— l'**héliogravure,** dont les formes imprimantes sont gravées en creux ; elle est réservée aux impressions de luxe, parce qu'elle exige un papier d'excellente qualité. Des progrès récents dans la gravure au laser et la duplication des plaques imprimantes pourraient lui redonner ses chances face à l'*offset*, et même lui permettre de s'adapter à l'impression à grande vitesse des quotidiens sur papier ordinaire.

La décadence de la typographie a entraîné celle de la composition à chaud par les linotypes, machines à composer des lignes de plomb fondu, et assuré la progression de la composition à froid par les photocomposeuses électroniques, avec visualisation des textes sur écran cathodique, d'où une très grande facilité de correction. Leurs claviers peuvent être utilisés par de simples dactylos : leur rendement est très élevé, car les données sont emmagasinées dans la mémoire d'ordinateurs et restituées ensuite quasi instantanément. Le montage des pages par assemblage des textes, des photos et des titres ne se fait plus au marbre comme dans les anciennes imprimeries typographiques. Même les tables éclairantes sur lesquelles étaient assemblés les typons photographiques sont devenues obsolètes : désormais s'impose la mise en page électronique qui, introduite en France dans les années 1980, permet de visualiser sur écran les textes photocomposés et les illustrations tramées, et de les assembler au gré du metteur en page par commande électronique. Les formes imprimantes sont très facilement obtenues par des procédés photographiques. Les ateliers de composition, autrefois si bruyants et si sales, sont devenus des laboratoires propres et silencieux, où les clavistes ont remplacé les linotypistes.

Désormais, les textes et les illustrations transmis par les agences ou par les reporteurs ou correspondants extérieurs, mais aussi ceux rédigés par les rédacteurs du centre, sont saisis par les ordinateurs et peuvent donc être directement intégrés pour la composition définitive. De même, des lecteurs optiques permettent, sans saisie intermédiaire, de transformer des manuscrits ou des textes imprimés en écriture électronique.

Dérivés de l'ancien bélinographe, les nouveaux appareillages électroniques transmettent à distance le cliché des pages réalisées sur les ordinateurs de composition. Ils rendent possible la décentralisation de l'impression en adressant à distance la matrice électronique des pages du journal. Ce système de fac-similé, inauguré au Japon en 1959, fut introduit en France le 11 mars 1974 par l'*International Herald Tribune,* qui put ainsi s'imprimer à Londres comme à Paris. Il intéressait des quotidiens parisiens et des périodiques imprimés sur papier journal qui, grâce au réseau Séréfax mis en place en 1979 en association avec les Nouvelles Messageries de la presse parisienne (NMPP), purent, à partir de cinq centres de réimpression régionaux situés près de Lyon, Vitrolles, Toulouse, Nantes et Nancy, livrer leurs exemplaires en réduisant notablement le handicap des délais de transport. Les coûts très élevés, ainsi que des difficultés liées à la diversité des formats, amenèrent en 1991 *Le Figaro* et *France Soir* à revenir au transport aérien des exemplaires pour les zones méridionales. Ce réseau Faximpresse, faute peut-être de s'être adapté aux derniers perfectionnements, en particulier en matière de couleur, ou de n'avoir pas renouvelé à temps ses rotatives, est aujourd'hui en mauvaise position. Le groupe Amaury, toujours soucieux de préserver son autonomie de gestion, a décidé de créer son propre réseau d'imprimeries décentralisées ; il a achevé, au cours du second semestre 2003, d'installer près de Nantes, de Lyon, de Toulouse et d'Istres un ensemble de quatre imprimeries décentralisées très modernes. Il pourra ainsi améliorer la distribution de *L'Équipe* et de *Aujourd'hui en France*. Cette décision a provoqué l'hostilité des agents des NMPP liés au Syndicat du Livre, solidaires du système Faximpresse. *Les Échos*, qui ont adopté le format berlinois pour la première fois dans leur édition du 15 septembre 2003, l'ont abandonné et confient leur impression décentralisée à divers quotidiens régionaux.

Sous l'effet conjugué de la nécessité de moderniser leurs matériels de fabrication et de distribution, du besoin de disposer de plus larges espaces et des difficultés à maintenir leurs ateliers dans le centre encombré des villes, pratiquement tous les journaux ont désormais leurs nouveaux centres de fabrication en banlieue. Les premiers à l'avoir fait furent, en 1964, *Le Maine libre,* au Mans ; en 1969, *Le Monde,* à Saint-Denis et, en 1975, *Le Parisien libéré* à Saint-Ouen. Depuis, *Le Monde* s'est doté en 1989 de très modernes ateliers à Ivry, le groupe Hersant en 1990 à Roissy, près de l'aéroport, le groupe Amaury, après avoir modernisé ceux de Saint-Ouen, en a créé de nouveaux à Mitry-Mory, près de Roissy. Ces nouvelles imprimeries de journaux ont souvent des capacités de production supérieures à celles de leur seul journal ; aussi tentent-elles de proposer leurs services à d'autres publications, malgré les difficultés qui naissent de cette cohabitation. Pour les périodiques, si ceux qui, comme *Le Canard enchaîné* ou *Paris Turf,* sont imprimés sur papier journal peuvent utiliser les imprimeries des quotidiens, les magazines confient leur impression à des sociétés spécialisées utilisant du papier couché ou glacé : dans ce secteur, le groupe canadien Quebecor a racheté depuis 1995 d'anciennes imprimeries parisiennes ou provinciales et il domine largement le marché d'impression des magazines.

La modernisation a aussi atteint les services départ qui, au sortir des rotatives, livrent aux transporteurs des paquets de journaux « routés », et ce par des systèmes quasiment automatisés.

Le personnel des entreprises de presse

La modernisation des matériels et l'automatisation de la plupart des procédures ont dévalué la compétence des anciens métiers de l'imprimerie et elles ont

aussi entraîné une diminution drastique du nombre des emplois. Alors qu'en Grande-Bretagne, la politique antisyndicale de Mme Thatcher a permis en 1985-1986 une brutale réorganisation des ateliers, en France, depuis plusieurs décennies, la remise en cause des emplois et des rémunérations entretient une crise endémique et des conflits épisodiques.

L'organisation syndicale des ouvriers imprimeurs est très ancienne ; elle remonte au XVIIIe siècle. Cette longue tradition, renforcée en 1881 par la constitution de la Fédération des ouvriers du Livre, avait assuré à la profession une très grande cohésion et a donné une grande force à ses revendications dans cette industrie sans stock, où la concurrence est très forte et où l'arme de la grève est donc particulièrement efficace. La pression syndicale a fini par permettre aux ouvriers du Livre, surtout dans les mois qui suivirent la Libération, d'obtenir des conditions de travail et de rémunération très favorables.

La Fédération française des travailleurs du Livre (FFTL-CGT) avait ainsi obtenu le monopole d'embauche dans les imprimeries de presse parisiennes, au détriment, en particulier, des syndiqués de la centrale syndicale FO ; elle avait imposé aux entreprises des avantages considérables pour ses syndiqués : rétribution non à l'heure mais « au service », c'est-à-dire à la tâche, selon des normes de production très faibles et très avantageuses pour les ouvriers, qui voyaient leur temps de travail réduit à peu, leurs rémunérations grossies d'heures supplémentaires et primes diverses, sans parler d'autres avantages sociaux. La Fédération du Livre mena une politique de refus devant les tentatives de modernisation des entreprises (en particulier en matière de composition automatique) ou de réduction du sous-emploi des ateliers, notamment à Paris. Les difficultés économiques de la presse, après 1973, contribuèrent à accroître la tension. Émilien Amaury voulait faire passer *Le Parisien libéré* en *offset* et modifier les conditions de rémunération dans les ateliers de fabrication ; la crise ouverte en mars 1975 aboutit à une grève totale le 7 mai. *Le Parisien libéré* put reparaître, en offset, à partir d'une nouvelle imprimerie installée à Saint-Ouen, mais il fut boycotté par les employés des NMPP ; 12 grèves de solidarité perturbèrent les autres quotidiens parisiens. Ce conflit ne fut réglé que le 16 août 1977, après 29 mois de conflit. Intimidés ou soucieux des seuls intérêts de leur propre entreprise, les autres éditeurs de journaux parisiens ne se solidarisèrent pas avec É. Amaury[2].

Le 7 juillet 1977, un accord passé entre le Syndicat de la presse parisienne et la FFTL, devenue depuis la Filpac (Fédération des travailleurs des industries du Livre, du papier et de la communication), amena celle-ci à renoncer à son monopole d'embauche et à négocier les conditions de la modernisation des

(2) Pour une vision syndicale des relations dans les imprimeries de presse parisienne, cf. les souvenirs de Roger Lancry, responsable de 1975 à 1989 du Comité interparisien, *La saga de la presse, d'Émilien Amaury à Robert Hersant*, Lieu commun, Paris, 1993.

ateliers, sous réserve du maintien du maximum d'emplois et des avantages acquis, et de la reconversion des anciens linotypistes aux photocomposeuses. Cet accord a été, à quelques incidents près, assez bien respecté et a permis la généralisation de l'*offset* et de la photocomposition. En province, où le Syndicat du Livre CGT est moins puissant, à l'exception de quelques grèves parfois assez dures, en particulier à *Sud Ouest* en 1995 et au *Midi libre* (cinq semaines fin juin-début août 1997 à l'occasion de la modernisation des ateliers du journal), la tendance restait à l'apaisement. À Paris, la création des nouvelles imprimeries provoqua une nouvelle tension dès la fin des années 1980, malgré les accords de 1977 et ceux du 7 juillet 1989 entre le Comité intersyndical du Livre parisien de la Filpac[3] et le Syndicat patronal de la presse parisienne. Le monopole de l'embauche restait la règle dans la plupart des imprimeries de presse. Cette tension s'accrut du fait des revendications des employés des NMPP, mécontents des réaménagements provoqués par la modernisation des services de messageries. D'où une série de grèves épisodiques à partir de 1989, qui atteignirent un apogée fin 1997, avec une série d'arrêts de travail dans les ateliers et dans les messageries. Conséquence de ces conflits, en janvier 1998 : pour la première fois, la cohésion du « Comité inter » éclata. Tout en restant à la CGT, les rotativistes, les correcteurs et diffuseurs des NMPP quittèrent le Comité. Désormais, l'essentiel de l'agitation sociale porte sur la réforme de la distribution de la presse, dont la réorganisation dans la région parisienne et la décentralisation des imprimeries en province multiplièrent les arrêts de travail en 2002 et 2003.

En province, les conflits sont plus rares ; aussi bien la concentration des entreprises y réduit le nombre des employeurs potentiels et facilite, en général, le dialogue social. Quant aux imprimeries des magazines, dans un climat apaisé, elles ont réussi à rapatrier une partie des travaux d'impression qui étaient dans les années 1970-1980 effectués en Espagne, en Italie, en Belgique, voire en Allemagne.

Le papier

La production de papier est un des secteurs économiques mondiaux les plus concentrés, tenus par quelques énormes groupes américains et scandinaves. En France, les groupes finlandais UPM-Kymmene et norvégien Norske Skog

(3) Ce « Comité inter » fédérait, fin 1997, les sections parisiennes des différents syndicats du Livre (Syndicat général du Livre – qui regroupe les 3 200 syndiqués CGT rotativistes, photograveurs, ouvriers des services départ des imprimeries, électromécaniciens, employés des NMPP... –, Chambre syndicale de la typographie, Syndicat des correcteurs, Syndicat des cadres, Syndicats des employés), soit quelque 6 000 salariés, dont 4 000 pour le SGL. La Filpac regroupe pour sa part quelque 20 000 affiliés en France (contre 75 000 en 1970), dont 8 000 en Île-de-France. Le syndicat du Livre FO recrute, quant à lui, l'essentiel de ses adhérents en province.

contrôlent 85 % de la production française de papier journal, et le suédois StoraEnso 100 % du papier magazine.

Tableau 12. - Consommation de papier de la presse française (1950-2001) (en milliers de tonnes)

	Total	Dont papier journal		Total	Dont papier journal
1950	320,0	—	**1986**	1 195,5	647,2
1956	526,5	475,6	**1987**	1 215,1	654,5
1961	727,0	517,2	**1988**	1 291,0	710,6
1965	884,9	600,3	**1989**	1 384,4	743,4
1969	1 004,8	637,2	**1990**	1 396,6	748,8
1970	962,5	658,7	**1991**	1 376,7	732,5
1971	972,5	682,7	**1992**	1 321,0	701,4
1972	987,5	670,4	**1993**	1 298,1	698,8
1974	955,0	571,0	**1994**	1 297,6	701,7
1975	918,8	531,6	**1995**	1 307,9	694,7
1976	945,0	533,3	**1996**	1 377,2	717,7
1977	1 000,5	555,9	**1997**	1 393,6	707,6
1978	1 033,5	566,6	**1998**	1 437,8	720,7
1979	1 012,0	557,7	**1999**	1 496,0	768,7
1981	1 235,0	672,0	**2000**	1 540,9	790,6 (a)
1983	1 116,8	635,8	**2001**	1 485,9	761,9 (b)
1985	1 130,0	647,8	**2002** (c)	2 100,0	700,0

Source : SJTI-DDM, données brutes.
(a) Soit 51,31 % de papier journal. La presse gratuite absorbe à elle seule 162 168 tonnes de papier journal et la presse éditeurs seule 628 453 t.
(b) Soit 51,28 % de papier journal.
(c) Pour 2002, sur d'autres critères, la SPPP-CFPP estime la consommation totale de papier presse à 2,1 millions de tonnes, dont 0,7 million pour le seul papier journal.

Le marché du papier presse a longtemps été placé sous la tutelle de la Société professionnelle des papiers de presse (SPPP), héritière indirecte, depuis 1947, des organismes publics qui, pendant la seconde guerre mondiale et l'immédiat après-guerre, avaient géré la répartition de la pénurie de papier. Cet organisme, en liaison avec l'État, l'industrie papetière et la Fédération nationale de la presse française, réglementa le marché du papier et assura un prix de péréquation identique, à qualité égale, pour tous les journaux, quelles que soient l'origine du papier (français ou importé) et la situation géographique dans l'Hexagone. À partir de 1971, ce système dirigiste commença à s'effriter et entra en crise dès 1985, du fait que les éditeurs pouvaient désormais facilement s'approvisionner directement sur le marché international. Le prix de péréquation fut abandonné définitivement en 1987. En réalité, l'action des pouvoirs publics avait eu pour but, en l'imposant, de subventionner indirectement l'industrie papetière française, dont les entreprises étaient en si mauvaise situation qu'elles furent pour la plupart rachetées dans les années suivantes par des sociétés scandinaves ou canadiennes. La même année, en mai, fut créée par la SPPP et des coopératives d'éditeurs de journaux la Compagnie française des papiers de presse, société anonyme, qui fonctionne comme une centrale d'achat pour le compte de ses actionnaires.

Tableau 13. - Consommation de papier journal en 2001 (classement des 27 premiers pays consommateurs) (en kg/habitant)

Finlande	46,4	Nouvelle-Zélande	36,0	Corée	26,3
Suède	46,0	Pays-Bas	33,4	Irlande	26,2
Norvège	43,7	Singapour	32,3	Islande	26,0
Suisse	43,5	Australie	31,4	Taiwan	25,2
Grande-Bretagne	43,0	Japon	30,9	Espagne	17,2
Hong-Kong	41,2	Allemagne	30,5	Émirats arabes unis	15,1
Danemark	40,5	Belgique	30,2	Malaisie	15,0
Canada	38,0	Autriche	30,1	Barbade	14,5
États-Unis	37,5	Israël	27,4	France	13,6

Source : Pulp and Paper Product Council

L'État favorise la politique de recyclage du papier (il faut, en moyenne, cinq stères de bois pour faire une tonne de papier) et maintient une politique d'aide à la forêt française[4].

Malgré sa lente croissance, la consommation de papier est toujours faible. En 2001, elle n'est qu'au vingt-septième rang mondial (v. tableau 13).

Le papier journal ordinaire, à 49 grammes le mètre carré, a fait place, dans les années 1980, au papier à 45 grammes.

Le prix du papier journal fluctue brutalement en fonction de nombreux facteurs (taux de change, prix du pétrole...), mais aussi des pressions des sociétés productrices sur le marché. Du printemps 1973 à l'été 1974, il a augmenté de 49,5 % ; de l'hiver 1994 à l'hiver 1996, de 42,4 %, et de décembre 2000 à janvier 2001, de 21,4 %. Les augmentations, même si elles sont suivies de diminutions progressives, ont de redoutables effets sur la trésorerie des journaux (v. tableau 14).

Dans les entreprises, les dépenses de papier sont proportionnelles au tirage et à la pagination des exemplaires de la publication. Pour un grand journal quotidien, elles varient en moyenne de 8 % à 12 %. Le calcul de la pagination moyenne des quotidiens est aujourd'hui trop aléatoire pour qu'elle puisse être établie. Jusqu'en 1988, elle a pu être appréciée ou mesurée, mais, depuis cette date, la variété des formats, l'usage de plus en plus fréquent des suppléments, voire des prospectus publicitaires, rendraient le calcul des moyennes

(4) Cf. Gérard Buttoud, *La forêt : un espace aux utilités multiples*, coll. « Les études », La Documentation française, Paris, 2003.

sans véritable signification. On peut cependant noter que le fléchissement depuis la mi-2001 des recettes publicitaires a conduit à une réduction sensible du nombre de pages. On ne doit pas oublier que pour les quotidiens de province, les éditions locales exigent l'impression d'un nombre de pages nettement supérieur à celui des quotidiens nationaux (v. tableau 15).

Tableau 14. - Prix moyen entre le prix le plus bas et le prix le plus haut de la tonne (1987-2003) en francs courants par trimestre (1987-2000), puis en euros par mois (2001-2003)

Source : SPPP-CFPP.

On n'a relevé ici que les trimestres ou les mois marqués par un infléchissement significatif de l'évolution des prix.

	En francs		En euros
1er trim. 1987	4 030	Janvier 2001	647,5 (4 247 F)
3e trim. 1987	3 863	Février 2001	617,5 (4 051 F)
1er trim. 1988	3 890	Décembre 2001	577,5 (3 788 F)
1er trim. 1989	4 084	Juin 2002	555,0 (3 641 F)
1er trim. 1990	3 900	Février 2003	505,0 (3 313 F)
1er trim. 1992	3 200	Avril 2003	495,0 (3 247 F)
2e trim. 1992	3 600		
4e trim. 1993	2 875		
4e trim. 1994	2 950		
1er trim. 1995	3 450		
4e trim. 1995	4 200		
1er trim. 1996	4 350		
2e trim. 1997	3 475		
2e trim. 1999	3 500		
4e trim. 2000	3 500		

Tableau 15. - Évolution de la pagination moyenne des quotidiens (1900-1988)

Sources : avant 1951, estimations ; après 1951, données moyennes calculées par la Société professionnelle des papiers de presse à partir de 9 grands quotidiens de province et 6 quotidiens parisiens (5 après 1982).

NB : Après 1988, on a renoncé à calculer cette moyenne, la diversité des formats s'étant accrue et la pratique des suppléments rendant les calculs trop complexes et les résultats moins fiables. Pour 1996, la pagination moyenne des quotidiens de province était de 29,2 pages.
À titre de comparaison, la pagination moyenne des grands quotidiens américains est passée de 22 à 72 pages entre 1945 et 1984.

	Paris	Province		Paris	Province
1900	4,0	—	**1973**	18,9	22,4
1914	10,0	—	**1974**	17,7	21,7
1939	12,0	—	**1975**	18,7	21,3
1946	4,0	—	**1976**	17,7	22,8
1949	6,0	—	**1977**	20,5	22,9
1950	8,0	—	**1978**	20,3	23,2
1951	8,7	—	**1979**	21,6	23,8
1952	10,0	8,9	**1980**	23,6	25,1
1955	13,1	12,0	**1981**	22,6	25,1
1960	15,8	14,5	**1982**	24,1	25,3
1965	16,9	15,9	**1983**	26,1	26,1
1968	16,6	17,2	**1984**	26,7	26,7
1969	18,9	18,8	**1985**	26,4	26,4
1970	18,7	19,9	**1986**	27,2	27,2
1971	18,0	20,2	**1987**	33,1	27,7
1972	17,8	21,4	**1988**	36,3	29,4

La distribution

Outre le coût propre au transport et à la livraison au client, et les frais de promotion des ventes, la charge des invendus, déchet déprécié de la production, fait de ce secteur le plus coûteux. Elle représente souvent plus du tiers des dépenses d'une publication.

Les trois modes de diffusion

Sauf les cas de distribution gratuite, promotionnelle, militante ou autre, et de lecture gratuite dans les lieux publics, la presse a trois moyens de se vendre : l'abonnement postal, le portage à domicile et la vente au numéro.

L'abonnement postal

L'abonnement servi par La Poste est le système le plus avantageux pour les entreprises : il leur assure une vente stable, sans invendus, et donne de l'aisance à leur trésorerie, puisqu'il est payé d'avance. Il présente, en particulier pour les quotidiens, les inconvénients du retard dans la livraison et de l'absence de courrier le samedi après-midi et le dimanche, sans parler des épisodiques irrégularités du service postal. Il est peu pratiqué en France : la presse populaire à un sou, née en 1863, a habitué les Français à acheter leur journal et leur périodique au numéro.

La masse à transporter – 10 % du nombre des objets transportés et 30 % du poids total, mais seulement 5 % de ses recettes pour quelque 11 600 titres – pose à La Poste de redoutables problèmes, et ce d'autant plus qu'elle applique au produit presse des tarifs réduits depuis...1750 ! Les discussions entre les éditeurs et La Poste ont, après bien des négociations, abouti en 1979 aux « accords Laurent », qui avaient conduit à laisser aux éditeurs un tiers du coût du service – mais ils livrent leurs exemplaires « routés », c'est-à-dire regroupés par chacune des voies postales – et les deux tiers à l'État. Devenue en 1991 un établissement autonome, La Poste a repris les négociations et obtenu, à partir de 1997, une augmentation progressive de ses tarifs, qu'elle continue à juger insuffisante. Une augmentation des tarifs postaux est prévue pour 2004.

Pour les quotidiens nationaux, l'abonnement est inégalement important, et le portage aussi fort variable : *La Croix* a 94 % d'abonnés, *Les Échos* 49 % (+ 13 % par portage), *Le Monde* 33 % (+ 3 %), *Le Figaro* 14 % (+ 12 %), *Libération* 7 % (+ 9 %), *Le Parisien* 4 % (+ 27 %), *L'Équipe* 2 %. Les différences sont aussi très sensibles selon les régions pour les quotidiens provinciaux. Le portage y est souvent fort élevé : *Les Dernières Nouvelles d'Alsace* 3 % (+ 85 %), *La Voix du Nord* 4 % (+ 68 %), *Ouest-France* 19 % (+ 44 %), *Sud Ouest* 17 % (+ 31 %), *La Montagne* 36 % (+ 16 %), *Le Progrès* 18 % (+ 18 %),

La Provence 8 % (+ 7 %), *La Dépêche du Midi* 22 % (+ 25 %). Quant aux magazines, ils utilisent inégalement l'abonnement et ignorent pratiquement le portage : *L'Express* 74 %, *Le Nouvel Observateur* 78 %, *Le Point* 66 %, *Elle* 50 %, *Femme actuelle* 23 %, *Télé 7 Jours* 38 %, *Paris Match* 33 %, *France Dimanche* 7 %, *Capital* 26 %, *L'Expansion* 62 %, *Le Chasseur français* 83 %, *Notre Temps* 87 %...

Le portage à domicile

Ce système est surtout utilisé pour les quotidiens. Par le biais d'un réseau de porteurs salariés par les éditeurs, par les dépositaires ou par les distributeurs eux-mêmes, les exemplaires sont portés à domicile très tôt le matin. Le lecteur peut donc lire son journal en prenant son petit-déjeuner sans sortir de chez lui. Le service est payé au porteur toutes les semaines ou tous les mois échus, à un tarif parfois inférieur à celui de l'achat au numéro. Ce système, aussi intéressant que l'abonnement postal, est aussi très avantageux pour le lecteur. À la différence des pays de l'Europe centrale et du Nord, le portage fut longtemps très peu utilisé en France, sauf en Alsace et en Moselle, et dans le Nord pour les journaux locaux. De gros efforts ont été entrepris depuis deux décennies par les éditeurs avec l'aide de l'État, en partie parce que les ouvriers du Livre ont renoncé à continuer d'exiger que les porteurs soient payés au tarif des employés des NMPP. La part du portage sur l'ensemble du marché (gratuits exclus) est passée de 9,1 % en 1990 à 11,5 % en 1995, à 15,6 % en 2000 et à 16,3 % en 2001 – pour cette dernière année, il concerne 15,6 % de la diffusion des quotidiens nationaux et 34,9 % pour les régionaux. Le principal obstacle à son développement tient à la difficulté de trouver et de conserver les porteurs – et, dans les grandes villes, l'accès aux boîtes à lettres[5].

La vente au numéro

C'est le système économiquement le moins rentable pour les entreprises, mais il correspond à une tradition vieille d'un siècle et demi ; il reste fondé sur un réseau de diffusion solide et tenace, mais aujourd'hui en crise. Dans l'ensemble du pays, on compte quelque 50 000 points de vente. Les vendeurs à la criée ont pratiquement disparu, mais les terrassiers (nombreux le dimanche sur les marchés), les kiosques, boutiques, bibliothèques de gare ou de métro mettent la presse à la disposition du passant. Ils sont approvisionnés par un réseau de grossistes (dépositaires et sous-dépositaires), eux-mêmes servis soit directement par l'éditeur, soit par le biais des messageries de presse. Les

(5) Les taux de portage en 2000 seraient, d'après WAN, de 60 % au Danemark, 67 % en Allemagne, 99 % en Irlande, 93 % au Japon, 90 % aux Pays-Bas, 72 % en Suède, 90 % en Suisse, mais de seulement 4 % en Espagne et de 0 % en Italie. En Grande-Bretagne, il est de 13 %, et de 19 % aux États-Unis pour la presse nationale, mais il est très élevé pour les journaux locaux dans ces deux pays.

invendus sont à la charge de l'éditeur : le principe, pratiqué en Allemagne, de la vente à compte ferme au diffuseur n'existe pas en France. Les difficultés du métier de diffuseur (durée du travail journalier, commencé très tôt le matin, faible rétribution, gestion du retour des invendus, manque de place pour présenter la masse croissante des publications…) rendent aujourd'hui le métier moins attrayant, en particulier dans les grandes villes.

Tableau 16. - Distribution de la presse éditeur en 2001 (en %)

	Vente au numéro	Abonnement et portage	Services gratuits	Invendus
Quotidiens nationaux	47,8	23,2	3,0	26,0
Quotidiens provinciaux	55,8	30,6	2,7	11,6
Hebdomadaires et magazines d'information	35,8	43,2	4,8	16,2
Presse féminine	57,9	16,4	0,8	24,9
Presse de télévision	59,7	26,0	0,4	13,9
Presse des jeunes	27,7	44,7	3,6	24,1
Magazines sportifs	56,8	4,6	0,7	38,0
Presse technique et professionnelle	6,2	60,3	22,7	10,8
Ensemble de la presse (a)	49,2	27,9	3,3	19,6

Sources : SJTI-DDM.
(a) Hors gratuits.

Les messageries de presse

Les journaux de province entretiennent dans leur zone de diffusion leurs propres réseaux de distribution, qui comptent ensemble quelque 40 000 à 50 000 points de vente, dont beaucoup diffusent aussi les publications nationales en liaison avec les messageries de presse parisienne. Celles-ci sont nées au milieu du XIXe siècle avec le développement de la presse populaire et après l'abandon, en 1857 puis en 1871, du monopole postal pour les journaux. La multiplicité des titres et l'étendue nationale de leur diffusion rendaient nécessaire pour la plupart des publications le recours à des organismes spécialisés autonomes. Progressivement, la librairie Hachette prit en la matière, à partir de son réseau national de bibliothèques de gare, une position dominante dès 1892 et quasi monopolistique dans l'entre-deux-guerres. Écartée en 1944, elle reprit vite sa place après la faillite des Messageries françaises de presse nées à la Libération. La loi du 10 avril 1947 impose aux journaux soit de se diffuser eux-mêmes, soit de constituer des messageries coopératives. Les cinq coopératives parisiennes choisirent comme opérateur commun la société Hachette qui reçut 49 % du capital des Nouvelles messageries de la presse parisienne, les 51 % restants appartenant aux cinq coopératives associées. Très vite, Transport Presse (TP), autre entreprise de messagerie constituée par trois autres coopératives, s'associa très étroitement aux NMPP. Celles-ci mirent en place, comme déjà dit, en 1979, le réseau

Séréfax-Faximpresse de cinq centres d'impression par fac-similé en province, couplés chacun à une Annexe régionale des messageries (ARM), pour diffuser les exemplaires imprimés sur place. Le réseau des NMPP reposait sur des centaines de dépositaires et sous-dépositaires qui desservaient quelque 32 000 points de vente. Elles se dotèrent dans les années 1970 d'une gestion informatisée remarquablement performante. Malgré l'efficacité et la souplesse du système, il restait fort coûteux car, fondé sur la vente au numéro, il était à l'origine d'un pourcentage d'invendus largement supérieur à celui des pays voisins de l'Est et du Nord de l'Europe. De plus, la règle communautaire ne permettait pas, en principe, une différenciation des tarifs du réseau en fonction des besoins spécifiques à chacun des titres. Enfin, les magazines se plaignaient que celui-ci prenait mieux en compte la diffusion des quotidiens que la leur.

Les critiques des éditeurs amenèrent les NMPP, à partir de 1994, à accélérer leur modernisation et à réorganiser leur réseau avec l'aide de l'État, mais elles se heurtèrent à l'opposition de leurs employés, en majorité affiliés à la Fédération du Livre-CGT, d'où de longues grèves en 1975-1977, 1989 et 1997, et de multiples conflits épisodiques. La réorganisation[6] porta, d'une part, sur la diminution drastique du nombre des dépôts, passé de 1 950 à 291 en 2002, et la modernisation des points de vente, mais ne put que freiner la progressive diminution des points de vente – 6 000 de moins en deux lustres et 60 kiosques à journaux (sur 370) fermés en trois ans à Paris même ; d'autre part, sur les tarifs : réduction de 14 % à 9 % du prix d'intervention de l'opérateur ; augmentation moyenne progressive de 10 % à 15 %, voire à 18 %, de la remise aux vendeurs et tarification modulée pour les dépositaires de 8 % à 7 %.

Fin 2002, après une lente réduction des effectifs, les NMPP-TP emploient quelque 1 900 salariés ; elles diffusent 80 % de la vente au numéro des titres nationaux dans leurs 30 668 points de vente – 28 768[7], auxquels s'ajoutent 785 Relay, boutiques directement gérées par Hachette et 1 115 « supplétifs » français et étrangers dans les quatre Sociétés d'agence et de diffusion (SAD) provinciales et le centre de traitement de la région parisienne. Pour 2001, au montant fort, son chiffre d'affaires vente s'est élevé à 2,8 milliards d'euros (dont 10 % à l'exportation) pour 3 500 titres (dont 920 étrangers), de 697 éditeurs français et étrangers, soit près de 550 000 tonnes de papier. Les 2,6 milliards d'exemplaires de quotidiens nationaux et hippiques représentaient 34,1 % du nombre d'exemplaires diffusés, soit 21,1 % des ventes réali-

(6) 1er plan : 1994-1997 ; 2e plan : 1998-2000 ; 3e plan : 2000-2003.

(7) Dont 500 à l'enseigne des Maisons de la presse et 710 de Mag Press, 753 kiosques, 980 PVQ (Points de vente de quotidiens), 2 784 dans l'environnement des super- et hypermarchés, 250 en stations-service…

sées (contre 66,7 % pour les magazines et 12,2 % pour les produits « hors presse » : bibelots, vignettes et multimédias). Les invendus représentent 38,9 % des quotidiens fournis et 36,8 % des magazines, soit une moyenne de 37,5 %.

L'actuel plan de modernisation se heurte à des problèmes spécifiques en région parisienne (Paris Diffusion Presse – PDP) en raison de la densité de la population et de la difficulté d'accroître la « surface linéaire » des présentoirs, du fait de l'exiguïté des boutiques. Les NMPP-TP y desservent quelque 1 800 points de vente pour 4,2 millions d'habitants (Paris *intra-muros* et 31 communes de la proche banlieue). Mais surtout, au printemps 2001, le groupe Amaury a décidé d'assurer lui-même la diffusion du *Parisien* en créant son propre réseau, Société de diffusion et de vente des Parisiens (SDVP), concurrent de celui de PDP : des grèves s'ensuivirent, ravivant le souvenir du très grave conflit qui, de 1975 à 1977, avait opposé le groupe aux militants du Livre et avait été aggravé par la création du réseau de ses quatre imprimeries décentralisées en province. À la fin 2003, la situation paraît stabilisée en province, mais la réforme de PDP fait encore l'objet de négociations ardues entre les NMPP, dont le président a abandonné son poste durant l'été, la SDVP, les syndicats du Livre et les diffuseurs. On peut espérer que ces crises récurrentes ne remettront pas en cause un système de diffusion riche d'une expérience inestimable dans un marché en régression (- 3,6 % en valeur et - 5,9 % en volume pour 2001, + 3,7 % et - 5,7 % en 2002), en partie due au succès de la presse gratuite.

Créées en 1947, les Messageries lyonnaises de presse furent déstabilisées en 1967 par le départ du *Progrès* et du *Dauphiné libéré* et survécurent difficilement en se spécialisant dans la diffusion des périodiques nationaux à périodicité longue. Elles ont conservé leur statut de coopérative et n'ont donc pas à rétribuer un opérateur particulier. Avec discrétion et efficacité, elles prirent un nouvel élan en 1991, puis en 1996 en pénétrant dans la région parisienne, et en 1999 en diffusant leurs premiers hebdomadaires. La croissance de leur chiffre d'affaires traduit leur dynamisme retrouvé : 1,8 milliard de francs en 1997 ; 2,6 en 1998 ; 3,24 en 2000 ; 3,6 en 2001… Elles comptent 450 entreprises coopérantes, soit quelque 1 800 titres en 2002, et assurent 15 % du marché de la vente au numéro des magazines, des publications par fascicules et des revues, dont 33 % de celui des mensuels. Elles ne diffusent aucun quotidien, aucun *news magazine* (sauf *Marianne*) et pratiquement aucun magazine de télévision ; elles pratiquent des barèmes par titre et disent se spécialiser dans la presse « à centre d'intérêt », à l'exclusion des publications d'informations générales.

▪ La diffusion à l'étranger

Outre son rôle de liaison avec les Français émigrés, elle est un des vecteurs premiers de la présence culturelle, voire politique et économique, de la

France à l'étranger. Elle est depuis 1983, hors l'abonnement postal, entièrement contrôlée par les NMPP, qui ont alors absorbé le département étranger de Hachette. Unipresse, éditrice de la *Gazette de la presse francophone*, a pris en 1974 la suite du Syndicat national des éditeurs-exportateurs de publications françaises né en 1948, regroupe deux à trois cents éditeurs et organise, par des expositions, des catalogues et d'autres activités, la promotion des journaux français à l'étranger. Ces exportations, soutenues par une aide de l'État (v. chapitre 8), sont fort coûteuses car, outre le prix du transport (en moyenne 70 % du prix de la marchandise au départ), elles doivent supporter un bouillon très lourd (47,6 % en 2001) et sont soumises à mille avatars politiques ou monétaires, peut-être aussi à la concurrence de l'internet.

En 2002, 2 830 titres ont été vendus à l'exportation pour 302 millions d'euros, soit 115,5 millions d'exemplaires vendus (75 % de périodiques et 25 % de quotidiens). Les pays francophones voisins en ont reçu 53 %, les autres pays de l'Union européenne 14 %, les Dom-Tom 10 %, le Maghreb 9,3 %, l'Afrique subsaharienne 5,4 %, l'Amérique du Nord 4,9 %, l'Europe hors de l'UE 1,4 %, le Proche-Orient 1,4 %, l'Asie et l'Océanie 0,4 %, l'Amérique du Sud 0,2 %.

À l'inverse, la France reçoit 920 titres étrangers, dont 110 quotidiens pour une vente de quelque 28 millions d'exemplaires, souvent achetés par les touristes, pour un total d'environ 65 millions d'euros, dont 69 % pour des quotidiens.

On doit aussi signaler, en dehors des pays francophones, la survie de quelques rares journaux en français qui résistent, vaille que vaille, en particulier dans le pourtour de la Méditerranée, voire en Amérique, entretenus par une colonie d'émigrés ou de minorités francophones[8].

De même, les éditions en langues étrangères de périodiques français peuvent être comptées comme facteurs du rayonnement français, mais ici les éditions en français de magazines étrangers sont au moins aussi importantes.

(8) Cf., dans la bibliographie, en annexe, les ouvrages de Gilles Kraemer.

CHAPITRE 6

La publicité et la presse

Les rapports de la publicité et de la presse sont par nature ambigus. La presse a besoin des ressources que lui apporte la publicité et cette dernière de la presse pour diffuser ses messages. Quelques rares organes, comme *Le Canard enchaîné* ou *Charlie Hebdo,* peuvent vivre sans y avoir recours ; à l'inverse, les journaux gratuits vivent uniquement de leurs annonces[1]. Si la presse n'a guère, en dehors de ses recettes de vente, d'autres revenus que la publicité, celle-ci dispose de bien d'autres supports que les journaux et les magazines. En réalité, leurs fonctions sont trop différentes pour créer entre elles une véritable solidarité. L'une est au service de ses lecteurs, l'autre de ses annonceurs : si leurs intérêts sont souvent convergents, ils ne se confondent pas.

Agent et instrument de la société de consommation, la publicité est à la fois contestée dans ses effets et bien défendue par ses praticiens, habiles par nature à manier une rhétorique convaincante.

■ L'organisation de la publicité

Il est caractéristique que, dans les dernières décennies, bien des officines de publicité aient choisi de devenir des « agences de communication » et que la mode soit de dénommer désormais les investissements publicitaires « dépenses de communication »[2]. Ce changement correspond bien à une sorte de dilatation progressive de leurs pratiques professionnelles, qui concernent

(1) La presse gratuite sera présentée dans la troisième partie de l'ouvrage.

(2) V. Vernette (Éric) (dir.), *La publicité : théories, acteurs et méthodes*, coll. « Les études », La Documentation française, Paris, 2000, 208 p. ; *Indicateurs statistiques de la publicité*, SJTI/La Documentation française, Paris, éd. 2000 ; Blonde (Marie-Hélène) et Rozières (Valérie de), « Le secteur de la publicité en 2000 », *Info-Médias,* n° 7, DDM/La Documentation française, avril 2003.

désormais autant la préparation des campagnes publicitaires et la diffusion de leurs messages dans les différents médias (presse, radio, télévision, cinéma, affichage) que le parrainage (émissions, salons, foires, mécénat, manifestations et animations diverses), la promotion des ventes (publicité sur les lieux de vente, loteries, concours, coupons de réduction, échantillons...), le *marketing* direct par colportage ou distribution postale (catalogues, annuaires, prospectus, téléachat, internet)[3], et aussi des conseils divers en mercatiques commerciale ou de gestion. Aussi bien, depuis la fin des années 1980, les statistiques publicitaires prennent en compte les dépenses « hors-médias », dont le total dépasse nettement celui des supports « grands médias ». En l'an 2000, donc avant la crise amorcée au printemps 2001, les 18 520 entreprises du secteur employaient 178 030 salariés, dont 58 % travaillaient dans les 170 entreprises qui avaient plus de 100 salariés ; il est caractéristique que celles qui se consacrent à la « gestion des supports de publicité », c'est-à-dire pour l'essentiel aux « anciens » médias et aux prospectus, n'employaient que 22,8 % des salariés, contre 77,2 % pour les agences et conseils en publicité, c'est-à-dire pour l'essentiel au hors-médias.

À la suite d'un rapport très sévère quant à l'opacité des rapports entre annonceurs, publicitaires et supports[4], la « loi Sapin » du 29 janvier 1993 (loi n° 93-122 relative à la prévention de la corruption et à la transparence de la vie économique et des procédures publiques) a tenté d'y imposer plus de rigueur et de transparence : elle a eu pour effet, en particulier, de réduire la pratique des agences d'achat d'espace et de rendre aux annonceurs et aux supports une plus grande maîtrise de leurs relations.

Pour les secteurs d'origine des annonceurs, TNS-Média Intelligence établit en pourcentage le classement suivant pour les grands médias en 2002 : distribution 11,6 % ; alimentation 11,0 % ; transport 9,8 % ; toilette-beauté 8,3 % ; services 7,6 % ; télécommunications 7,1 % ; édition 7,0 % ; culture et loisirs 6,3 % ; information-médias 5,1 % ; boissons 3,4 % ; divers autres 22,8 %.

Le marché français de la publicité-communication est dominé par deux très grands *holdings*. Havas, héritier direct de la branche publicité de l'Agence Havas fondée en 1835, a eu en 2002 un chiffre d'affaires consolidé de 22,2 milliards d'euros et emploie quelque 18 000 salariés. Elle contrôle, en France et dans le monde, des dizaines de filiales et réalise 49 % de ses affaires en Europe, 44 % en Amérique du Nord, 4 % en Asie-Pacifique et 3 % en Amérique du Sud. Elle se situe au sixième ou septième rang des entreprises mondiales

(3) Toutefois, la diffusion de messages à vocation publicitaire sur l'internet, qui avait commencé avec quelque succès en 1998-2000, subit depuis 2001 une nette régression.

(4) *Prévention de la corruption et transparence de la vie économique : rapport au Premier ministre de la Commission de prévention de la corruption, présidée par M. Robert Bouchery*, coll. des Rapports officiels, La Documentation française, Paris, 1993.

en la matière. Publicis, fondée en 1926 comme entreprise de régie publicitaire de radios commerciales, est aujourd'hui au quatrième rang[5]. Elle a acheté deux grandes agences américaines : en 1999-2000, Saatchi & Saatchi, et, en 2002, Bcom ; en 2002, elle a également passé un accord de coopération avec la plus grande agence japonaise, Dentsu. Fin 2002, elle employait dans ses multiples filiales quelque 35 000 salariés et avait un chiffre d'affaires consolidé de 24,7 milliards d'euros. Elle réalisait 42 % de son activité en Europe, 44,6 % en Amérique du Nord et 7,7 % dans le reste du monde.

■ Le marché publicitaire...

Pour l'essentiel, les données statistiques disponibles sur la publicité proviennent de sources proches du monde de la publicité lui-même. Si le perfectionnement des modes de collecte et de classification renforce la crédibilité des chiffres publiés par l'Irep sur les recettes des supports, par France Pub sur les dépenses des annonceurs et par la Secodip sur les décomptes quantitatifs des annonces, bien des secteurs, tels ceux de la publicité émiettée des petites annonces et de la publicité locale, ou des dépenses de promotion du hors-média, s'opposent à une recension précise des dépenses comme des recettes.

Quant aux comparaisons internationales, elles sont très aléatoires, du fait que les méthodes de calcul et les périmètres pris en compte varient notablement selon les organismes nationaux. L'idée d'un « sous-développement publicitaire français », évident pour le XIXe siècle et le XXe jusqu'aux années 1980, doit être fortement nuancée aujourd'hui ; en tout cas, il est malaisément mesurable, tant la progression des investissements publicitaires, surtout après la création des chaînes de télévision commerciales en 1983-1985, paraît contribuer à rapprocher le marché français de celui des grands pays libéraux[6]. Selon les pays, la répartition de la publicité entre les cinq grands médias est caractérisée par des différences notables. La France se situe en la matière dans une position moyenne. Son originalité première est la part importante qu'y tient l'affichage et, pour ses recettes de presse, la faible part tenue par les petites annonces.

(5) Derrière, les trois premières sont anglo-saxonnes : Interpublic et Omnicom (américaines) et WPP (anglaise).

(6) Information et publicité, qui gère, entre autres, la publicité de RTL, a longtemps fourni en la matière des données comparatives, mais y a renoncé. Pour 1998, il donnait les chiffres suivants pour les recettes publicitaires grands médias par habitant (entre parenthèses, pourcentage par rapport au PIB) : États-Unis 477 euros (1,7 %) ; Japon 261 euros (0,8 %) ; Allemagne 214 euros (0,9 %) ; Royaume-Uni 189 euros (0,9 %) ; Pays-Bas 141 euros (0,6 %) ; France 137 euros (0,6 %) ; Italie 112 euros (0,6 %) ; Espagne 110 euros (0,8 %) ; Suisse 291 euros (0,9 %).

Tableau 17. - Parts de marché publicitaire des grands médias dans les grands pays en 2002 (en %)

Source : Irep

	Presse	Télévision	Affichage	Radio	Cinéma
Allemagne	63,9	26,3	4,7	4,1	1,0
Belgique	45,3	38,4	5,8	9,3	1,2
Espagne	45,7	41,0	4,6	7,9	0,8
France	49,6	30,7	11,4	7,5	0,8
Royaume-Uni	57,9	30,9	5,7	4,3	1,2
Italie	41,2	51,5	2,4	4,0	0,9
Pays-Bas	67,8	21,2	3,9	6,7	0,4
États-Unis	44,7	38,7	3,3	13,3	—
Japon	36,7	46,4	12,3	4,6	—

■ ...et ses variations

Étroitement liés à la prospérité économique du moment, les investissements publicitaires varient fortement selon la conjoncture ; les effets de ces variations sont très redoutables pour les journaux.

Pour s'en tenir aux trois derniers lustres, la dépression des années 1991-1993 a réduit la publicité presse de 21 % ; une réduction de 7,9 % s'est produite en 2001-2002 (sans la reprise en 2003). Ceci a eu et continue d'avoir des effets parfois catastrophiques sur la trésorerie des entreprises, tout particulièrement pour celle des quotidiens nationaux, dont les recettes publicitaires ont plongé de 21 % en 2001 et de 14,3 % en 2002, la baisse étant bien moins sensible pour les autres catégories de presse (v. tableau 18, C et D).

Tableau 18. - Variations des investissements publicitaires des annonceurs de 1990 à 2002

A. Dépenses de communication des annonceurs de 1992 à 2002 (en millions de francs, puis en millions d'euros pour 2001 et 2002)

	1992		1995		1997		1999		2000	
	MF	%	MF	%	MF	%	MF	%	MF	%
Grands médias	51 800	39,0	54 013	36,6	71 604	37,6	56 988	36,0	65 266	37,0
Hors médias	81 000	61,0	93 674	63,4	119 021	62,4	101 302	64,0	110 965	63,0
Total	132 800	100,0	147 687	100,0	190 625	100,0	158 300	100,0	176 231	100,0

	2001		2002	
	M€	%	M€	%
Grands médias	10 444	35,9	10 399	35,5
Hors médias	18 679	64,1	18 887	64,5
Total	29 123	100,0	29 286	100,0

Source : France Pub
NB : en 2001, le périmètre de l'enquête a été légèrement modifié.

B. Dépenses des annonceurs en 2002 (en millions d'euros)

Source : France Pub

(a) Les calculs de l'Irep, effectués sur les recettes des supports, aboutissent à un total de 9 501 millions d'euros. France Pub ne prend pas en compte les petites annonces, mais comptabilise les commissions des agences et les frais techniques de réalisation des messages.

Grands médias		Hors médias	
Presse, dont :	4 348	Annuaires	969
— quotidiens nationaux	309	Marketing direct	9 358
— quotidiens régionaux	749	Promotion	4 668
— magazines	1 647	Publicité par l'événement	2 102
Télévision	3 635	Relations publiques	1 691
Affichage	1 418	Internet	99
Radio, dont :	883		
— publicité locale	346		
Cinéma	115		
Total	10 399 *(35,5 %)* (a)		18 887 *(65,5 %)*
Total général	**29 286**		

C. Variations par rapport à l'année précédente des recettes de publicité grands médias, comparées au taux général d'évolution des prix (en %)

Source : Irep

	Évolution des recettes	Indice général des prix		Évolution des recettes	Indice général des prix
1990	+ 9,0	+ 3,1	**1997**	+ 3,7	+ 1,2
1991	− 3,0	+ 3,2	**1998**	+ 6,6	+ 0,7
1992	− 0,8	+ 2,4	**1999**	+ 9,6	+ 0,5
1993	− 5,0	+ 2,1	**2000**	+ 10,2	+ 1,7
1994	+ 5,0	+ 1,7	**2001**	− 4,8	+ 1,7
1995	+ 4,1	+ 1,7	**2002**	− 1,2	+ 1,9
1996	+ 3,0	+ 2,0			

D. Recettes de publicité-presse par catégories de1990 à 2002 (en millions de francs de 1990 à 1998, en millions d'euros ensuite)

	1990	1991	1992	1993	1994	1995	1996	1997	1998
Quotidiens nationaux	3 735	3 105	2 532	2 200	2 265	2 334	2 355	2 552	3 018
Quotidiens régionaux	5 640	5 162	4 868	4 619	4 887	5 053	5 188	5 165	5 412
Magazines	8 885	8 356	8 284	7 125	7 550	7 813	8 076	8 537	9 135
Spécialisés	5 085	4 727	4 462	3 756	3 700	3 710	3 825	3 950	4 187
Gratuits	5 145	4 990	4 744	4 720	4 968	5 067	5 182	5 234	5 443
Hebdos régionaux	—	—	—	—	—	—	—	—	658
Total	**28 490**	**26 340**	**24 890**	**22 430**	**23 720**	**23 977**	**24 626**	**25 438**	**27 848**

	1999	2000	2001	2002
Quotidiens nationaux	577 (+ *20 %*)	672 (+ *15,5 %*)	531 (- *21 %*)	455 (- *14,3 %*)
Quotidiens régionaux	945	1 008	1 005	1 008
Magazines	1 502	1 689	1 655	1 613
Spécialisés	693	748	702	620
Gratuits	899	861	886	892
Hebdos régionaux	105	116	119	120
Total	**4 691**	**5 094**	**4 898**	**4 708**

Source : Irep

Les catégories de publicité

On distingue classiquement deux types de publicité : les placards de la publicité commerciale, illustrés et accompagnés d'un slogan, ou parfois sous forme d'un simple communiqué écrit, et les petites annonces « classées », dont le message est adressé par un individu et/ou destiné à des individus isolés. En France, le marché des petites annonces a toujours été peu actif par rapport à celui de ses voisins européens du Nord ou de l'Est : dans ses catégories immobilier et emploi, il est très sensible aux variations de la conjoncture économique. Alors que, hors les affichettes exposées dans quelques boutiques, le journal d'information quotidien ou hebdomadaire était traditionnellement le seul support de ce type d'annonces, aujourd'hui, les services « messagerie » du minitel, mais surtout de l'internet, et les journaux gratuits concurrencent les journaux en la matière : il est significatif que beaucoup de quotidiens de province aient créé leur propre journal gratuit pour prévenir la concurrence.

La réglementation administrative et les consignes du BVP veillent à empêcher la pollution des annonces par des propositions malvenues ou mensongères. La déontologie du journalisme interdit aussi les formes subtiles de vénalité, qui tendraient à proposer aux lecteurs des messages payés présentés comme issus de la rédaction du journal. La loi impose des barrières très précises à l'éventuel usage de cette publicité clandestine : toute annonce payée doit être clairement identifiable et se différencier du contenu rédactionnel. Certains secteurs de la publicité sont particulièrement réglementés : la publicité pharmaceutique, celle du tabac et de l'alcool, celle pour les annonces financières et boursières... La publicité politique dans les médias est beaucoup moins utilisée (sauf pour les affiches) en France qu'aux États-Unis ; elle est même interdite en période de campagne électorale. Même si une loi du 18 janvier 1992 (loi n° 92-60 renforçant la protection du consommateur) a autorisé la publicité comparative, elle est très peu utilisée en France.

Pour protéger les droits des consommateurs, l'Institut national de la consommation édite *60 Millions de consommateurs* et l'Union fédérale des consommateurs, d'origine syndicale, *Que Choisir ?*. Ces deux mensuels bien achalandés réalisent, entre autres, des tests de qualité et des comparaisons de prix.

La répartition de la publicité

Alors que, pour le lecteur, le critère de l'achat d'une publication est la correspondance du contenu offert à ses attentes et à ses goûts, pour les annonceurs, la valeur d'un journal ou d'un magazine tient d'abord à la qualité de leur lectorat, où ils espèrent trouver des consommateurs du produit ou du service proposé.

Pour les produits ou services de grande consommation, les publicitaires, qui usent souvent aussi en ce cas de la télévision, choisissent des publications populaires à fort tirage, mais toutes ne sont pas pour autant de « bons » supports : les publications sportives, les magazines de lectures ou de récits romanesques, les journaux « à sensation » attirent peu les annonceurs, car leurs lecteurs ne sont pas, pendant leur lecture, dans des dispositions psychologiques favorables à une bonne réception du message publicitaire. Les magazines ont longtemps eu le monopole des « beaux » placards en couleur, mais ils sont aujourd'hui concurrencés par les quotidiens, qui usent aussi de la couleur dans leurs pages ordinaires ou dans leurs suppléments tirés en *offset* ou en héliogravure. Ces mêmes magazines ont sur les quotidiens l'avantage d'avoir un plus grand nombre de lecteurs par numéro et de multiplier par le feuilletage échelonné dans la semaine ou le mois le contact avec le placard publicitaire. Les publications dont le lectorat dispose d'un haut niveau de revenus sont des supports très recherchés par les annonceurs de produits de luxe. Comme les femmes-ménagères dépensent l'essentiel de l'argent du ménage, elles sont évidemment la cible privilégiée des annonceurs. Les publications techniques et spécialisées, dont le lectorat restreint est très homogène, sont évidemment très recherchées par les annonceurs spécialisés ; à l'inverse, les publications doctrinales, idéologiquement engagées, sont peu attractives pour les annonceurs, qui ne veulent pas y compromettre leur image de marque.

Guidés par les besoins des annonceurs et les données de l'OJD ou du CESP, les publicitaires sélectionnent les publications auxquelles ils confient les placards et les communiqués selon les cibles visées. Cette sélection affecte évidemment la trésorerie et la prospérité des publications. *La Croix* ne reçoit guère que 9 % de ses recettes de la publicité, *Le Figaro*, pour autant qu'il soit possible de l'estimer, dix fois plus. *Le Monde* en recevait, au gré des années récentes, de 21 % à 43 %. Le partage du « gâteau publicitaire » est l'objet d'une concurrence acharnée, d'abord entre les médias et le hors-médias, et entre les médias eux-mêmes. Pour la publicité nationale, essentiellement composée d'annonces de marques, la presse doit lutter contre la télévision et la radio : on mesure par là l'importance accordée à la levée annoncée des interdictions de la publicité télévisée pour l'édition, le cinéma et la grande distribution. Pour la publicité régionale et locale, essentiellement celle des enseignes et des boutiques, la concurrence de la télévision (sauf si les télévisions locales devaient se développer dans un avenir proche) est moins à craindre que celle des radios locales et surtout celle des journaux gratuits, et, potentiellement du moins, de l'internet.

■ Les effets de la publicité

En sélectionnant ses supports, la publicité exerce une véritable ségrégation entre les publications, elle aggrave les tendances « naturelles » du marché, ac-

célérant la décadence des titres qu'elle néglige et la prospérité de ceux qu'elle retient. Elle est donc un des facteurs premiers de la concentration de la presse. La publicité exerce une influence directe sur la pagination des journaux : *L'Humanité, La Croix* ou *France Soir* offrent à leurs lecteurs des exemplaires deux à trois parfois plus minces que *Le Figaro* ou *Le Monde*[7]. Malgré l'impression de catalogue que peut donner au premier regard un magazine qui reçoit beaucoup de publicité, le lecteur sait qu'il offre aussi un nombre de pages rédactionnelles plus grand que son concurrent moins bien traité par les annonceurs. Une publication riche en annonces est aussi souvent mieux présentée, car les annonceurs tiennent à ce que leurs placards soient bien mis en valeur. Esthétiquement, la publicité influence la mise en page de la presse, en général dans un sens positif ; quant aux reporteurs-photographes, ils suivent souvent, inconsciemment ou non, les modèles des photographes et dessinateurs publicitaires. Bien des pages magazines dans les quotidiens sont nées autant du souci d'offrir un emplacement à la publicité spécialisée que de celui de mieux ordonner le contenu du journal. Les suppléments magazines de fin de semaine, qui se sont multipliés dans les journaux depuis 1978, sont de magnifiques pièges à publicité autant que des compléments rédactionnels.

Certaines catégories de magazines peuvent même apparaître plus comme des sortes de sous-produits publicitaires d'un secteur économique que comme des porteurs d'informations : c'est le cas d'une certaine presse de variété, liée au monde de l'édition musicale et du *show business*, ou des magazines de moto ou d'automobile.

La publicité affecte-t-elle le contenu rédactionnel des publications ? Non pas qu'il faille rouvrir le débat très académique des pressions directement ou indirectement exercées par les annonceurs sur les journalistes : il est pratiquement sans solution et les exemples avancés sont rarement déterminants et ne peuvent être généralisés. Il n'est pas paradoxal d'affirmer qu'un journal riche en annonces est plus à même de résister à telle ou telle pression d'un annonceur car, moins vulnérable, il peut plus facilement refuser un contrat qu'un journal moins achalandé.

En réalité, on doit plutôt s'interroger sur les limites respectives de la publicité et de la rédaction, entre messages publiés contre rétribution et articles rédigés en toute indépendance selon des critères journalistiques non vénaux. Or, dans notre société de consommation, la frontière entre la partie rédactionnelle et la partie publicitaire est bien difficile à tracer. Certaines rubriques du journalisme posent depuis longtemps des problèmes fort délicats. Il s'agit, par

(7) En 2002, *Les Échos* ont publié l'équivalent de 3 601 pages de publicité, *La Tribune* 2 966, *Le Figaro* 2 848, *Le Monde* 2 532, *Le Parisien* 1 462, *Libération* 1 260, *L'Équipe* 1 151, *France Soir* 1 079, *La Croix* 343, *L'Humanité* 246 et *le Journal du dimanche* 306 (source : TNS-Secodip).

exemple, des rubriques de critique ou de conseils aux lecteurs – spectacles, modes, conseils pratiques, chroniques touristiques, automobiles, gastronomiques –, pour lesquelles la seule garantie d'objectivité est l'indépendance du journaliste. Mais la question se pose de plus en plus souvent pour l'information économique en général. Cette information est une nécessité pour le citoyen-consommateur comme pour les entreprises productrices de marchandises ou de services : le journaliste doit-il refuser d'en parler sous prétexte que ces entreprises sont aussi dispensatrices de publicité, ou parce que ses articles en la matière sont susceptibles d'avoir des effets sur la notoriété des produits ou des services en course ?[8]

Tableau 19. - Principaux supports de publicité en 2001 et 2002 (en milliers d'euros)

Les 50 premiers supports presse

Source : TNS-Secodip.

NB : Il s'agit des données brutes des investissements des annonceurs recueillies en pigeant les placards ou les spots publicitaires, hors remises et abattements tarifaires. Pour les quotidiens, ne sont pris en compte que les annonces et petites annonces commerciales. Pour les journaux provinciaux, la Secodip différencie les investissements publicitaires de la partie commune à l'ensemble de leurs éditions locales (TED) et ceux de l'édition principale, celle de la ville d'édition du journal.

	2001	2002	Évolution (en %)
PQR-66 province	139 014	160 381	15,40
Le Figaro	152 693	160 184	4,90
Le Monde	141 638	149 197	5,30
Les Échos	143 906	126 724	- 11,90
TV Magazine national	104 162	125 412	20,50
Elle	122 978	115 174	- 6,30
Télé 7 Jours	97 779	99 884	2,20
Le Nouvel Observateur	91 979	95 400	3,70
Le Moniteur des travaux publics	80 296	80 181	- 0,10
Femme actuelle	69 979	74 093	5,90
L'Express	74 423	71 518	- 3,90
Le Figaro Madame	67 740	69 098	2,00
Télérama	75 107	66 746	- 11,10
Téléstar	60 370	66 607	10,30
Télé-Loisirs	58 354	61 729	5,80
Le Républicain lorrain (TED)	60 173	61 213	1,70
Le Figaro Magazine	56 733	61 096	7,70
Marie-Claire	59 262	59 713	0,80
Paris Match	59 653	59 638	0,00
Le Figaro Économie semaine	61 321	59 386	- 3,20
TV hebdo national	46 601	58 421	25,40

(8) Les publicitaires défendent souvent l'idée que la publicité est elle-même porteuse d'information. C'est à l'évidence le cas des petites annonces, des placards des grandes surfaces qui décrivent les produits en vente avec leur prix, des renseignements fournis dans les revues techniques ou spécialisées. Mais comment pourrait-on rendre informatives les annonces pour un produit de consommation courante, que ni la qualité, ni le prix ne différencie fondamentalement de ses concurrents ?

		2001	2002	Évolution (en %)
	Libération	62 530	57 938	7,30
	La Tribune	60 059	55 589	– 7,40
	Le Bien public (TED)	72 571	54 308	– 25,20
	Le Républicain lorrain (Metz)	61 517	53 865	– 12,40
	Les Dernières Nouvelles d'Alsace (TED)	51 141	47 597	– 6,90
	Aujourd'hui-Le Parisien	41 990	46 122	9,80
	L'Équipe Magazine	44 308	43 886	– 1,00
	L'Équipe	39 070	42 546	8,90
	La Provence (TED)	40 024	39 495	– 1,30
	Télé Z	38 617	39 295	1,80
	Le Progrès (TED)	69 037	39 064	– 43,40
	Le Point	39 445	37 445	– 5,10
	Version Femina		36 961	
	01 Informatique hebdo	58 426	36 913	– 36,80
	Usine nouvelle hebdo	50 443	34 948	– 30,70
	L'Express Réussir	49 464	33 344	– 32,60
	Ouest-France (TED)	41 517	32 377	– 22,00
	La Gazette des communes, des départements et des régions	26 599	31 517	18,50
	L'Est républicain (TED)	33 793	31 501	– 6,80
	La France agricole	38 008	30 575	– 19,60
	Le Dauphiné libéré (Grenoble)	29 212	29 387	0,60
	Avantages	34 524	29 344	– 15,00
	L'Est républicain (Nancy)	35 889	28 319	– 21,10
	Gala	25 862	28 079	8,60
	Parents	28 249	27 080	– 4,10
	Télé Poche	26 609	26 974	1,40
	Auto Plus	27 819	26 931	– 3,20
	La Tribune (Desfossés) Marchés	34 078	25 639	– 24,80
	Notre Temps Magazine	23 908	25 634	– 7,20
Télévision nationale	Total télévision nationale	4 765 609	5 164 215	8,40
	TF 1	2 424 334	2 549 638	5,20
	France 2	501 704	563 995	12,40
	France 3	336 814	378 798	12,50
	Canal +	109 769	119 550	8,90
	France 5	27 182	32 102	18,10
	M 6	1 014 832	1 081 024	6,50
Télévision, câble, satellite (total, dont les 10 premières chaînes)	TV câble satellite (total)	327 779	410 574	25,30
	— dont Eurosport	52 918	63 914	20,80
	LCI	33 752	40 717	20,60
	TF 6	15 513	39 649	155,60
	RTL 9 Satellite	36 136	29 685	– 17,90

		2001	2002	Évolution (en %)
	13e Rue	7 954	22 477	182,60
	Paris Première	16 275	19 733	21,20
	Canal Jimmy	11 436	17 120	49,70
	MCM TV	15 620	15 868	1,60
	MTV France	5 193	14 805	185,10
	TMC Monte-Carlo	8 900	12 573	41,30
Radio commerciale nationale	Radio (total)	1 691 487	2 024 760	19,70
	Stations musicales nationales	1 082 871	1 288 420	19,00
	NRJ national	322 334	352 848	9,50
	Nostalgie	150 492	169 782	12,80
	Chérie FM	113 849	140 588	23,50
	Europe 2	85 150	126 563	48,60
	GIE Les Indépendants	81 188	110 063	35,60
	Fun Radio	84 299	99 672	18,20
	Skyrock	83 323	96 630	16,00
	RTL 2	62 707	80 524	28,40
	RFM	63 964	71 001	11,00
	Rire et chansons	35 564	40 748	14,60
	Stations généralistes	568 243	702 462	23,60
	RTL	320 071	394 644	23,30
	Europe 1	201 036	227 137	13,00
	RMC info	24 981	55 691	122,90
	Sud Radio + Wit FM	22 155	24 990	12,80
	Stations thématiques	40 373	33 878	– 16,10
	BFM	20 257	17 361	– 14,30
	Radio classique	20 117	16 517	– 17,90

L'ambiguïté des relations entre information et publicité est accentuée par le développement, en amont des rédactions, des multiples services de « relations publiques », de « presse » ou de « communication », dont le rôle est bien de servir d'intermédiaire entre les journalistes et les entreprises ou organismes producteurs de marchandises ou de services. Si, à court terme, leur action peut être considérée comme une action d'information, à moyen et à long terme, elle sert indubitablement à défendre et illustrer l'image de l'entreprise qui la paie, et donc à masquer les aspects confidentiels de son identité. Dans certains secteurs des activités de loisir, comme le tourisme, les spectacles et le sport professionnel, il est clair que l'initiative de l'information et même parfois son contenu échappent pour une large part aux journalistes, même s'ils conservent leur liberté de critique.

Que dire, même si la presse est en la matière moins atteinte que la télévision, de l'ambiguïté des opérations de patronage ou de mécénat, qui contraignent en fait les journaux à citer le nom des entreprises ou des marques dans le contenu des articles eux-mêmes ?

La publicité est à l'information économique au sens large ce que la propagande est à l'information politique : le journalisme moderne se doit donc de redéfinir, dans le premier cas, les règles qui garantissent à la fois la sincérité de ses articles, comme il a, dans le second, à assurer l'indépendance de ses commentaires.

CHAPITRE 7

L'économie de la presse

■ L'aide de l'État à la presse

De tous les pays libéraux, la France est celui qui accorde les aides les plus fortes à la presse. Pour l'essentiel, ses principes et la plupart de ses modalités datent de la Libération : il s'agissait alors de mettre sur pied une nouvelle presse, qui ne pouvait espérer trouver dans la publicité les moyens de se financer, mais la volonté des résistants et des politiques était aussi de mettre les journaux nouveaux à l'abri des lois « liberticides » du marché.

Sauf pour quelques secteurs des aides directes, ces aides ne sont absolument pas discriminatoires : toutes les quelque 17 000 publications inscrites sur les registres de la CPPAP en bénéficient. Leur importance est difficile à apprécier, puisque la plupart, indirectes, consistent en des déductions ou réductions tarifaires ou fiscales. On a pu estimer qu'elles équivalaient à plus de 10 % du chiffre d'affaires global de la presse.

Tous les ans, le vote du budget est l'occasion pour le Parlement de discuter les montants et les modalités de ces aides : celles-ci donnent lieu à discours, articles et rapports parlementaires, et à une abondante littérature critique (v. la bibliographie en annexe). En dégrevant pour cinq ans les bénéfices réinvestis dans l'entreprise, elles favorisent les publications les plus prospères au détriment des moins riches. Pour les entreprises bien pourvues en publicité, elles sont moins indispensables que pour celles qui n'ont pas assez d'annonces et qui s'en servent pour réduire leurs déficits. Faudrait-il moduler ces aides en fonction des services rendus à la promotion du civisme, à l'éducation des citoyens ou à l'animation du débat démocratique ? Ou bien les réserver pour faciliter la création de nouveaux journaux ? Ou bien les adapter aux besoins particuliers de chaque entreprise ? En réalité, l'État, sous peine d'être accusé de partialité, ne peut pratiquer de sélection entre les titres d'information et ceux consacrés au simple divertissement, entre les feuilles militantes et les magazines purement commerciaux : le Parlement et le gouvernement ne peuvent imposer de règle inégalitaire entre les titres…, ni s'opposer aux pressions insistantes des organismes corporatifs qui les défendent.

L'aide à la presse comporte pour l'État deux types de charges :

Tableau 20. - Aides de l'État à la presse de 1990 à 2002

A. De 1990 à 2000 (en millions de francs)

	1990	1995	1996	1997	1998	1999	2000
Aides directes (a)	739,91	832,64	809,90	827,46	835,00	853,00	868,40
Aides indirectes	5 349,00	7 503,00	7 743,00	7 845,00	7 687,00	7 311,00	7 357,00

(a) Y compris abonnements à l'AFP.

B. Aides directes en 2001 et 2002 (en euros)

	2001	2002
Chapitre 41-10		
Remboursement des cotisations sociales de portage (art. 12)	1 143 367	1 067 143
Remboursement à la SNCF des réductions de tarif accordées à la presse (art. 13)	15 168 677	13 720 412
Aide à la transmission par fac-similé (art. 14)	762 245	609 796
Fonds d'aide à l'expansion de la presse française à l'étranger (art. 15)	3 658 776	3 704 511
Fonds d'aide à la diffusion de la presse hebdomadaire régionale (art. 16)	1 402 530	1 419 300
Fonds d'aide au portage (art. 17)	8 003 573	8 099 616
Aide à la distribution des quotidiens nationaux (art. 18)	—	4 344 797
Fonds d'aide aux quotidiens nationaux à faibles ressources publicitaires (art. 22)	4 573 470	4 628 353
Fonds d'aides aux quotidiens régionaux à faibles ressources de petites annonces (art. 23)	1 372 041	1 388 811
Fonds d'aide au multimédia	2 286 735	0
Aide complémentaire au plan social de la presse parisienne	609 796	—
Total	38 891 213	38 982 739
Chapitre 34-95		
Abonnement de l'État à l'AFP	93 451 247	95 890 432

C. Aides indirectes en 2001 et 2002 (en millions d'euros)

	2001	2002
Contribution de La Poste	568,0	n.d.
Contribution du Budget général	290,0	290,0
Total La Poste + État	858,0	n.d.
Moins-values de recettes du Trésor public :		
— Allégement des taux de TVA	198,0	197,0 (estimation)
— Régime spécial des provisions pour investissements (art. 39 *bis* du Code général des impôts)	21,0	20,0
— Exonération de la taxe professionnelle	180,3	174,5
Total des aides indirectes		
— au taux de 5,5 %	1 257,5	n.d.
— au taux de 19,6 %	2 079,4	n.d.

Source : SJTI-DDM.

– les **aides directes**. Les unes sont des subventions partagées par tous les journaux : allégement des charges de transport par la SNCF, de télécommunications, aide à l'exportation des publications. D'autres sont réservées à des catégories particulières de publications : aide financière aux quotidiens politiques nationaux ou provinciaux de petit tirage et à faibles ressources publicitaires, à la diffusion des hebdomadaires locaux[1] ; enfin, aides au multimédia, à la réorganisation des imprimeries et de la distribution à Paris, au développement du portage. Non négligeable également, le règlement à l'AFP des abonnements à des services administratifs et diplomatiques ;

– les **aides indirectes**. La presse bénéficie, depuis 1750, de tarifs réduits pour la diffusion de ses abonnements et de ses paquets de journaux. Cette charge est supportée à 60 % par le budget de La Poste et à 40 % par celui de l'État. La TVA sur les productions de la presse date de 1977 : après bien des débats, elle a été généralisée en 1989 à toutes les publications au taux très bas de 2,1 % (contre 5,5 % ou même 19,6 % pour des produits équivalents). La presse est dispensée de la taxe professionnelle et bénéficie d'un régime spécial (art. 39 ***bis*** du Code général des impôts). Le montant de ces aides indirectes correspond pour l'État à un manque à gagner non négligeable. En plus d'un sens, ces différentes subventions aident à compenser la faiblesse chronique des recettes publicitaires des journaux. Occasionnellement, sous forme d'aide ponctuelle au papier journal ou de prêts à taux préférentiels, l'État a répondu à des besoins particuliers des entreprises de presse ou de l'AFP.

Il faudrait aussi, mais il s'agit ici d'une dépense budgétaire que connaissent tous les pays voisins, évoquer les campagnes d'information gouvernementales pour des causes d'intérêt général [2] ou celles d'organismes publics ou parapublics (Française des jeux, La Poste, France Télécom, la SNCF...).

(1) Instaurée en 1972 pour les quotidiens nationaux diffusant à moins de 150 000 exemplaires et à faibles ressources publicitaires, cette aide, qui a un temps profité à *Libération* et à *Présent*, n'est aujourd'hui perçue que par *L'Humanité*, *La Croix* et *France Soir.* Elle a été accordée en 1989 à quelques petits quotidiens de province, et en 1996 aux hebdomadaires politiques locaux.

(2) Ces campagnes sont organisées par le Service d'information du gouvernement ; elles ont coûté 111 millions de francs en 1980, 122 millions en 1981, 169 millions en 1982, 143 millions en 1983, 105 millions en 1984, 195 millions en 1985, 171 millions en 1986, 237 millions en 1988, 244 millions en 1988, 275 millions en 1989, 322 millions en 1990, 335 millions en 1991, 445 millions en 1992, 237 millions en 1993, 341 millions en 1994, 275 millions en 1995, 312 millions en 1996, 272 millions en 1997 et 254 millions de francs en 1998.
En 1999, 99 campagnes furent lancées, pour 336 millions de francs, dont 42 % versés aux médias (télévision : 23 % ; radio : 10,4 % ; PQN : 1,5 % ; PQR : 3,2 % ; magazines : 3 % ; affiches : 4,4 % ; cinéma : 0,8 %), 24 % aux hors-médias et le reste en frais généraux et en réalisation des contenus. Le ministère de l'Économie et des Finances y contribua pour 44 %.

La gestion des entreprises de presse

Dispensatrice d'informations, la presse est en général très discrète sur la gestion de ses entreprises, surtout depuis que leur marché est entré en récession au printemps 2001. Les comptes d'exploitation des journaux sont opaques à l'observation extérieure, masqués par la complexité des bilans financiers annuels et, pour beaucoup d'entre eux, perdus dans la masse du bilan global du groupe ou du *holding* auquel ils appartiennent.

De plus, chaque entreprise a son propre destin et peut passer de la prospérité au déficit ou l'inverse, voire à la disparition, en quelques années. Pourtant, le nombre des créations de titres nouveaux l'emporte sur celui des disparitions[3]. La presse quotidienne est celle dont la gestion est la plus complexe ; depuis trois décennies, elle perd régulièrement des titres et des parts dans le marché de la presse[4]. OJD-DC constate que la presse commerciale a perdu en 2001 0,28 % de sa diffusion et 1,98 % en 2002 (dont - 3,20 % pour les quotidiens : - 4,60 pour les nationaux, - 2,72 pour les régionaux ; et 0,88 % pour la presse magazine).

La prospérité des entreprises est épisodiquement affectée par les augmentations de prix du papier – celle de 1974-1977, liée au premier choc pétrolier, celle de 1994-1995 et celle de 2001 –, mais surtout par les déprimes de la publicité et des petites annonces comme en 1991-1994 et depuis mars 2001. La presse française supporte aussi des handicaps structurels spécifiques, comme le coût élevé des salaires de ses ouvriers, employés ou journalistes, la faible rentabilité de son système de diffusion producteur d'invendus et aussi la faiblesse de ses recettes en publicité, en particulier en petites annonces.

Le tableau 21 est caractéristique de la complexité de gestion d'une entreprise de presse. Il concerne le compte d'exploitation simplifié de la Société éditrice du *Monde* (SAS) en 2001 – c'est-à-dire du quotidien et de quelques publications annexes comme *Le Monde de l'éducation*, *Dossiers et documents*, *Sélection hebdomadaire, Nord Sud Export, Bilan du marché* – à l'exclusion des autres filiales (Le Monde Imprimerie, Le Monde Publicité, *Le Monde diploma-*

(3) De 1991 à 2000, la DDM a recensé plus de 3 000 créations dans la presse édition, pour moins de 2 000 disparitions. En 2000, pour 308 disparitions, on a compté 394 créations.

(4) Alors que, de 1970 à 2000, la population a gagné plus de 7 millions d'habitants (+ 14 %), le tirage des quotidiens a perdu 2,9 millions d'exemplaires (- 25 %).
Pour la même période, la baisse est aussi sensible aux États-Unis (population : + 35 % ; quotidiens : - 12,7 %) et en Grande-Bretagne (population : + 7 % ; quotidiens : - 28 %). À l'inverse, en Allemagne, la croissance reste sensible (population : + 21 % ; quotidiens : + 38 %), ainsi qu'au Japon (population : + 22 % ; quotidiens : + 51 %), même si, pour ces deux pays, le tirage des journaux tend, depuis peu, à se stabiliser en légère baisse. On estime qu'en 2001, pour la première fois depuis longtemps, le tirage global des quotidiens a baissé : - 0,35 % dans le monde.

tique...) et de ses participations à d'autres publications[5]. Le résultat négatif de 2001 succède à des résultats nettement positifs dans la décennie précédente ; il est, pour une bonne part, lié à la baisse des recettes publicitaires en 2001 (- 22 % par rapport à 2000).

Tableau 21. - Compte de résultats 2001 de la Société éditrice du *Monde*

	En milliers d'euros	En %
Produits d'exploitation		
— Vente de journaux au numéro	89 222	41,8
— Vente de journaux par abonnement	42 374	19,8
— Publicité et petites annonces	67 498	31,7
— Produits et services divers	9 149	4,3
— Autres produits	5 563	2,3
Total	213 806	100,0
Charges d'exploitation		
— Papiers consommés	19 082	8,9
— Autres matières premières	573	
— Achats de sous-traitance imprimerie (a)	44 040	19,9
— Autres achats de matières et fournitures	1 035	0,5
— Commissions et frais sur vente au numéro	40 060	18,1
— Affranchissements et commissions sur abonnements	12 769	5,8
— Autres achats	25 280	11,4
— Impôts et taxes	1 517	0,1
— Salaires et traitements	46 300	30,0
— Charges sociales	20 237	
— Dotations aux amortissements et provisions	9 986	4,5
— Autres charges	806	0,4
Total	221 685	100,0
Résultat d'exploitation	- 7 879	

Source : Le Monde.
(a) Frais d'impressions payés au Monde Imprimerie.

Le Canard enchaîné, hebdomadaire de 8 pages sans publicité, en 2000, pour une diffusion moyenne de 429 985 exemplaires (dont 11,5 % d'abonnés), a gagné 27,64 millions d'euros et en a dépensé 22,33 ; en 2001, pour 424 182 exemplaires (11,5 %) et 95 416 invendus (18,4 %), ses recettes furent de 28,665 millions d'euros et ses dépenses de 22,497 millions.

(5) V. p. 133, la présentation de l'ensemble des activités du groupe Le Monde et partenaires, dont le chiffre d'affaires global consolidé, intégrant ceux de la Société éditrice du *Monde*, s'est élevé à 403,881 millions d'euros pour un résultat net de – 13,095 millions d'euros (contre + 9,539 en 2000).

En 2002, *La Croix* a équilibré son budget. Les bénéfices du groupe Bayard ont toujours permis de compenser les déficits du quotidien : en 2001, l'ensemble de ses activités lui a procuré un résultat net de + 10,3 millions d'euros (*V. infra*). En 2002, *La Croix* a diffusé 96 629 exemplaires, dont 91 499 en France.

Tableau 22. - Compte de résultats de *La Croix* (1999-2001) (en milliers d'euros)

	1999	2000	2001	% du CA de 2001
Produits				
Ventes abonnements	18 159	19 263	19 841	73
Ventes au numéro	1 809	1 459	1 316	5
Publicité	2 705	2 662	2 437	9
Aide aux quotidiens à faible ressources publicitaires	1 736	2 135	2 202	8
Produits financiers divers	1 588	1 231	1 455	5
Charges				
Rédaction	10 058	9 896	9 823	36
Impression et acheminement	8 860	7 817	8 107	30
Prépresse (a)	2 470	2 034	1 937	7
Promotion	5 174	4 650	4 061	15
Frais généraux et divers	2 998	3 278	3 428	13
Résultat d'exploitation (déficit)	- 3 563	- 925	- 105	- 0,4
Diffusion France payée (nombre d'exemplaires) (source : Diffusion Contrôle)	85 015	85 264	86 548	
Diffusion totale (nombre d'exemplaires) (source : Diffusion Contrôle)	91 055	90 232	91 662	
Effectif au 1er juillet	125,5	132	132	

Source : *La Croix* du 5 juin 2002.

(a) Frais de l'étape intermédiaire entre la rédaction et l'impression : saisie et mise en page électronique puis préparation des plaques imprimantes.

CHAPITRE 8

Les lecteurs de la presse

Les rapports entre la presse et ses lecteurs sont mal connus. Leur nature échappe à l'analyse objective, tant sont variables, selon les individus, les organes et l'actualité du moment, les motivations et les modalités de lecture. Quant à mesurer les effets de cette dernière, outre la diversité et la complexité des réactions individuelles, on voit mal comment on pourrait isoler l'influence de la presse de tous les autres facteurs qui agissent sur les attitudes et l'opinion des lecteurs. En réalité, ni la connaissance empirique, quasi intuitive, que les professionnels de l'information ont des attentes ou des réactions de leurs clients, ni les résultats obtenus par enquêtes sur le comportement et les goûts des lecteurs ne permettent d'éclairer l'ensemble des liens qui les attachent à « leur » journal ou à « leur » magazine. La lecture de la presse est autant affaire d'habitudes acquises que de choix déterminé, comme le journalisme est autant le produit de recettes que d'improvisation face à l'événement.

La lecture de la presse est irréductiblement individuelle : chacun choisit son périodique, le feuillette, ne lit ou ne regarde, avec une attention très variable, que ce qui correspond à ses goûts, à ses intérêts ou à sa curiosité du moment ; chacun réagit en fonction de ses conceptions morales, politiques ou culturelles. Si l'on peut espérer analyser le lectorat d'une publication, la lecture est, quant à elle, une activité intime liée à la personnalité de chacun et quasiment insaisissable.

■ La consommation des quotidiens

Les Français lisent relativement peu de quotidiens par rapport aux citoyens des autres grands pays occidentaux. On peut estimer que seul un Français sur quatre lit un quotidien national, et deux sur trois un régional.

L'*Enquête permanente sur les conditions de vie* de l'Insee établit que le pourcentage de lecteurs réguliers de quotidiens est passé de 59 % en 1967 à 55 % en 1973, à 37 % en 1993, et à quelque 34 % en 1997 (lecteurs de 6 à 7 numéros par semaine : quotidien national 7 %, quotidien régional 29 %, dont 3 % environ lisent un national et un régional). Proscop, pour 1997, donne un taux de pénétration de 79 pour 1 000 foyers pour le journal national et de 396 pour le journal régional. Ipsos, pour 2001, calcule, pour Euro PQN, que 18,5 % des individus de plus de 15 ans lisent un quotidien national et, pour le SPQR, 39 % un régional.

La lecture est variable selon les régions : les Bretons, les Alsaciens, les Lorrains et les Limousins sont parmi les lecteurs les plus assidus ; les Bas-Normands compensent leur faible consommation de quotidiens par la lecture des nombreux périodiques locaux.

Si les hommes lisent plus de journaux nationaux que les femmes, la différence est beaucoup moins sensible pour les régionaux.

Tableau 23. - Pénétration départementale par millier de foyers en 1997

		Quotidiens nationaux	Quotidiens départementaux	Périodiques locaux (a)
Alsace	Bas-Rhin	50	449	180
	Haut-Rhin	34	528	17
Aquitaine	Dordogne	47	311	115
	Gironde	60	253	79
	Landes	61	368	38
	Lot-et-Garonne	45	308	198
	Pyrénées-Atlantiques	80	364	124
Auvergne	Allier	42	385	193
	Cantal	42	362	325
	Haute-Loire	32	358	228
	Puy-de-Dôme	47	328	93
Bourgogne	Côte-d'Or	60	278	81
	Nièvre	53	373	259
	Saône-et-Loire	46	326	143
	Yonne	65	297	61
Bretagne	Côtes-d'Armor	35	520	247
	Finistère	40	593	1
	Ille-et-Vilaine	54	407	87
	Morbihan	45	473	78
Centre	Cher	45	382	52
	Eure-et-Loir	92	253	25
	Indre	42	443	69
	Indre-et-Loire	52	336	(?)
	Loir-et-Cher	53	329	31
	Loiret	71	190	174
Champagne-Ardenne	Ardennes	29	353	141
	Aube	44	336	(?)
	Marne	44	296	6
	Haute-Marne	33	343	153
Corse	Corse	64	510	(?)

		Quotidiens nationaux	Quotidiens départementaux	Périodiques locaux (a)
Franche-Comté	Doubs	38	310	0
	Jura	34	249	245
	Haute-Saône	24	278	375
	Territoire de Belfort	56	346	0
Île-de-France	Essonne	84	81 (c)	71
	Hauts-de-Seine	131	57 (c)	170
	Paris (b)	552	—	—
	Seine-et-Marne	66	98 (c)	168
	Seine-Saint-Denis	65	96 (c)	53
	Val-de-Marne	103	79 (c)	83
	Val-d'Oise	105	98 (c)	50
	Yvelines	116	61 (c)	118
Languedoc-Roussillon	Aude	42	280	26
	Gard	40	236	42
	Hérault	65	270	39
	Lozère	49	145	801
	Pyrénées-Orientales	55	303	89
Limousin	Corrèze	50	385	288
	Creuse	29	496	31
	Haute-Vienne	63	446	18
Pays de la Loire	Loire-Atlantique	54	388	115
	Maine-et-Loire	40	404	14
	Mayenne	30	382	395
	Sarthe	40	293	0 (?)
	Vendée	45	371	63
Lorraine	Meurthe-et-Moselle	39	341	13
	Meuse	26	312	101
	Moselle	32	396	80
	Vosges	34	370	25
Midi-Pyrénées	Ariège	46	255	25
	Aveyron	45	370	291
	Haute-Garonne	66	176	71
	Gers	37	327	280
	Lot	73	208	80
	Hautes-Pyrénées	64	290	72
	Tarn	41	201	290
	Tarn-et-Garonne	34	203	32
Nord	Nord	41	273	57
	Pas-de-Calais	29	260	164
Basse-Normandie	Calvados	64	229	396
	Manche	39	326	424
	Orne	46	210	553
Haute-Normandie	Eure	48	91	494

		Quotidiens nationaux	Quotidiens départementaux	Périodiques locaux (a)
	Seine-Maritime	54	218	353
Picardie	Aisne	42	164	163
	Oise	47	200	72
	Somme	42	306	69
Poitou-Charentes	Charente	39	335	53
	Charente-Maritime	61	208	102
	Deux-Sèvres	34	417	66
	Vienne	46	383	16
Provence-Alpes-Côte d'Azur	Alpes-de-Haute-Provence	9	325	0
	Alpes-Maritimes	78	308	11
	Hautes-Alpes	8	290	9
	Bouches-du-Rhône	61	278	31
	Var	67	349	181
	Vaucluse	61	212	59
Rhône-Alpes	Ain	40	229	183
	Ardèche	37	337	34
	Drôme	63	216	248
	Haute-Savoie	80	181	120
	Isère	60	228	98
	Loire	45	238	171
	Rhône	89	213	163
	Savoie	92	257	150
Total France		79	287	—

Source : d'après Proscop média data 1999.

(a) Le décompte de la pénétration des périodiques locaux est moins sûr que celui des quotidiens, parce que certains ne sont pas contrôlés par l'OJD. Parmi ces périodiques, on compte quelques tri- et bihebdomadaires. Pour les départements de la grande ceinture parisienne, la pénétration des quotidiens régionaux est celle des éditions du *Parisien*.

(b) Pour Paris, il faut tenir compte du fait que beaucoup de banlieusards achètent leur journal à Paris.

(c) Diffusion du *Parisien*.

L'habitat est un fort discriminant. Les habitants des très grandes agglomérations, dont la région parisienne, lisent moins de quotidiens que ceux des villes moyennes. Les zones rurales et les petits bourgs lisent proportionnellement peu le journal.

L'âge est aussi un facteur important : de 14 à 49 ans, la lecture progresse assez régulièrement, mais les classes les plus jeunes lisent de moins en moins le journal. C'est de 35 à 49 ans que la lecture est la plus élevée ; elle décroît ensuite, mais les retraités restent en général fidèles à la lecture du journal régional ou de l'hebdomadaire local.

Un niveau d'études élevé accroît la lecture du quotidien ; les cadres sont de forts lecteurs de quotidiens.

Tableau 24. - Les lecteurs réguliers de quotidiens par niveau d'études et catégorie socio-professionnelle (CSP) (en %)

Source : *Enquête permanente sur les conditions de vie*, Insee, octobre 1999.

(a) Y compris chômeurs n'ayant jamais travaillé.
(b) N'ayant jamais travaillé. Retraités, chômeurs et femmes au foyer sont classés selon leur ancienne profession.

	Quotidiens nationaux	Quotidiens régionaux
Niveau d'études		
Sans diplôme	5	39
CEP ou BEPC	8	43
Baccalauréat	13	34
Bac + 2	11	35
> Bac + 2	30	23
CSP		
Agriculteurs	2	63
Artisans et commerçants	10	49
Cadres	29	31
Professions intermédiaires	15	36
Employés	8	39
Ouvriers	5	43
Scolaires et étudiants (a)	8	23
Inactifs (b)	9	31

La consommation des magazines

À la différence des quotidiens, les magazines sont très bien achalandés, et dans pratiquement tous les milieux, tant, dans leur diversité, ils peuvent viser des cibles différentes par l'âge ou la profession. Le taux de pénétration pour 1 000 foyers est en général compris entre 1 650 et 1 800 ; on compte souvent de 6 à 7 exemplaires par ménage par semaine.

Les femmes sont ici les meilleures clientes avec plus de 55 % (le lectorat féminin est sans doute même minimisé, car les magazines qu'elles introduisent dans le foyer sont aussi souvent feuilletés par les fils ou les maris, qui sont alors décomptés comme lecteurs par les enquêteurs des sociétés d'étude des audiences). Les lecteurs ruraux sont ici aussi de très forts lecteurs de magazines ; la région parisienne n'absorbe que 19 % des magazines et les personnes âgées de plus de 50 ans près de 30 %.

La connaissance des lectorats

Pour connaître sa clientèle, la presse écrite est loin de disposer de moyens d'information aussi précis que les médias audiovisuels, qui peuvent suivre l'audience de leurs émissions quotidiennes quart d'heure par quart d'heure : grâce à l'extension dans le temps des programmes audiovisuels, leur écoute peut être plus aisément observable et mesurable que la lecture de la presse. Celle-ci est fragmentée en plusieurs fois et elle est toujours sélective dans la masse des textes et des images, alors que l'émission de radio ou de télévision se déroule continûment. Les enquêtes menées par les entreprises de *marketing*, si elles permettent d'analyser l'évolution globale de la diffusion des grandes catégories de presse, étudient aussi le public de telle ou telle publication, mais les résultats obtenus restent, dans ce cas, le plus souvent confidentiels, pour n'en pas révéler les données aux publications concurrentes du même secteur. Seules des catégories de publications non concurrentes, comme les quotidiens de province, qui ont pour l'essentiel fixé leurs zones de diffusion, où ils exercent un quasi-monopole, peuvent entreprendre des études collectives sur leur lectorat à l'échelle nationale. Elles amènent souvent à faire évoluer les contenus, forme et fond, pour mieux répondre aux attentes des lecteurs. Bien des secteurs des relations si complexes entre le lecteur et son journal ou son magazine restent mal explorés. En réalité, ces études portent beaucoup plus sur les lecteurs que sur la lecture : ce sont les premiers qui intéressent avant tout les annonceurs.

Il est caractéristique que les placards publicitaires soient mieux testés que les modes de présentation des articles, la lisibilité des titres ou les effets des illustrations informatives.

Le public est rarement à même d'exprimer ses désirs et ses critiques. Le courrier spontané des lecteurs est à ce sujet peu révélateur, car il est en majorité envoyé par des individus à la psychologie mal équilibrée, en veine de confidences, et pour une faible part seulement par des lecteurs soucieux de provoquer une rectification ou de fournir un complément d'information. À la différence de ce que pratique la presse britannique, la place accordée aux lettres de lecteurs fut longtemps très réduite dans les journaux français mais, depuis un lustre, des rubriques spécialisées tendent à se multiplier, sous la direction d'un « médiateur », à côté de celles traditionnellement consacrées à des rubriques de conseil ou de courrier du cœur dans les magazines populaires féminins. Ainsi naissent, petitement encore, des essais de créer un courant interactif entre les rédactions et leurs lecteurs, peut-être pour résister à ceux de l'internet.

Les concours, nés à la fin du XIXe siècle, bien pourvus en lots, ont lentement disparu, peut-être parce que leur coût financier était trop lourd. Après son succès dans les années 1980, le *bingo*, sorte de loto gratuit mis à la mode en Angleterre par les publications du groupe Murdoch, a aussi fini par être abandonné, peut-être parce que les effets sur les ventes s'épuisaient très vite dès que le jeu était interrompu.

Pour la presse magazine, la pratique des primes-cadeaux offertes aux nouveaux abonnés, formule très ancienne, a repris une nouvelle vigueur dès la fin des années 1960 et s'étend aux quotidiens.

Les tentatives faites par les services de promotion des ventes pour savoir par enquête quelles formes nouvelles de journalisme seraient susceptibles d'attirer les lecteurs n'ont que rarement obtenu des résultats satisfaisants : comment ces derniers pourraient-ils imaginer des formules journalistiques ou des formes de présentation différentes de celles qui les avaient satisfaits jusqu'alors ? Aussi bien a-t-on souvent constaté que les novations dans la forme ou le fond d'un journal aboutissent en un premier temps à déconcerter les lecteurs, dérangés dans leurs habitudes de lecture. En fait, les plus belles réussites du journalisme contemporain n'ont que rarement été le résultat d'une étude préalable de marché : elles furent l'effet de l'adoption de formules à succès venues de l'étranger ou celui d'initiatives improvisées par une équipe de novateurs inspirés.

Les influences réciproques

La seule analyse des fonctions sociales de la presse ne peut suffire à expliquer les raisons qui poussent le public à l'acheter et à la lire, pas plus que l'étude des contenus ne permet de déterminer comment les éditeurs cherchent à les adapter aux intérêts de leurs lecteurs. Lu individuellement, le journal est rédigé pour la masse indéterminée de son lectorat. Une publication, et ce d'autant que sa pagination est abondante, est un ensemble hétérogène d'articles, de titres et d'illustrations, qui vise par cette diversité à élargir l'éventail de lectures potentielles pour satisfaire le plus de curiosités possible. Le danger des études de contenu tient à ce que la lecture rétrospective des collections de périodiques révèle des articles ou des campagnes de presse qui apparaissent particulièrement intéressants ou significatifs, mais dont il n'est pas du tout sûr qu'ils aient été, en leur temps, perçus comme tels : l'important dégagé *a posteriori* par l'observateur extérieur coïncide rarement avec l'intéressant qui a immédiatement retenu l'attention du lecteur.

Chaque lecture individuelle est irréductiblement originale et toute tentative de généraliser à l'ensemble du lectorat d'un journal les réactions d'un lecteur isolé manque de pertinence. *A fortiori,* tout essai de généraliser à l'ensemble de la presse les observations faites à propos d'un seul journal : le sérieux du *Monde* ne rend pas ennuyeuse la lecture des autres quotidiens ; les excès de la presse à sensation ne déconsidèrent pas l'ensemble des magazines.

Même si chaque titre tend à renforcer son originalité pour se différencier de ses concurrents, les organes de presse tentent, sauf quelques rares journaux militants, à suivre d'abord les goûts et les besoins de leurs lecteurs et non à les endoctriner. Le journalisme est, beaucoup plus que ne l'admettent ses professionnels, conduit à suivre l'« esprit du temps » et les variations des modes intellectuelles du moment. Renaudot l'avait bien compris qui opposait l'Histoire, « récit des choses advenues », à *La Gazette*, qui en était « seulement le

bruit qui en court » et Émile Girardin, maître journaliste du XIXe siècle, aimait à dire dès 1840 qu'« un journal est fait à 85 % par ses abonnés, à 10 % par l'actualité et à 5 % par ses journalistes ».

La question de savoir si la presse exprime ou dirige l'opinion de ses lecteurs ouvre un débat académique vieux de près de quatre siècles et qui reste sans conclusion : l'influence est réciproque dans des proportions variables selon les individus ou les circonstances. L'actualité a sa rude logique, qui brise les efforts de ceux qui veulent la contrôler pour la faire entrer à leur service. Si la presse peut accentuer certains mouvements d'opinion, accélérer des prises de conscience, elle ne peut les provoquer, ni les soutenir longtemps sans l'appui des événements.

On peut regretter souvent ses complaisances et l'arrogance avec lesquelles certains organes exploitent les préjugés de leurs lecteurs ou entretiennent leurs désirs inconscients, mais on ne peut condamner que l'exagération de ces tendances du journalisme, et non le mouvement lui-même. Les journaux ne sont pas responsables de la moralité publique : ce ne sont pas eux qui ont créé le tiercé, le culte des vedettes, le goût pour les faits divers criminels ou sentimentaux. Comme les autres médias, ils ne sont que des intermédiaires. Ils sont des véhicules naturels des groupes ou des intérêts qui lancent les modes idéologiques ; ils personnalisent, dans les vedettes du sport, des variétés ou même de la politique, les attentes de leurs lecteurs et idéalisent dans une vision simplificatrice les images d'une société meilleure.

Dans la pratique quotidienne, la question de l'adaptation du contenu d'un journal à sa clientèle se pose en termes différents selon qu'il s'agit d'une publication à large audience, s'adressant donc à une clientèle sociologiquement et idéologiquement hétérogène, ou d'un organe à faible tirage, destiné à une clientèle de goûts ou d'idées plus homogènes. Les publications « attrape-tout » sont naturellement conduites à un certain conformisme d'opinion, mais aussi, pour élargir leur lectorat, à diversifier leurs contenus par la variété de leurs rubriques, afin d'offrir à chaque membre du foyer des occasions de les consulter. Les autres organes peuvent, au contraire, jouer sur la cohérence et/ou la spécialisation de leurs contenus.

■ Lecteurs, auditeurs et téléspectateurs

La presse est confrontée à la concurrence des autres formes de diffusion de l'information et du divertissement, médias audiovisuels ou livre. Le partage du « capital temps » entre eux et – aussi important – celui des investissements publicitaires sont évidemment essentiels. On sait qu'un Français consacre en moyenne moins d'une demi-heure à la lecture et plus de trois heures à écouter la radio ou à regarder la télévision.

La presse dans toutes ses catégories consacre une place importante à la télévision : énoncé – rarement critique – de ses programmes, présentation des animateurs, commentaires des grands rendez-vous sportifs retransmis par la télévision ou des émissions populaires. La place qui lui est consacrée est prépondérante dans les journaux et les magazines, sans parler de leurs suppléments ou des magazines qui lui sont intégralement consacrés. De plus et bien souvent, la télévision crée indirectement l'actualité en imposant aux journaux de parler des déclarations faites par les hommes politiques devant les caméras – et non devant la presse écrite, comme auparavant –, ou de reprendre en écho les images de tel événement, de tel fait divers, de telle émission médicale ou de variété ou de « télé-réalité », de tel feuilleton... Toute la presse dite « *people* » semble être parfois une sorte de sous-produit du monde de la télévision.

À constater l'attrait du petit écran sur les journalistes, on pourrait même être amené à penser que, pour le grand public, le métier de journaliste se confond de plus en plus avec celui de présentateur de télévision et que seul le passage sur le petit écran est capable d'assurer la notoriété.

En marge de la télévision, la radio est aussi une concurrente redoutable : souvenir inconscient des années noires où elle fut le seul média pluraliste – ou conséquence du retard de l'arrivée du journal dans la matinée, dans un pays qui pratique peu le portage à domicile –, elle a même pour les Français une place de choix comme moyen d'apprendre les nouvelles.

Pendant les années 1960 à 1990, il a pu sembler que les journaux acceptaient comme irréductible leur retard à annoncer les nouvelles et se résignaient à ne plus en assurer que le commentaire. Les réactions en faveur d'un « nouveau » journalisme écrit de reportage, d'enquête et de révélations répondent jusqu'ici plus à un souhait qu'à une véritable réalité.

Longtemps, les quotidiens de province ont pu mieux résister à cette concurrence de l'audiovisuel, car ni la radio, ni la télévision ne pouvaient couvrir l'actualité locale avec une efficacité comparable à celle de leurs réseaux de correspondants et de ses éditions locales. La lente baisse relative de l'audience des régionaux est-elle un effet de la multiplication des chaînes locales de radio et des décrochages régionaux des chaînes nationales ?[1]

(1) On doit aussi constater que les espoirs mis, à partir de 1981, avec la démonopolisation de la radio, par les entreprises de presse nationales ou provinciales de participer aux nouvelles stations de radio « libres » locales ont, dans la très grande majorité des cas, échoué ; on connaît aussi le peu d'enthousiasme des entreprises de presse à se lancer dans l'aventure des chaînes locales de télévision.

La presse à l'école

Sans la double initiative, d'une part, de pédagogues conscients de l'utilité des journaux comme instruments de découverte du monde et de moyens d'illustration pratique des enseignements et, d'autre part, des éditeurs soucieux de réagir contre la désaffection croissante des jeunes à l'égard de la presse d'information, on a assisté après 1968 à un rapprochement du journalisme et de l'enseignement primaire et secondaire, à l'exemple des expériences des pays scandinaves et américains. Le 27 août 1976, une circulaire du ministre de l'Éducation nationale donna le branle. En 1977, l'Association régionale presse-enseignement-jeunesse (Arpej) et le Comité informations pour la presse dans l'enseignement (CIPE) aboutissent en 1982 à la création du Comité de liaison de l'enseignement et des moyens d'information (Clemi) où enseignants et journalistes organisent stages et échanges ; il favorise la connaissance des médias à l'école, au collège et au lycée et leur usage pédagogique. Son activité se poursuit assidûment depuis lors[2].

La crédibilité du journalisme

Dès le XVIIe siècle, le journalisme et les journalistes ont été l'objet d'un débat récurrent tant sur la légitimité de leur rôle que sur la crédibilité de leurs articles ou de leur indépendance par rapport aux autres pouvoirs politiques, économiques ou sociaux.

Le développement des médias audiovisuels a contribué à brouiller les données de ce débat et l'image même des journalistes que le petit écran a personnalisés et popularisés : cette confusion entre les « journalistes » présentateurs ou débatteurs de la radio et de la télévision, et les rédacteurs, chroniqueurs ou reporteurs de la presse écrite masque souvent aux yeux du public les différences fondamentales des pratiques professionnelles – voire des conceptions – de leurs métiers d'informateur.

L'image de la profession de journaliste dans le grand public est fort ambiguë : redresseurs de torts, révélateurs de ce que les notables des différents groupes veulent cacher, pédagogues de l'actualité pour les uns, arrogants dispensateurs de notoriété ou de vérités mal assurées, interprètes conscients ou inconscients d'informations venues de sources qu'ils ne contrôlent pas, pour les autres.

(2) Cf., dans la bibliographie, les ouvrages de J. Gonnet et P. Roudy.

Depuis 1988, la Sofres réalise pour *La Croix* et *Télérama* (puis *Le Point*) un sondage annuel sur l'intérêt et la confiance accordés par les Français à l'information qu'ils reçoivent par leurs médias. Si l'intérêt pour l'information médiatisée est toujours fort, variant assez peu entre 66 % et 77 % au gré des années, il est caractéristique que la presse quotidienne paraît avoir une cote de confiance inférieure à celle de la télévision : en janvier 2003, la télévision est préférée à 68 % devant la radio (35 %) et les quotidiens (29 %) pour apprendre les nouvelles ; pour obtenir des explications détaillées, la télévision précède aussi à 48 % les quotidiens (36 %) et la radio (17 %), ainsi que pour comprendre un sujet à fond à 46 %, contre 32 % pour les journaux et 14 % pour la radio ; ou pour connaître les points de vue différents sur un même sujet à 54 %, contre 28 % pour les journaux et 22 % pour la radio[3].

Sur la question de la crédibilité, le sondage est toujours défavorable à la presse. À la question « les choses se sont-elles passées vraiment ou à peu près comme le racontent la télévision, la radio, les journaux ? », les résultats ont considérablement varié. Positive à 56 % en 1988 pour les journaux, à 62 % pour la radio et 65 % pour la télévision, les réponses furent plus réservées à la suite de la première guerre d'Irak, respectivement, en décembre 1991, de 43 %, 49 % et 54 %. Après une embellie en décembre 1994 (56 %, 60 % et 66 %), la confiance a nettement baissé à la suite de la seconde crise irakienne : en janvier 2003, les journaux ne recueillaient que 44 % de réponses favorables, contre 45 % pour la radio et 55 % pour la télévision. Ce fléchissement de la confiance dans les quotidiens est à tout le moins inquiétant et révèle un malaise certain sur leur crédibilité en matière d'information.

(3) Cf. *La Croix* du 30 janvier 1993. Le total de pourcentage est supérieur à 100, car il était possible de donner des réponses multiples. Le sondage concerne les plus de 18 ans.

PARTIE 3

Groupes, catégories et organes

La masse des quelque 30 000 à 40 000 publications de la presse s'ordonne selon deux classements :

— par groupes de presse, ceux-ci possédant ou contrôlant une part importante des titres et dominant la grande majorité du marché, du fait que leurs publications, à de rares exceptions près, sont mieux achalandées et plus riches en publicité que les publications indépendantes ;

— par catégories de titres, ceux-ci se différenciant selon leur présentation formelle, leur périodicité, l'orientation de leur contenu généraliste ou spécialisé, la composition de leur lectorat, leur prix...

Reste l'irréductible autonomie de chaque titre qui, au sein même de chaque catégorie, résiste à la rivalité de ses concurrents directs.

Tenter de présenter selon cet ordre l'ensemble de la presse française est en soi utopique, du simple fait de la diversité et de la multiplicité des publications ; la tâche est aussi rendue malaisée par les multiples transformations qui modifient sans cesse le paysage à décrire et rendent, par conséquent, illusoire tout espoir de dresser un tableau stable d'une situation en constante évolution. Du moins espérons-nous ne pas trop déformer les perspectives, ni l'image des organes retenus comme les plus représentatifs.

CHAPITRE 9

Les groupes de presse

■ La concentration de la presse

Comme tous les secteurs économiques, le monde des journaux est affecté par d'importants mouvements de concentration. La très forte concurrence pour la conquête du marché provoque la décadence et souvent la disparition des titres qui n'ont pas réussi à acquérir un lectorat suffisant ou l'ont perdu. Ce mouvement est renforcé par le désintérêt dont les accablent les annonceurs : il accroît les difficultés d'entrée sur le marché de titres nouveaux, les annonceurs attendant que les nouveaux venus aient fait leurs preuves avant de s'y intéresser.

Les facteurs économiques ne sont pas les seuls responsables de ce mouvement de concentration : c'est, au final, le public qui, par son engouement ou son indifférence, assure le succès ou le déclin d'une publication. Les capacités de lecture ne sont pas extensibles : les lecteurs n'éprouvent pas le besoin et n'ont pas le temps de lire deux quotidiens ou deux magazines du même type ; ce sont ceux dont la pagination est la plus abondante, la présentation la plus agréable et le contenu le plus intéressant qui les attirent et les retiennent. Loin de ressentir le désir d'une plus grande variété de titres et dans le relatif conformisme de leurs comportements et de leurs modes de vie, nos contemporains préfèrent les journaux à fort tirage mieux faits, sinon plus originaux, aux contenus plus variés, sinon plus riches de substance.

La concentration est donc à la fois le résultat des « lois du marché » et de la relative passivité du public. Elle n'en est pas moins un danger pour le nécessaire pluralisme de la presse, puisqu'elle réduit le nombre d'organes d'expression des idées et des opinions, restreignant ainsi la vigueur des débats démocratiques. Cependant, on peut penser que la diversification des points de vue exprimés par un organe à forte diffusion et doté d'une rédaction plus nombreuse pourra, par son pluralisme interne – qui fut longtemps la règle dans les programmes de nouvelles stations publiques de radio et de télévision, lorsque la pénurie des fréquences disponibles limitait à très peu le nombre des stations et imposait la fourniture d'une information non partisane –, compenser l'affaiblissement du pluralisme externe par la diminution du nombre des titres. Après tout, en multipliant les tribunes libres, en donnant plus

de place aux revues de presse ou au courrier des lecteurs, en permettant dans des articles l'expression de positions contradictoires, les « grands » journaux peuvent plus facilement offrir à leurs lecteurs des perspectives différentes sur les grands débats de l'heure. On retrouve ici la vieille tradition qui, au XIXe et au début du XXe siècle, opposait les « riches » journaux d'information aux « pauvres » journaux d'opinion[1].

Pour limiter la concentration, qui tend, presque irrésistiblement, à créer des situations de quasi-monopole, tous les pays libéraux ont mis en place des législations « anti-trust » qui s'appliquent aux médias audiovisuels comme à la presse. On sait leur rôle aux États-Unis, en Grande-Bretagne, en Italie et en Allemagne, où le *Bundeskartellamt* s'est, avec des résultats mitigés, opposé à l'expansion des grands groupes de presse, en particulier du groupe Springer. En France, la défense du pluralisme était au cœur du système mis en place par les ordonnances de 1944, en particulier celle du 26 août ; les lois des 23 octobre 1984 et 27 novembre 1986 ont cherché à renforcer cette défense en établissant des quotas qui fixaient des limites à la propriété cumulée des différents médias (presse, radio et télévision), mais cette tentative de réglementation par la loi est en fait sans cesse bousculée par les tendances du marché. Aussi bien l'éclatement récent des groupes Hersant et Vivendi Universal montre que le danger est peut-être moins grand que les craintes des observateurs qui le dénoncent.

La concentration s'apprécie à partir de trois critères : diminution du nombre de titres, position dominante d'un nombre réduit d'organes dans un secteur particulier et existence de sociétés contrôlant un nombre important d'entreprises.

▪ Le nombre de titres

Dans l'ensemble de la presse-éditeurs, la DDM constate que le nombre des créations compense et dépasse même souvent celui des disparitions, mais cette situation reste variable selon les catégories. Un seul secteur est marqué par une nette concentration, celui des quotidiens, où la diminution des journaux s'est amorcée au début du XXe siècle avec le passage de quatre à six pages et avec la création des éditions locales des grandes feuilles provinciales qui commencèrent à absorber les petits quotidiens locaux. Après l'explosion des nouveaux titres à la Libération, le nombre de quotidiens d'informations générales est passé de juin 1946 à 2001 de 28 à 10 à Paris, et de 175 à 56 en province :

(1) On pense aux aphorismes de Robert de Jouvenel dans *Le journalisme en vingt leçons* (1920) : « La *presse d'information* ne dispose pas de beaucoup plus d'informations que la *presse d'opinion*. Le fait de n'avoir pas d'opinion ne suffit peut-être pas, en dernière analyse, à expliquer l'immense succès qu'elle obtient ». « Les journaux d'opinion sont ceux qui n'ont pas de rubriques, faute de spécialistes, et qui n'ont pas d'informations, faute de reporters. Ils se cantonnent donc dans les idées, faute de mieux ».

les tentatives de création de titres nouveaux ont été pratiquement nulles et toujours éphémères, comme si le marché était saturé. Dans le monde des périodiques hebdomadaires ou mensuels, les créations sont au contraire très nombreuses dans un marché très concurrentiel, sous l'impulsion pour l'essentiel de groupes de presse dynamiques, avec parfois de belles réussites.

■ Les positions dominantes

Dans le monde de la presse quotidienne de province, la concentration a permis aux régionaux survivants d'acquérir le plus souvent des positions de monopole et de réduire à peu, sur les frontières de leur zone de diffusion, les cantons ou les arrondissements où ils doivent subir la concurrence de leurs voisins. Pour les magazines, les positions dominantes sont rares : *Paris Match,* qui avait acquis une position hégémonique dans le secteur des hebdomadaires illustrés *(picture magazines)* dans les années 1970, n'a pu se maintenir qu'en changeant de formule ; *Notre Temps,* longtemps *leader* incontesté de la presse du troisième âge, est désormais contesté par *Pleine Vie*... En fait, toute réussite entraîne à plus ou moins long terme la création de titres qui tentent de lui disputer le même lectorat et souvent le résultat est, comme le montre la presse de télévision ou la presse féminine, d'accroître le lectorat de leur catégorie ; ce fut le cas lorsque *L'Express,* en 1963, lança la mode des *news magazines* et suscita la naissance de nombreux concurrents de la même famille.

■ La concentration de la propriété des entreprises

La concentration peut prendre les formes les plus subtiles, du rachat avec disparition par absorption du lectorat dans celui du repreneur au maintien d'un titre racheté comme édition du titre acheteur – ce fut le plus souvent le cas pour les quotidiens de province – ou, cas très fréquent, par participation minoritaire ou majoritaire dans le capital de la société éditrice par un groupe parfois extérieur au monde de la presse, sans que le titre ne soit modifié[2]... ni parfois le lectorat averti.

Les groupes de presse peuvent prendre bien des formes : des chaînes de quotidiens régionaux ou locaux comme aux États-Unis et en Allemagne disposant de gros services communs techniques, commerciaux, rédactionnels et publicitaires, ou des groupes de publications constitués à l'origine autour d'un grand quotidien et qui, par création ou rachat de titres magazines ou spécialisés, visent à être présents dans toutes les catégories de presse. En fait, ces deux types de concentration se confondent bien souvent.

(2) Dans ce cas, les journalistes peuvent faire valoir la clause de conscience si le changement de propriétaire – ou de commanditaire – paraît affecter la ligne de la publication.

Tableau 25. - Classement par chiffre d'affaires en 2001 des principales sociétés de communication françaises (en millions d'euros)

Publicis Groupe	16 667	RFO	217
Havas	14 950	Flammarion	169
Lagardère, *dont* :	13 296	Média Participation Paris (Rustica...)	155
– Hachette Filipacchi Médias	2 300	Le Seuil	154
– Hachette Livre	846	Sélection du Reader's Digest	149
– Lagardère active	536	Le Progrès (a) (Socpresse)	146
– Nice-Matin	112	Groupe Voix du Nord (a) (Socpresse)	143
– La Provence	84	Les Échos	143
Vivendi Universal Publishing	4 722	La Dépêche du Midi	141
NMPP	2 791	Le Dauphiné libéré (a) (Socpresse)	136
TF 1	2 282	La Nouvelle République du Centre-Ouest	133
Francetélévisions	2 180	Éditions Lamy	116
JC Decaux	1 543	Les Dernières Nouvelles d'Alsace	114
Canal + (Vivendi Universal)	1 530	L'Est républicain	112
TBWA (publicité)	1 416	La Montagne	105
DDB (publicité)	1 348	Institut national de l'audiovisuel	102
Métropole Télévision-M 6	845	Le Nouvel Observateur	100
Philipp Morris France (publicité)	819	Le Télégramme (Brest)	96
SR Téléperformance (publicité)	801	Groupe du Moniteur	95
Pages jaunes (publicité)	752	Le Républicain lorrain	94
Éditions Philippe Amaury	628	International Herald Tribune	93
Prisma Presse	524	Ixo	93
Imprimeries Quebecor France	513	Didot Bottin	88
Ipsos	480	Gaumont	86
Radio France	473	Le Midi libre (Le Monde)	84
France Loisirs (Bertelsmann)	445	Libération	81
Le Figaro (a) (Socpresse)	426	Télérama (groupe Vie catholique)	80
Le Monde	404	Albin Michel	74
Spir Communication (Ouest-France)	379	Juris-Classeur	74
Bayard Presse	353	Excelsior publications	70
EMAP France	350	Éditions Francis-Lefebvre	66
NRJ Groupe	322	RTL (France)	65
Ouest-France (Sipa)	289	Milan Presse	59
Publications de la Vie catholique	282	L'Alsace	57
Sony Music (France)	280	L'Union de Reims	51
Groupe Sud Ouest, dont :	273	MLP	48
– Sud Ouest	166	Le Courrier de l'Ouest	44
Studio Canal France	254	Uni-Éditions	42
Éditions Atlas	252	Paris-Normandie	37
Sodis (Gallimard)	240	L'Indépendant (Le Monde)	33
Dauphin	218	La République du Centre	27

Source : *Enjeux Les Échos*, *Le Grand Atlas des entreprises*, 2003 et *Stratégies*, n° 1254 du 25 octobre 2002 (au-dessous de 250 millions d'euros, les sociétés de publicité, de *marketing* et de disques n'ont pas été retenues).

(a) Pour 2000, le chiffre d'affaires global de la Socpresse est estimé à 1 173 millions d'euros.

De plus en plus fréquemment, alors qu'au XXe siècle, les groupes de presse étaient, pour l'essentiel de leurs activités, consacrés depuis leur origine à l'exploitation de journaux et à l'édition de livres et avaient su, aux États-Unis, en Allemagne et en Grande-Bretagne, conserver souvent une structure familiale, l'irruption de la télévision commerciale et les appétits de grands ***holdings*** d'affaires vont souvent faire prendre à ces groupes un caractère multimédia, voire réduire leurs activités de presse à une place secondaire au sein même de leur département de communication, lui-même associé à des départements divers – bancaires, industriels ou commerciaux – aux dimensions mondiales.

Suivre dans le détail les mutations intervenues dans le capital d'une société de presse fut une entreprise longtemps malaisée car elles restaient masquées par le secret des affaires. Si aujourd'hui, les informations sont moins lacunaires en la matière, la fréquence des changements dans la répartition du capital et leur complexité ajoutent à la difficulté : depuis les années 1980, on est entré, en la matière, dans une période d'effervescence dont les mouvements sont d'autant moins faciles à suivre que des groupes étrangers y participent souvent et que les tenants et les aboutissants de ces prises de participation ne sont que rarement explicités. La présentation qui suit des groupes de presse en France, qui ne saurait être exhaustive, tente au moins d'esquisser un tableau proche d'une réalité très complexe et en évolution constante.

Il apparaît que les groupes français de presse n'ont que rarement des dimensions comparables à ceux de l'Allemagne, de la Grande-Bretagne ou des États-Unis ; en particulier, leurs tentatives d'expansion dans les pays de l'Est européens ont rapidement échoué dans les années 1990. La déconfiture récente du groupe Vivendi Universal a confirmé que les tentatives d'internationalisation des entreprises médiatiques françaises[3] étaient fragiles ; les seuls vrais succès en matière de presse restent la déclinaison en langue étrangère de grands magazines féminins.

À l'inverse, le marché français a tenté des groupes étrangers qui, dans le marché des magazines et de la presse économique en particulier, ont acquis en France une place fort importante.

(3) À l'exception notable des entreprises de publicité Havas et Publicis, qui ont réussi à s'assurer une place enviable parmi les sociétés anglo-saxonnes qui dominent ce secteur. En 2001, Vivendi, avec un chiffre d'affaires global de 27 milliards de dollars, se situait au deuxième rang des groupes de communication mondiaux derrière AOL-Time Warner (38 milliards), mais devant News Corporation de R. Murdoch (25,5), Walt Disney (25), VIACOM (23) et Bertelsmann (17).

Les principaux groupes de presse

À la Libération, les anciennes entreprises de presse quotidienne furent éliminées et la crise du papier réduisit pour un temps assez long l'importance des magazines. La nouvelle presse s'est donc reconstruite sur une sorte de table rase à partir d'entreprises indépendantes, ce qui a retardé notablement la reconstitution des groupes de presse. Le marché des quotidiens, en particulier, fut longtemps protégé par l'interdiction faite par les ordonnances de 1944 à toute société de posséder plus d'un quotidien : en province, la concentration progressive des entreprises de journaux se fit par absorption des titres défaillants par leurs voisins, sans permettre, du moins jusqu'à la percée du groupe Hersant à partir des années 1960, la création de chaînes de journaux. Les groupes ne purent alors se constituer que dans le marché de la presse magazine nationale et ils furent, jusqu'en 1981 pour la radio, et 1984-1986 pour la télévision, exclus du monde des médias audiovisuels par le monopole de la RTF-ORTF. Seuls les marchés de l'édition, de la publicité ou des messageries leur permettaient de se diversifier. Quant aux grandes sociétés financières ou industrielles, elles étaient, à l'exception de celles de Prouvost ou de Dassault, peu tentées de s'investir dans le monde de la presse, trop peu rentable et trop protégé. La situation s'est progressivement débloquée par étapes. En 1975 et 1976, la déconfiture des groupes Amaury et Prouvost profita au groupe Hersant, qui prit alors une dimension nationale en associant pour la première fois des quotidiens nationaux à des quotidiens provinciaux. À partir des années 1980, le mouvement de constitution autour de *holdings* financiers et/ou industriels de conglomérats d'organes de presse s'est accéléré : la communication, les télécommunications et l'audiovisuel attiraient désormais directement l'intérêt des milieux d'affaires. Ainsi, le marché de la presse a perdu progressivement une bonne part de son autonomie et le paysage français de la presse et des médias se rapproche de celui de ses grands voisins dans la nouvelle Europe du XXIe siècle.

Le groupe Lagardère

Fondée en 1829, la librairie Hachette avait, en 1892, en dehors de ses intérêts dans l'édition et la commercialisation des livres, pris place dans les messageries de presse. Éliminée du monde de la presse en 1944, elle y reprend pied dès 1947 en devenant l'opératrice des NMPP (49 % du capital) et par des prises de participation dans différents magazines, dont *Elle*, et dans *France Soir*. Elle céda celui-ci à Robert Hersant en 1976. En 1981, la vieille maison passa sous le contrôle d'un *holding* dirigé par Jean-Luc Lagardère[4]. Celui-ci donna une

(4) Cf., dans la bibliographie (en annexe), V. Nouzille et A. Schwartzbrod.

vive impulsion à ses affaires dans le domaine des hautes technologies (Matra), de l'automobile (Espace), mais aussi des médias et de la communication, malgré son échec dans la reprise en 1990 de La Cinq, chaîne de télévision commerciale. Son patron est décédé en mars 2003 et son fils Arnaud a pris le relais.

En 2001, le chiffre d'affaires de Lagardère est de quelque 13,3 milliards d'euros : 33,74 % en haute technologie (armement et aviation : 15 % d'EADS), 8,58 % en automobile (Espace : abandonné en février 2003) et 57,68 % en médias. Cette activité dominante du groupe, qui emploie 26 884 salariés, est divisée en quatre branches :

– **Hachette Distribution Services** : 52 % (NMPP, boutiques Virgin, Relay et 3 600 magasins associés) sont consacrés à la distribution ;

– **Hachette Filipacchi Médias**[5] (29 %), qui édite 229 titres de magazines (52 en France et 177 à l'étranger), dont *Elle, Paris Match, Première, Télé 7 Jours, Marie-Claire* (à 42 %), *Zurban, Le Journal de Mickey, Public* et quelques quotidiens : *La Provence, Nice-Matin, Var-Matin, Corse Presse* ; il contrôle aussi 25 % du capital du *Parisien,* 20 % de celui de *L'Alsace*, 12 % de celui de *La Dépêche du Midi*, 8% du *Midi libre*, et *Le Journal du dimanche*, ainsi qu'Interdeco, régie publicitaire ;

– **Hachette Livres** (12 %), qui est le premier groupe d'édition français avec les maisons Hatier, Lattès, Fayard, Grasset, Calmann-Lévy, Hachette-Littérature, Hachette Éducation, Hachette Jeunesse, Le Livre de poche, Harlequin, Les Guides bleus... La déconfiture de Vivendi Universal lui a permis, en décembre 2002, de reprendre pour 1,2 milliard d'euros **VU Publishing**, qui avait acquis Robert Laffont, Julliard, Plon, Perrin, La Découverte, Nathan, Bordas, Colin, Dunod, Dalloz, ainsi que Larousse, Le Robert... Cet achat a provoqué un tollé dans les milieux professionnels : le groupe Lagardère contrôlerait ainsi 70 % de la distribution des livres, 58 % du Livre de poche, 30 % des livres scolaires et plus de 90 % des dictionnaires. Cette acquisition fut contestée par la Commission européenne au nom de la réglementation anticoncentration, dans un rapport du 27 octobre. Finalement, Arnaud Lagardère céda et ne conservera, sous réserve d'une prochaine confirmation, que près de la moitié d'Éditis (ex-VUP), soit Larousse, Dunod-Dalloz, Armand Colin, Stock... Le reste – Bordas, Laffont, Plon, Perrin, La Découverte, Pocket... – sera repris par d'autres intérêts (le groupe italien Rizzoli-*Corriere della Sera* ? Média Participations, groupe franco-belge ?...). HFM emploie 8 800 personnes ;

(5) Les publications du groupe de Daniel Filipacchi sont nées autour de son premier succès, *Salut les copains,* en 1963 et de la reprise de *Paris Match* au groupe Prouvost en 1975. Il avait fondé ou repris *Pariscope, Jazz Magazine, Entrevue, OK ! Podium, Auto Moto...*Son groupe a été repris par Lagardère en 1997 pour former Hachette Filipacchi Médias.

– **Lagardère active** (7 %), qui regroupe les activités du groupe dans l'audiovisuel (Europe 1 et Europe 2, Skyrock, en radio ; les chaînes thématiques de télévision Canal J, MCM, RFM, Match TV, et 34 % de Canal satellite) et la télématique.

Le groupe est très présent à l'étranger dans le domaine de l'édition de livres et de magazines (157 titres) : aux États-Unis (Grolier), en Italie (Rusconi), en Espagne (Salvat, Bruno), en Grande-Bretagne (Orion, Octopus, Watts) et en Pologne (Wiedza i ycie). Premier éditeur de magazines en France et dans le monde, Lagardère est présent dans 36 pays et réalise 2,2 milliards d'euros dans ce secteur, dont 54 % à l'étranger. Pour l'édition de livres, il était le troisième éditeur européen avant le rachat de Vivendi Universal Publishing, après Pearson (Grande-Bretagne) et Bertelsmann (Allemagne).

■ Les avatars de Havas et de Vivendi Universal

Jean-Marie Messier, jeune *manager* conquérant, prend en 1995 la présidence de la Compagnie générale des eaux ; en février 1998, il reprend le groupe Havas[6], qui apportait avec lui le contrôle de Canal +, chaîne de télévision à péage, et de la Compagnie européenne de publications (CEP).

La CEP, née en 1975, avait acquis une place de choix dans le monde de l'édition des livres (10/18, Presse Pocket, Bordas, Nathan, Presses de la cité, Larousse, Julliard, Armand Colin, Robert Laffont...) et de périodiques spécialisés (*Moniteur des travaux publics*, *L'Usine nouvelle*, *La Vie française*, *La France agricole* et, en mai 1995, *Le Point, L'Expansion, Courrier international*, *L'Express*...). L'ensemble fut repris par Vivendi Universal Publishing.

En 1998, la CGE prend le nom de Vivendi. J.-M. Messier acquiert alors le groupe canadien Seagram, propriétaire d'Universal, « major » du cinéma et du divertissement américains.

Vivendi Universal était devenu en 1999-2000 un des tout premiers groupes de communication du monde, avec les anciennes activités dans le domaine des eaux (Vivendi Environnement), on notera sa participation à 50 % dans Cegetel (téléphone de la SFR), ses activités en télévision et dans le cinéma (Universal et Canal +), en édition (Vivendi Universal Publishing), en musique (Universal Music) et dans l'internet. Les effets de la crise économique frappèrent de plein fouet cet ensemble assez disparate, qui commença à vaciller en janvier 2002. J.-M. Messier fut remercié au début de l'été 2002 et Vivendi liquida une partie

(6) Havas, tombé à 80 % dans le giron de l'État à la Libération, fut entièrement privatisé en 1987. Il créa Canal + en 1993 et acquit la CEP en 1997. La CGE en prend le contrôle en 1998, en prenant plus du tiers de ses actions. En 2002, Vivendi doit céder ces parts ; Havas, dépouillé de Canal +, de la CEP et de sa participation à la Compagnie luxembourgeoise de télévision (dont RTL), retrouve alors son indépendance en matière de publicité.

de son empire. Au début de l'été 2003, Canal + est à l'encan, le PSG recherche des repreneurs fiables, et VU Publishing a été vendu par morceaux. *L'Express, L'Expansion* et *L'Étudiant* ont été acquis grâce à la commandite de Dassault par la Socpresse dès septembre 2002, les magazines techniques par un groupe d'investisseurs anglais, l'ensemble des éditeurs de livres par Lagardère et *Le Point* par LVMH.

■ L'héritage du groupe de Robert Hersant

En créant en 1950 *L'Auto Journal*, R. Hersant fit son entrée dans le monde de la presse, où il s'affirma après avoir acquis quelques magazines de loisirs, puis, de 1958 à 1960, en rachetant de petits quotidiens locaux de l'Ouest et du Sud du Massif central. Ensuite, il reprit des journaux plus importants, *Le Havre libre, La Liberté du Morbihan, L'Éclair* et *Le Populaire de Nantes*, *Nord-Éclair* de Roubaix, et *Nord Matin* de Lille. En 1972, ce fut le tour d'un « grand » régional, *Paris-Normandie,* puis à Paris même, *Le Figaro,* sauvé de la déconfiture du groupe Prouvost en 1975, *France Soir* du groupe Hachette en 1976 et *L'Aurore*, moribonde en 1978. En novembre 1978, il fut poursuivi pour violation de l'ordonnance du 26 août 1944, mais la procédure n'aboutit pas. En 1983, il acquit *Le Dauphiné libéré*, en 1985 *Le Progrès de Lyon,* en 1991-1992 *Le Courrier de l'Ouest* et *Le Maine libre* et en 1993 *Les Dernières Nouvelles d'Alsace*. À sa mort, le 21 avril 1996, il possédait vingt-cinq quotidiens dont deux d'outre-mer et avait des parts dans des feuilles belges et polonaises. Il possédait aussi un ensemble d'imprimeries et une régie de publicité, Publiprint. Il contrôlait une radio, Radio-Fun, mais avait échoué dans La Cinq, chaîne de télévision qu'il réussit à céder au groupe Hachette en 1990.

Après 1996, son empire fut « dégraissé » de ses participations étrangères, de sa radio et de quelques quotidiens, ainsi que de ses magazines sportifs ou autres, cédés au groupe anglais EMAP.

Ses héritiers divisèrent les restes entre deux sociétés :

— France Antilles, dont les comptes sont confidentiels, qui a repris les feuilles des Dom-Tom, *Paris-Normandie*, *L'Union*, *L'Est Éclair*, *Libération-Champagne*, *L'Est républicain* (27 %) et *Les Dernières Nouvelles d'Alsace,* et qui vient d'acquérir la Comareg ;

— la Socpresse, dont le chiffre d'affaires avoisine les 800 millions d'euros en 2001. Elle édite *Le Figaro*, *Presse Océan*, *Le Courrier de l'Ouest*, et *Le Maine libre, Le Progrès*, *Le Dauphiné libéré*, *Le Bien public*, *Paris Turf*, *TV Magazine*. Pour *La Voix du Nord*, *Nord-Éclair* et *Le Soir de Bruxelles,* elle est associée au groupe belge Rossel. En 2002, elle a cédé *France soir* à un groupe italien. La renaissance de la Socpresse est aussi liée à l'entrée dans son capital du groupe Dassault, qui a pris 30 % du capital du *Figaro* et participé à l'achat, en 2002, de *L'Express* et de *L'Expansion*, cédés par Vivendi. Cette entrée de Serge Dassault dans le groupe Socpresse laisse-t-il présager

pour l'avenir proche le développement d'un nouveau groupe, puisque la société aéronautique avait déjà repris en 1999 *Valeurs actuelles*, *Le Spectacle du monde* et *Le Journal des finances*, du groupe Valmonde ? *Le Figaro* annonce vouloir quitter le Syndicat de la presse parisienne en 2004 pour se libérer des contraintes que fait peser le Syndicat du Livre sur les quotidiens nationaux et sur ses propres imprimeries.

▪ Le groupe Philippe Amaury

Frappé de plein fouet en pleine prospérité en 1975, par un conflit qui dura deux ans avec les ouvriers du Livre, le groupe du *Parisien libéré* fut encore affaibli par la mort de son patron, Émilien Amaury, en janvier 1977 et de son directeur, Claude Bellanger, le 14 mai 1978. Un conflit entre les héritiers prolongea le marasme. *Marie-France* et *Point de vue* furent vendus et Philippe Amaury, fils d'Émilien, entreprit la restructuration du groupe. Il vendit en 1991 *Le Courrier de l'Ouest* et *Le Maine libre* à Robert Hersant et recentra ses activités autour du *Parisien* (allégé de son adjectif), journal régional de l'Île-de-France, et de son édition nationale, *Aujourd'hui en France,* né en 1995, et ce, tout en assurant la prospérité de *L'Équipe* et de ses magazines sportifs. Il a aussi des intérêts dans *L'Écho républicain* de Chartres et *La République du Centre*. Le groupe contrôle aussi une société qui patronne des manifestations sportives, dont le Tour de France. Il s'est doté d'un bon réseau d'imprimeries et de distribution de ses journaux dans la région parisienne. Son chiffre d'affaires, en 2001, avoisinait les 630 milliards d'euros et il salariait 5 300 personnes. Lagardère contrôle 25 % de son capital.

▪ Les groupes catholiques

Bayard Presse, héritière de La Maison de la bonne presse, fondée en 1873 par les pères de l'Assomption, est restée leur propriété. Elle édite *La Croix* et une centaine de périodiques, dont quarante en France (*Le Pèlerin Magazine, Notre Temps, Panorama*), une série de journaux d'enfants et d'adolescents, de jardinage, de santé et de revues religieuses. Son chiffre d'affaires en 2001 est de 352 millions d'euros ; elle emploie 960 salariés.

Les **Publications de La Vie catholique** ont bâti autour de *La Vie,* de *Télérama* et de *L'Actualité des religions* (devenu *Le Monde des religions*) un groupe fort actif, auquel se sont associées en 1989 L'Union des œuvres et La Société des publications et d'éditions réunies (Sper) pour la publication de journaux d'enfants. Elle offre d'excellents services pour la gestion d'abonnements et pour la mercatique médiatique. En 2001, le groupe du Monde a pris une participation dans son capital : en juillet 2003, les PVC se sont entièrement associées au groupe du Monde. En 2001, le chiffre d'affaires du groupe, qui salariait 1 850 personnes, a été de 286 millions d'euros.

■ Quelques autres groupes français

Spir Communication, lié à *Ouest-France,* édite quelque 147 titres de journaux gratuits et quelques *city magazines* mensuels (chiffre d'affaires : 380 millions d'euros ; effectif : plus de 3 000 salariés).

Son grand concurrent en la matière est la **Comareg**, rachetée en 2003 pour 135 millions d'euros par France Antilles à Vivendi, qui édite quelque 150 journaux gratuits.

Marie-Claire, reste du groupe Prouvost, édite *Marie-Claire* et ses déclinaisons nationales et internationales, *Cosmopolitan* et *Avantages*, et patronne la chaîne de télévision Téva. Elle a ouvert son capital à Lagardère (CA : 136 millions d'euros).

Excelsior publications, de la famille Dupuy, a été repris en mars 2003 par le groupe anglais EMAP ; il édite *Science et vie*, *Biba*, *20 Ans*, *Action auto-moto*... (CA : 70 millions d'euros) mais a sabordé *Vital* en septembre 2003.

Le **groupe Alain Ayache** a été constitué à partir de journaux hippiques : *Le Meilleur*, *Spécial Dernière* ; il édite : *Questions de femmes*, *DS*, *Réponse à tout*, *La Bourse pour tous*...

DI Groupe : filiale de LVMH, société de produits de luxe, il édite *La Tribune,* quotidien économique héritier de *La Cote Desfossés*, *Investir* et ses dérivés, *Connaissance des arts* (CA : 170 millions d'euros).

Milan Presse : éditeur de livres et de journaux d'enfants, concurrent des deux éditeurs catholiques, il a un chiffre d'affaires avoisinant 60 millions d'euros. En novembre 2003, ce groupe s'est étroitement associé à Bayard Presse.

En fait, les entreprises indépendantes, éditrices de grands quotidiens nationaux ou régionaux ou de magazines ont naturellement tendance à diversifier leurs activités en créant des périodiques spécialisés, des gratuits en s'intéressant à des stations de radio ou de télévision locales[7], en éditant des livres et des guides, en mettant leurs moyens d'impression ou leur régie publicitaire au service d'autres médias. Ici semblent s'amorcer de nouveaux groupes multimédias qui suivent les exemples donnés autrefois par Jean Dupuy autour du *Petit Parisien*, de Jean Prouvost autour de *Paris Soir*, ou de Robert Hersant. Ainsi, Claude Perdriel, autour du *Nouvel Observateur* avec le groupe SFA-PAR (CA : 100 millions d'euros), avec *Sciences et avenir* et *Challenges*, ou Alain Ayache, déjà cité. L'exemple le plus frappant de naissance d'un groupe encore trop jeune pour qu'on puisse préjuger de sa réussite est fourni par le journal *Le Monde*, sous l'impulsion de Jean-Marie

(7) Ainsi *Sud Ouest* dans TV 7 Bordeaux (48 %), *La Montagne* dans Clermont Première, *Le Progrès* dans Télé Lyon Métropole, *Marie-Claire* dans Téva et *France Antilles* dans Canal 32 Troyes.

Colombani[8]. Outre la filialisation de certaines de ses activités (imprimerie-publicité) et de ses publications annexes *(Le Monde diplomatique, Monde 2, Aden...)*, il a pris une participation majoritaire dans le groupe du *Midi libre*, dans *Courrier international*, dans le groupe *La Vie catholique*, et minoritaire dans des quotidiens de la Suisse romande qu'il a recédés en 2003.

En province, *Ouest-France*, *Sud Ouest* ou *La Montagne*, voire *La Dépêche du Midi*, sont déjà de véritables groupes multimédias.

▪ Les implantations de groupes étrangers

Outre **Condé-Nast**, groupe franco-américain, éditeur de *Vogue* et de *Maison et jardin*, le groupe italien **Poligrafici editoriale**, qui a repris *France Soir* à la Socpress, les groupes néerlandais **Wolters Kluwer** et anglo-néerlandais **Reed-Elsevier**, présents dans le monde des publications et revues techniques et professionnelles où ils ont acquis une place prépondérante, trois des grands groupes européens ont investi le marché français :

— **Pearson** : déjà éditeur du *Financial Times* londonien, il a acquis *Les Échos* et ses dérivés en 1988 (CA : 143 millions d'euros) ;

— le groupe allemand **Bertelsmann**, qui a créé à la fin des années 1970 une filiale française, **Prisma Presse**, qui est devenue l'un des principaux éditeurs de magazines grand public français avec *Géo* (1979), puis *Ça m'intéresse*, *Prima*, *Gala*, *Femme actuelle*, *Télé-Loisirs*, *Voici*, *Capital*, *L'essentiel du management*, *VSD*, racheté en 1995, *Téléstar* en 1996 (CA : 524 millions d'euros) ;

— **EMAP** (*East Midlands Associated Press*), qui a commencé à acquérir en 1994 les périodiques du groupe défunt des Éditions mondiales, qu'il a stabilisés (*Nous Deux*, *Intimité*, *Télé Poche*, *Modes et travaux*), ceux du groupe Hersant (*Auto Plus, L'Auto Journal, Bateaux*...) puis ceux du groupe *Excelsior*, et a lancé *FHM* (CA : 350 millions d'euros) ;

— enfin, l'éditeur allemand **Bauer**, présent sur le marché avec *Maxi* et *Marie-France*, et le suédois **Bonnier** avec *Le Journal de la maison* et *Mon Jardin-Ma Maison.* Quant au groupe **Springer**, lui aussi d'outre-Rhin, éditeur d'*Auto Plus,* il a acquis, en 2000, *Télé-Magazine*, hebdomadaire, et les mensuels *J'économise* et *Rebondir*.

(8) Cette volonté d'expansion a été sévèrement jugée comme une sorte de dérive de la fonction magistrale du journal et pour les risques de compromission de son indépendance qu'elle comporterait (cf., dans la bibliographie, en annexe, l'ouvrage de P. Cohen et P. Péan). Il n'en reste pas moins que l'ouverture du capital de la société à des intérêts extérieurs a permis à l'entreprise de se diversifier et d'accroître son importance économique et politique (cf., dans la bibliographie, P. Éveno).

CHAPITRE 10

Typologie de la presse : les quotidiens ...

Toute présentation de la presse impose un classement des titres, mais les critères de ce classement sont délicats à manier.

Certains sont objectifs – périodicité, format, pagination – mais ils conduisent à une typologie peu révélatrice de la nature des publications.

D'autres, moins formels, sont plus difficiles à utiliser : ils concernent la taille des publications – tirage, diffusion – mais ils ne permettent pas réellement de saisir le lectorat. Celui-ci est malaisé à préciser et, de plus, le mode et la qualité de la lecture sont trop variables selon les individus pour être statistiquement analysés.

Le critère du prix, longtemps décisif, permet de distinguer des publications « haut de gamme », chères et au contenu en général plus ambitieux, et des publications « bas de gamme », meilleur marché et plus banales ; mais cette distinction est désormais moins significative, car des publications de qualité peuvent, grâce à la publicité plus abondante, être offertes à bas prix.

Restent les critères de contenu qui, selon les matières abordées et la clientèle recherchée, permettent de différencier les publications « généralistes » dites « d'information générale » et les publications « spécialisées », thématiques par sujet ou par type de lecteurs ou de lectrices.

Au bout du compte, chacun de ces trois types de critères aboutit à des classements qu'il est difficile de croiser. Aussi bien, comme toute tentative de typologie, le résultat obtenu reste artificiel, car il ne peut rendre compte de l'irrésistible originalité de chacun des titres et de chacun des lectorats. On retrouve ici la difficulté signalée en introduction de présenter la forêt et d'en décrire les grands arbres parce que les sous-bois sont trop touffus pour être explorés.

Pour pallier cet obstacle, l'auteur a tenté d'associer la présentation des catégories à la description des principaux organes de chacune d'elle, au risque évident de négliger bien des titres dont l'originalité eût pourtant mérité de retenir l'attention.

Reste une évidence : si la France a été, avec *Le Petit Journal* fondé en 1863, l'initiatrice de la presse populaire à grand tirage, ses quotidiens – en 1914, les quatre grands, *Le Petit Parisien*, *Le Petit Journal*, *Le Matin* et *Le Journal*, avaient chacun plus d'un million de lecteurs – n'ont jamais adopté les formules du journalisme populaire américain ou anglais.

Si, aujourd'hui, le plus fort tirage des quotidiens français est celui d'un régional *(Ouest-France)* et avec quelque 780 000 exemplaires, bien loin des 3 à 4 millions de la « presse de caniveau » anglaise ou allemande, les journaux français évitent les tentations de leur journalisme chauvin, démagogique et vulgaire. Même les magazines populaires d'échos conservent en général une retenue ignorée par leurs équivalents « *people* » anglais, allemands ou italiens.

■ Quotidiens et périodiques

Le quotidien et le périodique sont moins complémentaires que concurrents : ils rendent à leurs lecteurs des services comparables : la formule du premier – « de tout un peu, tous les jours » –, même si elle continue à satisfaire les besoins de la majorité des lecteurs et est bien adaptée au rythme de leur vie au jour le jour, est loin d'être une panacée. Le second propose de plus en plus, dans ses publications généralistes, « un peu de tout, toutes les semaines » ou, dans ses ouvrages spécialisés, « tout sur... » et appauvrit, par chacun de ses succès, l'audience de la presse quotidienne en enlevant à son contenu une partie de son intérêt.

Il existe en réalité deux marchés de la presse. Si le quotidien l'a emporté, à la fin du XVIIIe siècle et sous la Révolution, sur les gazettes hebdomadaires, la renaissance sous la monarchie de Juillet des premiers magazines illustrés a redonné vigueur aux publications qui s'accordaient au rythme des semaines, mais, jusqu'en 1914, leur marché restait inférieur à celui des quotidiens que la production du *Petit Journal* et de ses émules à cinq centimes avait popularisés. Après la Grande Guerre, la stagnation, puis la régression des quotidiens se sont conjuguées avec la progression sensible des magazines auxquels l'illustration photographique et la couleur offraient de nouveaux attraits. La seconde guerre mondiale et la pénurie du papier dans les années qui ont suivi la Libération ont brutalement réduit l'importance des magazines, mais ceux-ci ont repris leur croissance dès la fin des années 1940 ; tous les indices confirment que, à la fin des années 1970, le marché des périodiques a dépassé celui des quotidiens dans le même temps où le nombre des récepteurs de télévision dépassait celui des exemplaires de quotidiens. Au début du XXIe siècle, le chiffre global des seconds ne représente que quelque 35 % de l'ensemble du marché de la presse écrite et ne consomme que 38 %

du papier presse[1]. L'Insee estime que chaque foyer, qui consacre 0,75 % de son budget aux dépenses de presse, a dépensé en moyenne en 2000 quelque 28 euros pour l'achat de quotidiens et 93 euros pour celui de magazines.

Alors qu'il ne se crée pas de nouveaux quotidiens, le marché des magazines reste très dynamique. Il est caractéristique que, pour résister à la concurrence, les éditeurs de journaux ont, à l'exemple du *Figaro*, créé des suppléments magazines illustrés en fin de semaine et multiplient des cahiers entiers dont les contenus thématiques adoptent les formules du journalisme spécialisé des magazines, comme si les recettes du journalisme du quotidien se révélaient insuffisantes pour ranimer leur lectorat... et pour attirer aussi les annonceurs. En réalité, les quotidiens, depuis que l'augmentation de leur pagination leur a permis de mieux ordonner et de diversifier leur contenu au-delà de la seule actualité du jour, ont progressivement créé des rubriques spécialisées consacrées aux spectacles, à la littérature, aux affaires boursières et à l'économie, puis aux femmes, aux sports, aux loisirs, aux jeux[2]...

Aujourd'hui, toute une partie du contenu des quotidiens – ce que les hommes de presse appellent les pages « magazines » – n'a plus guère de rapport direct avec les dernières nouvelles de l'actualité au sens strict : leur matière est tout à fait comparable à celle que les magazines spécialisés offrent à leurs lecteurs toutes les semaines ou tous les mois, sous une forme parfois plus abondante et mieux présentée. Si le journal, par sa vocation généraliste, conserve encore l'attrait de la diversité, il se heurte de plus en plus à la compétence du magazine, lui-même généraliste, mais au contenu mieux mis en perspective par le recul du temps, et en principe donc moins touffu.

Les causes de la crise relative du quotidien sont évidemment économiques : diffusion plus complexe et plus coûteuse, prix de vente élevé, glissement de la publicité nationale vers les supports audiovisuels et des petites annonces vers les journaux gratuits ou la télématique... Il faut aussi tenir compte des changements d'attitude des lecteurs face aux nouveaux circuits de l'information.

Pour le compte rendu des événements de la **grande actualité**, le quotidien subit désormais la concurrence de la radio et de la télévision, qui le précèdent

(1) La progression du marché des périodiques est beaucoup plus difficile à suivre que l'évolution du marché des quotidiens : ce n'est guère que depuis le début des années 1960 que l'on dispose de statistiques suffisantes pour apprécier son importance globale. Au travers des données déjà présentées, on peut relever les indications suivantes d'après le SJTI :
— pourcentage du nombre global d'exemplaires de non-quotidiens produits par an : 1963, 43 % ; 1975, 49 % ; 1979, 55 % ; 1980, 56,06 % ; 1983, 53,97 % ; 1986, 55,4 % ; 1990, 57,4 % ; 1994, 58,9 % ; 1995, 57,4 % ; 2000, 58,1 % ;
— pourcentage de recettes des non-quotidiens dans le total de la publicité presse ; 1975, 61,4 % ; 1981, 63,4 % ; 1986, 61,8 % ; 1990, 62 % ; 1994, 62,4 % ; 1995, 63,7 % ; 2000, 61,7 %.

(2) On sait que le premier « feuilleton » spécialisé dans la critique théâtrale est né en 1800 dans *Le Journal des débats* à la suite d'une augmentation de son format.

dans l'annonce des nouvelles, et ce d'autant plus par les stations d'information en continu. Il en est donc souvent réduit à satisfaire des curiosités qu'il n'a pas lui-même éveillées et se trouve conduit à jouer la carte de l'approfondissement, de l'explication ou du commentaire. De ce fait, contraint de prendre du recul par rapport aux faits, dont le déroulement est certes quotidien, mais les causes premières permanentes, le journalisme du quotidien se différencie mal de celui de l'hebdomadaire. Les magazines d'information générale, les *news magazines,* peuvent plus facilement jouer de la complémentarité avec les médias audiovisuels parce qu'ils sont moins pressés par la rapidité du renouvellement accéléré de l'actualité. Le journalisme d'analyse approfondie ne peut se contenter d'être un simple récit, il exige le recours à l'enquête, à la documentation, aux acquis des sciences sociales et politiques ; il n'est pas sûr que le public soit prêt à accepter tous les jours une nourriture journalistique aussi lourde, car, s'il a besoin d'explications, il se contente en réalité plus volontiers de lire des « histoires » intéressantes. Autant que par l'approfondissement, le quotidien pourrait tenter, pour résister à la concurrence de la radio ou de la télévision, de jouer la carte de l'originalité, en cherchant par le reportage à couvrir les aspects de la vie du monde que la télévision ne couvre pas. La comparaison générale du journalisme des quotidiens français par rapport à celui de ses homologues anglo-saxons ou allemands laisse une impression d'imperfection, comme si nos journaux avaient renoncé à créer eux-mêmes l'information : ils semblent avoir oublié les grandes enquêtes qui, au XIXe siècle et encore dans l'entre-deux-guerres, ont révélé, hors des pressions de l'actualité brûlante, le talent des grands reporteurs à la plume romancière et tant de sujets ou de thèmes originaux et captivants pour leurs lecteurs. Certes, certaines formes de journalisme d'enquête relevaient autant de la polémique ou de l'insolence que de l'information « sérieuse », mais qui nierait que les lecteurs attendent de leur journal non pas des leçons de science politique, mais des récits passionnés et donc souvent passionnants ? Peu de journaux quotidiens acceptent de jouer encore ce jeu, et c'est dans les *news magazines* ou les feuilles doctrinales que l'on trouve des enquêtes plus originales : leur succès s'explique justement parce qu'ils savent parler autrement d'autre chose.

Pour la **petite actualité**, celle des faits divers criminels, sentimentaux ou accidentels ou celle de l'information locale, le quotidien n'a guère de concurrent ; non seulement parce que la radio ou la télévision ne peuvent la développer avec assez d'ampleur ou de précisions dans les limites que leur impose l'étalement dans le temps de leurs émissions, mais aussi parce que cette information émiettée se déroule au jour le jour et doit être écrite de même et qu'elle échappe donc pour l'essentiel à l'hebdomadaire ou au mensuel. Le domaine qui est, au fond, celui, familier, de la conversation n'exige, pour être compris, aucune connaissance particulière : la nouvelle conserve toute sa primauté. Elle doit être livrée fraîche au lecteur et son déroulement doit être suivi du jour au lendemain. Elle répond à une curiosité immédiate que seul le quotidien peut entretenir et satisfaire.

Pour le sport, certes, les médias audiovisuels peuvent suivre directement et annoncer les résultats avant le journal, mais la fonction de ce dernier reste essentielle car il fait revivre, le lendemain, le match par ses commentaires : ce n'est pas par hasard si les quotidiens populaires – et évidemment sportifs – ont leur meilleure audience le lundi, après les épreuves du week-end.

Pour la fourniture de renseignements, c'est-à-dire pour l'**information de service** (communiqués, avis divers, tableaux de données personnelles comme l'horoscope, la météorologie ou le carnet du jour), le quotidien continue à subir la concurrence moins des radios ou des télévisions, dont les messages sont souvent trop rapides pour être mémorisés ou notés, que des différents systèmes d'information télématiques.

Tableau 26. - Répartition par périodicité des publications de la presse éditeur en 2001 (en milliers d'exemplaires)

	Nombre de titres	Tirage total annuel	Diffusion totale annuelle
Quotidiens	94	3 381 038	2 812 856
Trihebdomadaires	11	47 775	29 400
Bihebdomadaires	28	32 230	27 840
Hebdomadaires	554	1 885 256	1 534 159
Trimensuels	4	2 320	2 320
Bimensuels	106	49 579	38 874
Mensuels	1 231	705 316	490 526
Bimestriels	976	206 564	101 408
Trimestriels	551	38 277	22 130
Autres	66	2 600	1 298
Ensemble (a)	**3 621**	**6 350 955**	**5 060 811**

Source : DDM

(a) Hors presse gratuite (448 titres, 1 823 000 milliers d'exemplaires).

Face à ces différents handicaps, les quotidiens se doivent de réagir : leur meilleure carte reste la qualité de leurs contenus, par nature plus denses, plus diversifiés et plus riches que ceux de leurs concurrents périodiques ou audiovisuels : ils doivent parier sur l'originalité et non sur la complémentarité qui les condamne à la redondance.

■ Évolution de la presse quotidienne de Paris et de province

La floraison des titres et la montée des tirages de l'après-Libération furent, en plus d'un sens, artificielles : journaux trop nombreux et mal gérés, marché artificiellement stimulé par la très faible pagination (2 à 4 pages). À Paris, cette expansion fut suivie par une rapide décrue de 1947 jusqu'en 1952 : baisse des

tirages consécutive à la fois à la diminution des titres, à l'accroissement de la pagination et au rôle croissant de la publicité en ce début des « Trente Glorieuses ».

Tableau 27. - Tirage des quotidiens depuis 1945 : quotidiens d'informations générales et politiques (tirage moyen journalier en juin de chaque année, en milliers d'exemplaires)

	Quotidiens nationaux		Quotidiens locaux			Quotidiens nationaux		Quotidiens locaux	
	Titres	Tirage	Titres	Tirage		Titres	Tirage	Titres	Tirage
1945	26	4 606	153	7 532	**1974**	13	3 831	73	7 509
1946	28	5 959	175	9 165	**1975**	12	3 195	71	7 411
1947	19	4 702	161	8 165	**1976**	13	2 970	71	7 197
1948	18	4 450	142	7 859	**1977**	15	3 185	72	7 391
1949	16	3 792	139	7 417	**1978**	15	3 173	72	7 370
1950	16	3 678	126	7 256	**1979**	13	3 041	72	7 468
1951	15	3 607	122	6 634	**1980**	12	2 913	73	7 535
1952	14	3 412	117	6 188	**1981**	12	3 193	73	7 629
1953	12	3 514	116	6 458	**1982**	13	2 779	74	7 332
1954	12	3 618	116	6 559	**1983**	13	2 877	74	7 241
1955	13	3 779	116	6 823	**1984**	13	2 707	70	7 200
1956	14	4 441	111	6 958	**1985**	12	2 777	70	7 109
1957	13	4 226	110	7 254	**1986**	12	2 885	67	7 109
1958	13	4 373	110	7 294	**1987**	12	2 713	67	7 030
1959	13	3 980	103	6 930	**1988**	11	2 942	65	7 155
1960	13	4 185	98	7 170	**1989**	11	2 828	64	7 093
1961	13	4 239	96	7 087	**1990**	11	2 741	62	7 010
1962	13	4 207	96	7 189	**1991**	11	2 680	62	6 908
1963	14	4 121	94	7 434	**1992**	11	2 624	62	6 896
1964	14	4 107	93	7 617	**1993**	12	2 638	58	6 724
1965	13	4 211	92	7 857	**1994**	12	2 789	58	6 681
1966	14	4 391	91	7 831	**1995**	12	2 844	58	6 881
1967	12	4 624	86	8 005	**1996**	10	2 151	57	6 929
1968	13	5 034	85	8 039	**1997**	10	2 340	55	6 963
1969	13	4 596	81	7 572	**1998**	10	2 219	55	6 823
1970	13	4 278	81	7 587	**1999**	10	2 293	56	6 575
1971	12	4 244	81	7 750	**2000**	10	2 186	56	6 719
1972	11	3 877	78	7 798	**2001**	10	2 254	56	6 717
1973	12	3 707	75	7 506					

Source : DDM

Après cette date, le nombre de journaux est resté quasiment stable autour d'une douzaine, les variations du nombre étant le plus souvent liées à l'apparition de titres éphémères. En province, l'évolution fut celle d'une régulière diminution du nombre de titres, morts d'épuisement ou absorbés par les grands titres régionaux. Cette diminution, ralentie de 1973 à 1983, s'accélère depuis 1984 et surtout depuis 1990, sous l'effet de la crise du groupe Hersant, mais aussi de l'appétit de grands régionaux, qui reprennent les départementaux mal portants ou ceux que les héritiers des nouveaux patrons de la Libération préfèrent vendre pour diriger leurs capitaux vers des placements plus lucratifs.

Pour les tirages, après la dépression de 1947-1952 et la lente remontée jusqu'en 1968, la baisse est régulière, moins forte mais sensible en province, à peine ralentie par des sursauts lors des années électorales. Les crises du *Parisien libéré* et de *France Soir* ont accéléré, à partir de 1975, l'érosion du lectorat de la presse quotidienne parisienne, mais elle paraît pour l'instant freinée (v. tableau 27). Ces chiffres sont à mettre en rapport avec l'évolution de la population, qui est passée entre 1946 et 2001 de 40 millions à quelque 60 millions d'habitants.

La faiblesse du lectorat de la presse quotidienne est une caractéristique du marché français (v. chapitre 5, p. 77). Plus surprenante apparaît, dans un vieux pays centralisé comme le nôtre, la faible part des journaux nationaux par rapport à ceux de la province, alors qu'en Grande-Bretagne, la situation est tout à fait inverse. Il est vrai que le marché des magazines nationaux compense en quelque sorte le handicap des quotidiens parisiens.

Les tentatives de régionalisation de l'impression des journaux parisiens du matin par le système du fac-similé n'ont pas réussi à accroître leur diffusion en province de manière significative. Le groupe Amaury espère aujourd'hui accroître la diffusion de *L'Équipe* et d'*Aujourd'hui* dans les départements grâce à ses nouveaux centres d'impression en province, mais il est trop tôt pour deviner s'il réussira.

Les quotidiens parisiens

Deux remarques s'imposent. D'abord, il n'existe plus de grand quotidien populaire national comparable à ceux que connaissent la Grande-Bretagne ou l'Allemagne, et il est trop tôt pour savoir si les efforts du Groupe Amaury permettront au *Parisien-Aujourd'hui* de retrouver la place qu'il avait conquise contre *France Soir* au début des années 1970. Ensuite, il n'y a guère de chances de voir un titre nouveau s'imposer sur le marché ; la liste des échecs dans les dernières décennies le confirme et les créations de quotidiens gratuits ne paraissent pas devoir modifier ce pronostic.

Les feuilles « gauchistes » n'ont eu qu'une existence éphémère ou épisodique : *Le Quotidien du peuple* et *L'Humanité rouge*, nés en 1975, ont disparu en 1980 et *Rouge* a été quotidien de mars 1976 à septembre 1979. *J'informe*, feuille de centre droit destinée à réduire l'influence du *Monde*, n'a eu que 77 numéros de septembre à novembre 1977. *Combat socialiste*, organe du PS, n'a pas survécu à la victoire de François Mitterrand (24 février-

10 juillet 1981). *Paris ce soir* (janvier-février 1984), *Le Sport* (septembre 1987-juillet 1988), *Forum international* (économique, mai 1979 à mai 1980), *Le Temps de la finance* (octobre-décembre 1989), *Le Jour* (septembre-décembre 1990), *Paris 24* (mai 1994), *Le Français* (octobre-décembre 1994), *Information* (janvier 1994), *Le Quotidien de la République* (novembre 1998) ont vite rejoint la nécropole des journaux. *L'Aurore,* fondée en 1944, grande rivale du *Figaro*, abandonnée par son commanditaire Marcel Boussac, fut rachetée par Robert Hersant en 1978 et lentement phagocytée par *Le Figaro,* dont elle n'était plus, en 1982, que le titre d'une édition du samedi. Suite de *Combat* en 1974, l'éclectique *Quotidien de Paris* survécut difficilement jusqu'à l'été 1994 sous la direction de Philippe Tesson et reparut épisodiquement jusqu'en novembre 1996. Né en 1974 comme organe du renouveau socialiste, *Le Matin de Paris* finit par disparaître après de multiples avatars en janvier 1988. *Info Matin* (janvier 1984-janvier 1986), inspiré par André Rousselet, tenta l'expérience originale d'un « joli petit journal » très coloré, aux articles courts et bon marché, mais il ne put dépasser les 70 000 exemplaires, seuil de la rentabilité. Né le 5 janvier 1982, *Présent,* qui paraît cinq fois par semaine sous la direction de Jean Madiran, catholique intégriste proche un temps du Front national, tenta en 1989 une vente en boutique au prix de 10 francs. Il n'a plus aujourd'hui qu'une existence incertaine : il se vend 1,52 euro et tire à quelques milliers d'exemplaires.

On compte désormais, non compris les quelques feuilles de pronostics hippiques paraissant trois à cinq fois par semaine, ni les deux quotidiens gratuits (cinq fois), douze quotidiens parisiens, dont huit d'informations générales (y compris l'*International Herald Tribune*) et un quotidien hippique. Tous, sauf *Le Monde*, paraissent désormais le matin.

Tableau 28. - Quotidiens parisiens (1981-2002)

Création		Diffusion			Abonnement
		1981	2000	2002	+ portage (a)
1854	Le Figaro	336 000	368 000	345 000	26 %
1887	International Herald Tribune	160 000	242 000	245 000	14 %
1944	Le Monde	439 000	402 000	417 000	35 %
1944	Le Parisien	343 000	492 000 (b)	516 000 (b)	22 %
1944	France Soir	429 000	(60 000)	81 000	3 %
1973	Libération	(70 000) (c)	171 000	146 000	15 %
1904	L'Humanité	141 000	55 000	50 000	6 %
1883	La Croix	118 000	90 000	97 000	91 %
1908	Les Échos	67 000	154 000	166 000	51 %
1984	La Tribune		104 000	92 000	46 %
1946	L'Équipe	223 000	401 000	335 000	2 %
1946	Paris Turf	119 000	107 000	96 000	1 %

Source : chiffres OJD-DC 2002 – diffusion France et étranger.

(a) En 2002 ; (b) Dont 131 000 pour *Aujourd'hui* en 2000 et 149 000 en 2002 ; (c) Non contrôlé par l'OJD.

Le Figaro

Né en 1854, alors hebdomadaire, quotidien en 1866, ce grand organe parisien modéré se saborda à Lyon en novembre 1942 et reparut à la Libération sous la direction de Pierre Brisson. Dans un marché où l'épuration de 1944 avait éliminé les anciens quotidiens de droite, *Le Figaro* prospéra : son tirage passa de 400 000 exemplaires en 1948 à 538 000 en 1965 (diffusion : 439 000). Les recettes publicitaires du journal donnèrent à l'entreprise une remarquable prospérité. Le décès de P. Brisson, le 31 décembre 1964, fut suivi de bien des avatars dans sa propriété et sa rédaction. Les rédacteurs se heurtèrent à Jean Prouvost et tentèrent de conserver le contrôle de la politique du journal. En juillet 1975, Robert Hersant racheta le journal, puis mit progressivement la main sur la rédaction : le 6 juin 1977, Raymond Aron, directeur politique, et Jean d'Ormesson démissionnèrent.

Un temps, R. Hersant pensa faire du *Figaro* une sorte de matrice nationale pour les multiples journaux provinciaux de son groupe. Il fit des suppléments magazines de fin de semaine : *Le Figaro Magazine* (octobre 1978), *Le Figaro Madame* (1983) et *TV Magazine* (1986), un excellent moyen de promotion de ses ventes... et de ses recettes publicitaires.

Alors que la diffusion avait baissé jusqu'à 311 000 exemplaires en 1980, l'arrivée de la gauche au pouvoir en mai 1981 et l'entrée du *Figaro* dans l'opposition renversèrent la tendance : les ventes s'élevèrent à 443 000 exemplaires en 1986. La mort de R. Hersant, en avril 1996, compliquera les affaires de son groupe (Socpresse et France Antilles). L'endettement de la Socpresse (2,2 milliards de francs en 2000 ?), allégé par la cession de *France Soir* en 1999, conduisit à faire appel à des capitaux étrangers à la famille. Serge Dassault finit, en janvier 2002, par prendre 30 % dans le capital de la *Socpresse*, toujours présidée par Yves de Chaisemartin, les 70 % restant aux mains des héritiers Hersant. La diffusion du *Figaro*, dont la direction et la rédaction subirent quelques changements, baissa progressivement jusqu'à 345 000 exemplaires en 2002. *Le Figaro Magazine* diffusait alors 487 000 exemplaires le samedi (contre 642 000 en 1991 et 523 000 en 1995) et *TV Magazine,* supplément hebdomadaire des journaux du groupe Hersant et de certains autres quotidiens de province, 4,928 millions d'exemplaires.

Le Parisien et *Aujourd'hui*

Né en 1944, sous le titre *Le Parisien libéré*, il avait, en 1975, dépassé *France Soir* comme plus grand quotidien français, avec une diffusion de 785 000 exemplaires. Sous la direction d'Émilien Amaury, il avait adopté les formules d'un journalisme populaire nationaliste et anticommuniste, soucieux d'éviter les dérives démagogiques et vulgaires des tabloïds anglais. Il adopta, en 1965, le demi-format. Depuis 1960, il s'était régionalisé en créant des éditions locales pour l'Île-de-France. Le long conflit avec le Syndicat du Livre de 1975 à 1977, le décès de son animateur en 1977, puis de son directeur

Claude Bellanger en 1978, la brouille des héritiers Amaury, qui ne fut réglée qu'en 1983, menacèrent gravement la prospérité d'un journal dont la diffusion était tombée à 310 000 exemplaires en 1976. Le groupe Hachette prit une participation de 25 % dans son capital et le groupe, animé par Philippe Amaury, retrouva sa vigueur. Ses tirages augmentèrent : 341 000 exemplaires en 1981, 463 000 en 1997 et à 516 000 en 2002. Ce « quotidien de l'Île-de-France » s'est doté en 1996, avec *Aujourd'hui en France* (150 000 exemplaires), d'une édition nationale dont l'impression bénéficie du nouveau réseau d'imprimeries en province, qu'il partage avec *L'Équipe*. Il développe une politique de diffusion indépendante dans la région parisienne. Il a, depuis 2000, un supplément du dimanche, *Le Parisien Dimanche* (184 000 exemplaires).

France Soir

C'est en fait aujourd'hui un journal du matin. Né en 1944, il reprit, sous la tutelle du groupe Hachette, la formule du défunt *Paris Soir* : populaire sans vulgarité, il atteignait 1,4 million d'exemplaires en 1958 et resta « millionnaire » jusqu'en 1966. Gaulliste depuis 1958, Pierre Lazareff ne sut pas adapter son journal aux transformations sociales et culturelles qui suivirent Mai-68. Sa diffusion était tombée à 792 000 exemplaires à la mort de son directeur en 1972. Le groupe Hachette ne réussit pas à freiner sa décadence et finit par le vendre, en 1976, à Robert Hersant, qui échoua aussi à le réanimer : passé au format tabloïd, sa diffusion était tombée à quelque 150 000 exemplaires lorsqu'il fut cédé en 1999 à Georges Ghosn, qui le vendit pour un franc en décembre 2000 au groupe Poligrafici Editoriale, éditeur de quotidiens italiens à Milan, Bologne et Florence. Depuis, dirigé par Philippe Bouvard puis par André Bercoff, il a renouvelé sa formule mais ne diffusait plus que 81 000 exemplaires en 2002.

L'Humanité

L'Humanité, fondée par Jean Jaurès en 1904 comme organe du nouveau Parti socialiste, tomba, après 1920, dans les mains du Parti communiste. Interdite le 26 août 1939 par le gouvernement Daladier à la suite du traité Hitler-Staline, elle reparut clandestinement dès l'automne 1939 et ouvertement en 1944. Après avoir atteint une diffusion de plus de 400 000 exemplaires en 1947, sa diffusion n'a pas cessé depuis de s'éroder : 209 000 en 1965, 151 000 en 1975, 109 000 en 1988. La chute du communisme dans les pays de l'Est lui fit perdre une part importante de ses ventes. Sa situation est alors devenue critique : 66 000 exemplaires en 1992, 58 000 en 1997, 46 000 en 2002. Les souscriptions militantes, les bénéfices de la Fête annuelle de *L'Humanité* ne suffisent plus à combler ses déficits, et les changements successifs de formule et de direction ne retiennent pas les lecteurs. *L'Humanité Dimanche*, devenue *Humanité hebdo* en 1997, est aussi en fort déclin. Curieusement, en 2001, TF 1, le groupe Lagardère et la Caisse nationale d'épargne sont entrés pour 2 millions d'euros dans le capital de *L'Humanité* : cette histoire illustre la difficulté de faire vivre un journal partisan quotidien dans le paysage médiatique actuel. Cette décadence de la presse communiste est confirmée par la disparition des vingt-cinq quotidiens de province du PCF : après la liquidation, en 1997, de *La Liberté* de Lille et celle, en 1998, de *L'Écho du Centre* de Châteauroux, il ne reste plus que *La Marseillaise* de Marseille, elle-même en situation critique.

La Croix

Fondé en 1883 par les Pères assomptionnistes, ce journal est depuis 120 ans le quotidien du groupe de la Bonne Presse, devenu Bayard Presse, catholique sans sectarisme ni faiblesse ; fort de ses traditions, il offre l'exemple d'un journal solide, soucieux d'expliquer le monde et d'orienter la réflexion de ses fidèles abonnés. *La Croix* a adopté le format tabloïd en 1968 ; elle est devenue journal du matin en 1999 mais ne paraît plus le samedi. Après une période de lente baisse de sa diffusion (132 000 en 1971, 118 000 en 1981, 100 000 en 1992), le journal a réussi, sous la direction de Bruno Frappat, à freiner cette baisse (97 000 en 1997, 90 000 en 2000) et même à redresser ses ventes, à 94 200 en 2003. Grâce à la modernisation de sa formule, elle espère dépasser les 100 000 en 2005 ; en confiant son impression au groupe Amaury et en contrôlant mieux sa gestion, elle a même, pour la première fois depuis longtemps, pu équilibrer ses comptes en 2002.

Libération

Né le 22 mai 1973[3] comme feuille contestataire gauchiste – gestion communautaire et refus de la publicité – par une équipe solidaire, *Libération*, dont la diffusion avait atteint les 23 000-25 000 exemplaires en 1975, n'atteignait encore que 30 000 à 35 000 exemplaires en 1980. Le quotidien cessa sa parution le 21 février 1981 pour reparaître le 13 mai dans une formule nouvelle ; moins engagé à l'extrême gauche, il jouait la carte d'une information critique et du reportage. Il accepta la publicité. Son succès fut assez grand dans le monde étudiant et celui de la génération des anciens soixante-huitards. Sa diffusion passa à 70 000 exemplaires en 1982, à 165 000 en 1986 et 185 000 en 1988. Le journal, toujours animé par Serge July, se modernisait dans ses nouveaux locaux de la place de la République et acceptait pour la première fois l'aide de capitaux étrangers à l'équipe des salariés. Ses ambitions (création d'un *Lyon-Libé* qui disparut en 1993, nouvelle formule de *Libé III*, avec plus de pages et densification du contenu, professionnalisme croissant des rédacteurs, développement d'un service télématique) furent déçues et Libération ne réussit pas à franchir le seuil des 200 000 clients. Le groupe Pathé de Jérôme Seydoux apporta un appui financier important (66 % du capital), l'équipe fondatrice ne conservant plus que 21 % des parts. En 1997, l'équili-

(3) Sans filiation avec l'ancien *Libération* d'Emmanuel d'Astier de la Vigerie, journal issu de la Résistance, qui disparut en 1964. Cf., dans la bibliographie, J. Guisnel et J.-C. Perrier.

bre financier rétabli, la rédaction se stabilisa après l'abandon de la formule « *Libé III* », trop ambitieuse.

Pourtant, le lectorat baissa – *Le Monde* retrouvait alors la clientèle des jeunes étudiants – et stagnait entre 170 000 et 160 000 exemplaires (166 000 en 2002). En 2003, Pathé ne conserve plus que 20 % du capital, le groupe britannique 3 i en possède 20 %, la société civile des employés 36,4 % et d'anciens actionnaires amis 14 %. Vendu à près de 50 % au numéro dans la région parisienne, « *Libé* » a souffert du succès des quotidiens gratuits et de la réduction de la publicité.

Le Monde

Fondé en 1944 par Hubert Beuve-Méry et son équipe, c'est un des journaux français les mieux connus[4]. Ses débuts furent difficiles. Il tentait de tenir, dans le concert des journaux, le rôle de journal de référence joué par l'ancien *Temps* (1863-1942). Austère de présentation, sérieux de ton, il voulait plus intéresser que plaire. Il trouva vite une clientèle de cadres, d'enseignants et d'étudiants. Son succès fut lent à se dessiner : 110 000 exemplaires en 1946, 200 000 en 1957. Son fondateur voulait garantir l'indépendance de l'entreprise. Dès 1951, la Société des rédacteurs acquit, grâce à lui, un quart du capital et donc une minorité de blocage pour les décisions les plus importantes. Son fondateur, qui s'était retiré en 1969 (il décéda en 1989), avait laissé à son successeur, Jacques Fauvet, un journal prospère, qui avait une diffusion de 350 000 exemplaires. La société du journal fut alors modifiée. Les salariés du journal contrôlaient 49 % des parts du capital (dont 40 % pour la Société des rédacteurs). Lorsque, en 1982, J. Fauvet quitta la direction, l'entreprise était toujours prospère : l'apogée de sa diffusion se situa en 1980, où elle atteignit 445 000 exemplaires, plus que son concurrent de droite, *Le Figaro*. Les années 1980 furent difficiles : la diffusion baissa en partie à cause de la nouvelle conjoncture politique. Jusqu'alors, certes avec des nuances, *Le Monde* avait été dans l'opposition modérée aux différents gouvernements de la IVe et de la Ve Républiques. Or, il avait pris position en faveur de la gauche et soutenu la candidature de François Mitterrand. Une partie de son lectorat de droite se reporta alors vers *Le Figaro* et le succès de Libération le priva de la clientèle étudiante, qui avait jusqu'alors été le vivier de ses nouveaux jeunes lecteurs. La diffusion baissa jusqu'à 343 000 en 1985. La direction du journal entra dans une période d'instabilité : André Laurens (juillet 1982-janvier 1985), André Fontaine (1985-février 1991), puis Jacques Lesourne (1991-février 1994) ne réussirent pas à donner à une rédaction divisée l'élan nécessaire. En 1985, un plan de sauvetage permit de stabiliser un temps la situation : abandon des locaux de la rue des Italiens,

(4) V. dans la bibliographie, J. Thibau, P. Éveno, P. Péan et P. Cohen…

réduction des salaires, création d'une nouvelle imprimerie très moderne à Ivry, ouverture du capital à des intérêts extérieurs, filialisation de l'imprimerie et de la régie publicitaire, recentrage de la rédaction, adoption d'une nouvelle formule au format berlinois, recours à l'illustration. Si la diffusion remonta à 387 000 exemplaires en 1988, la trésorerie était dans le rouge, la publicité n'assurant plus que 22 % des recettes. Avec l'arrivée de J.-M. Colombani en 1994, de nouvelles méthodes de gestion et de rédaction furent progressivement mises en pratique, avec un dynamisme qui ne fut pas sans provoquer bien des critiques, tant elles bouleversaient les traditions, en intégrant le vieux journal austère dans un groupe de presse dynamique et novateur. Certains reprochent à l'actuelle direction de compromettre, avec son indépendance, l'ancienne mission apostolique du journal au profit de la réussite commerciale[5]. Au total, la diffusion du *Monde*, remodelé dans sa présentation et ses contenus, a retrouvé la pente ascendante : 379 000 en 1995, 402 000 en 2000, 417 000 en 2002. La baisse de ses recettes publicitaires, après leur épanouissement dans les années 1999-2000, pose cependant des difficultés à la trésorerie de l'entreprise dont les services sur l'internet ne sont pas encore rentables.

EN 2002-2003, *Le Monde* offre, avec ses cahiers spécialisés et ses suppléments, une matière informative très abondante. Il contrôle directement des publications annexes – *Dossiers et documents, Le Monde de l'éducation, la Sélection hebdomadaire* – et, par participation majoritaire, *Timbre Presse, Le Monde interactif, Le Monde 2, Le Monde diplomatique, Les Cahiers du cinéma, Aden*, en attendant son magazine de fin de semaine, annoncé pour janvier 2004... sans parler de ses participations majoritaires dans *Le Midi libre, les Publications de la Vie catholique, Courrier international*...

Enfin, en 2002, le capital de Le Monde SA est réparti pour 52,74 % entre des actionnaires internes (Société des rédacteurs : 29,58 % ; anciens actionnaires fondateurs : 11,77 % ; sociétés d'employés et cadres du *Monde* : 11,36 % ; gérance : 0,06 %) et pour 47,26 % entre des actionnaires partenaires (Société des lecteurs : 10,43 % ; divers investisseurs associés : 36,83 %).

Les quotidiens spécialisés

Seuls deux secteurs de l'actualité peuvent fournir une matière informative suffisamment abondante pour justifier une parution quotidienne : le sport et l'économie.

L'Équipe, héritière en 1945 d'une lignée de quotidiens sportifs généralistes, née à la fin du XIX° siècle, est le plus ancien des organes européens en la ma-

(5) On pense au reproche qu'Armand Carrel adressait à Émile de Girardin lorsque ce dernier lança en 1836 son journal *La Presse* comme une entreprise commerciale : « Vous rabaissez la noble mission du journalisme en la simple fonction de marchand de nouvelles ».

tière. Il fut intégré dans les années 1960 dans le groupe Amaury. Il participe à l'organisation de spectacles sportifs, dont le Tour de France, le Paris-Dakar... Sa diffusion gonfle le lundi pour la présentation des événements sportifs du week-end ; ses tirages évoluent selon la popularité de ces événements. La diffusion atteint son apogée avec la coupe du monde de football (404 655 en 1998). Elle était, en 2002, de 335 000 exemplaires. Son supplément du dimanche se vend à 312 000 exemplaires et *L'Équipe Magazine* à 340 000. Elle patronne aussi la chaîne de télévision *L'Équipe TV*.

Paris Turf, de la Socpresse, est étroitement dépendant des courses hippiques et de leurs paris (96 000 exemplaires), mais il doit supporter la concurrence de feuilles de courses comme *Le Meilleur, Spécial Dernière*...

L'information économique et plus particulièrement boursière entretient depuis le XIXe siècle une masse considérable de publications. Le marché est dominé par deux quotidiens, dont aucun n'a l'audience internationale de leurs grands concurrents, le *Financial Times* anglais, le *Wall Street Journal* américain, le *Nihon Keizaï Shimbun* japonais ou même le *Handelsblatt* allemand. Chacun des titres de la presse économique dispose de sites internet très diversifiés, compléments de leur édition papier.

Les Échos, héritier d'un mensuel né en 1908 et devenu quotidien en 1931, resta la propriété des frères Servan-Schreiber jusqu'en 1958. Racheté par Jacqueline Beytout, il fut repris en 1988 par le groupe anglais Pearson, éditeur du *Financial Times*. Sa diffusion s'est notoirement accrue à la suite de la modernisation de sa formule, montant à 154 000 en 2001, mais elle est en légère baisse à 146 000 exemplaires en 2002 du fait de la crise économique. Ils ont adopté le format berlinois en septembre 2003 et confié l'impression de leur édition parisienne au *Monde*.

La Tribune a connu une existence agitée. À l'origine quotidien du soir, *L'Information*, racheté par Raymond Bourgine en 1957, devint le *Nouveau Journal*, repris en 1984 par Bruno Berthez qui l'associa à l'Agefi (Agence économique et financière, fondée en 1911) : il prit en 1984 le titre de *Tribune de l'économie* et parut désormais le matin. Repris par le groupe de *L'Expansion*, il devient en juin 1988 la *Tribune de l'Expansion*, puis, après quelques nouveaux avatars, la *Tribune Desfossés*, à la suite de son association avec la vieille *Cote Desfossés*, née en 1825. Elle fut rachetée en novembre 1996 par le groupe LVMH par sa filiale Desfossés international et devint *La Tribune* tout court. Sa diffusion passa de 40 000 exemplaires en 1937 à 86 000 en 1987, 107 000 en 2000 et 96 000 en 2002.

L'Agefi n'est plus qu'un bulletin fournissant les cotes boursières, qui diffuse quelque 5 000 à 6 000 exemplaires de ses tableaux des cours de la Bourse.

L'***International Herald Tribune***, créé en Paris en octobre 1887 par J. Gordon-Bennet, le *New York Herald* était l'édition parisienne du journal de New York. Il reprit dès 1945 sa publication, interrompue en 1940, et fut racheté à parité en 1966 par le *Washington Post* et le *New York Times*. Il est édité, depuis le 1er janvier 2003, par le seul *New York Times* de la famille Sulzberger. Il diffuse chaque jour 245 000 exemplaires (664 000 lecteurs) dans 180 pays, à partir de l'édition parisienne réimprimée dans 14 centres d'Asie, d'Europe et d'Amérique. Le *New York Times* tend à en faire son édition internationale à 24 pages et à accroître la place de ses rubriques économiques pour concurrencer le *Wall Street Journal* et le *Financial Times.*

Les quotidiens gratuits

L'apparition d'un quotidien gratuit, *Metro*, à Stockholm en 1995, a marqué le début d'une étape nouvelle dans le monde de la presse gratuite : ce journal, outre sa périodicité surprenante dans cette catégorie (5 numéros par semaine), offrait une masse de nouvelles du jour et sa partie rédactionnelle était bien plus développée que celle réservée aux annonces.

Avec son concurrent norvégien, *20 Minutten*, la formule a été déclinée dans d'autres pays (Angleterre, Suisse, Italie, Belgique, Espagne, Canada...) avec succès, mais elle a échoué en Allemagne.

La presse gratuite

En France, les premières feuilles gratuites se sont développées vers 1960. On en comptait 44 en 1979, 377 en 1990 et 392 en 2000, dont 365 hebdomadaires et 27 mensuelles, diffusant au total 1,8 milliard d'exemplaires, soit 2,6 % de l'ensemble des exemplaires de la presse éditeur, pour un chiffre d'affaires de 633 millions d'euros, soit 6 % du chiffre d'affaires global.

La Comareg et Spir-Carillon sont les plus grands éditeurs de ces journaux gratuits d'annonces, pour l'essentiel offerts dans la rue dans des présentoirs spéciaux.

En 1999, en partie inspirée par les quotidiens gratuits, la RATP, associée à la Comareg puis aussi au *Parisien*, offrait gratuitement à ses usagers *À Nous Paris*, hebdomadaire de 48 à 56 pages, sorte de guide des divertissements parisiens, de conseils pratiques et d'annonces : ses 400 000 exemplaires trouvèrent un accueil très favorable ; les présentoirs installés dans l'enceinte du métro et du RER se vident le jour même de la sortie de ses numéros.

L'aventure incertaine des quotidiens

Forts de leurs expériences étrangères, les deux éditeurs scandinaves arrivèrent en France en 2002, le 18 février pour *Métro* à Paris, Lyon et Marseille, le 15 mars pour *20 Minutes* à Paris. Après quelques échauffourées avec les ouvriers du Livre qui n'admettaient pas qu'ils fussent imprimés hors des normes de la presse quotidienne et malgré le refus des NMPP (soutenues par les éditeurs) de participer à leur diffusion, et celui de la RATP de l'autoriser dans l'enceinte du métro, l'expérience se poursuivit. Elle eut un grand succès auprès des Parisiens, surtout des jeunes et des adultes de moins de 49 ans : les nouvelles détaillées en quelques lignes sans commentaires, rédigées par quelques rédacteurs utilisant le fil de l'AFP, les renseignements divers illustrés en tableaux clairs, l'illustration colorée et la mise en page classique plurent aux voyageurs du métro et aux passants. La distribution est assurée par des équipes de colporteurs qui épuisent le plus souvent leur stock de journaux le matin entre six et neuf heures. La publicité, rare à l'origine, commence à arriver et les responsables (optimistes ?) espèrent équilibrer leurs comptes en 2004. Pour l'instant, l'entreprise est loin d'être rentable : on estime qu'en 2002, en neuf ou dix mois, *Métro* a coûté 15 millions d'euros et *20 Minutes* 10 millions, pour des recettes publicitaires respectives de 3,8 et 4,5 millions. *20 Minutes* s'est associé à Spir et a pu passer des accords avec la SNCF, *Métro* avec *France Soir,* qui l'imprime, et TF 1 qui est entré dans son capital en septembre 2003. On estime que *Métro,* en mars 2002, a distribué 340 000 exemplaires à Paris, 30 000 à Lyon et 80 000 à Marseille malgré le concurrent *Marseille +* que *La Provence* a lancé en février 2002 pour le contrer. Quant à *20 Minutes*, il offre tous les jours 450 000 exemplaires.

À l'évidence, les lecteurs de ces journaux gratuits (plus de 1,5 million en Île-de-France) se recrutent dans leur grande majorité chez des jeunes et des femmes qui ne lisaient pas de quotidiens auparavant, mais les kiosquiers et les boutiques proches des stations de métro se plaignent de la raréfaction relative de leurs clients : des titres comme *Libération* ou *Le Parisien* ont vu leurs ventes au numéro baisser à Paris. Quant aux professionnels qui n'ont pas de moyens légaux de s'opposer à ce type d'entreprise, ils constatent l'engouement du public des grandes villes pour ce type nouveau de lecture et ils s'interrogent sur les chances de survie de ces deux titres rivaux.

■ Les quotidiens de province

Depuis deux lustres, la diffusion de la plupart des quotidiens de province est en lente régression, mais leurs entreprises sont en générale assez solides pour supporter la légère diminution de leurs ventes et de leurs recettes publicitaires. Leurs ateliers ont été modernisés et leurs formules de présentation et de rédaction régulièrement améliorées. L'abondance des éditions locales assure la fidélité de leurs lecteurs. L'ensemble de ces 400 éditions locales divise la France en quelque 250 petits « pays » où le journal quotidien est, sans véritable concurrent, le fournisseur unique des nouvelles locales et de l'information de service. L'interdiction de la publicité pour la grande distribution à la télévision rabat sur lui l'essentiel de la publicité locale. On estime qu'en moyenne, la publicité de la grande distribution représente plus de 40 % de la publicité commerciale des quotidiens de province : dans ce secteur, les grands concurrents de la PQR sont les prospectus. La charge des invendus est pour lui plus légère que pour les quotidiens nationaux.

Grosso modo, un journal de province consacre un quart de son contenu rédactionnel à l'information nationale et internationale, un tiers aux pages magazines et le reste aux informations locales, qui varient évidemment selon les éditions ; celles-ci imposent d'imprimer un plus grand nombre de pages que les quotidiens nationaux.

Les quotidiens de province sont en général vendus de 15 % à 30 % moins cher que leurs confrères parisiens et développent plus aisément le portage à domicile. À l'exception de ***L'Éveil de la Haute-Loire*** et de ***La République des Pyrénées*** de Tarbes, la province ignore aujourd'hui les journaux de l'après-midi.

L'information locale est à la fois le plus souvent banale et néanmoins toujours intéressante pour les lecteurs du cru. Sa collecte mobilise la collaboration des correspondants locaux non professionnels et un réseau de bureaux centralisant et mettant en forme ces petites nouvelles émiettées. Elle doit être exacte, car les erreurs sont très vite décelées par leurs lecteurs qui en connaissent bien le cadre et souvent le détail. Ces nouvelles de voisinage sont aussi en général très conformistes, car la proximité accroît la dépendance du journal avec le milieu : elles relèvent plus d'un journalisme de communiqué que d'un journalisme d'enquête. La situation de monopole du journal renforce cette tendance à la prudence et au refus des controverses, car on ne peut se permettre de mécontenter une partie, même minoritaire, du lectorat.

Pourtant, la politique de décentralisation et donc de renouveau de l'actualité régionale tend, depuis les années 1980, à en élargir le cadre et à relancer l'intérêt du journalisme en province, même si la situation de monopole rend, au niveau de la région aussi, son traitement très délicat. Les journaux régionaux peuvent difficilement prendre ouvertement parti dans les conflits d'intérêts – politiques ou économiques – locaux sans compromettre, aux yeux des notables et des groupes de citoyens, l'impartialité dont ils sont désormais en quelque sorte les garants, faute de concurrent.

Tableau 29. - Répartition des 54 quotidiens de province

Par tranche de diffusion en exemplaires	Nombre de titres	% de la diffusion totale
< 30 000	17	5,1
30 000 à 50 000	10	7,0
50 000 à 100 000	9	11,2
100 000 à 150 000	4	9,0
150 000 à 200 000	4	10,2
200 000 à 250 000	5	20,5
250 000 à 300 000	2	10,0
300 000 à 400 000	2	12,2
> 400 000	1	14,8
Total (a)	**54**	**100,0**

Source : DC.

(a) *Le Parisien*, « quotidien de l'Île-de-France » (388 814 exemplaires), n'est pas retenu ici, ni *Le Quotidien du Luxembourg* (6 413 exemplaires), édition du *Républicain lorrain*. La diffusion totale atteint, avec *Le Parisien*, 5,661 millions d'exemplaires contre 6,272 en 1997.

Le lent mouvement de concentration

Il ne reste plus que 54 quotidiens en province, contre 175 en 1946. Très vite, les journaux des grandes villes, héritiers indirects des grands titres de l'avant-guerre, affirmèrent leur suprématie et la rude concurrence qu'ils se livrèrent entre eux, outre la disparition de beaucoup de titres mal gérés ou mal situés, provoqua de violentes « guerres de frontière » pour la délimitation de leurs zones de diffusion respectives, l'arme étant ici le lancement ou le maintien d'éditions locales dans le territoire du voisin. Le dernier épisode en fut, de 1979 à 1983, la guerre entre *Le Progrès* de Lyon et *Le Dauphiné libéré* de Grenoble : elle épuisa les deux adversaires et permit à R. Hersant de racheter le premier en 1983 et le second en 1985. La situation finit par se stabiliser et les zones de concurrence directe sont désormais très rares. Dès 1968, les grands régionaux passèrent des **accords de couplage publicitaire** avec les autres quotidiens de leur zone de diffusion. Par ces accords, l'ensemble des journaux associés offraient un seul support aux annonceurs nationaux et ce fut pour les petits quotidiens départementaux ou d'arrondissement une aide inespérée pour leur trésorerie. Bien souvent, ces accords publicitaires renforcèrent les liens entre le grand régional et ses plus petits concurrents et, dans les années 1980 et 1990, beaucoup de ces derniers finirent par se réfugier dans le giron d'un groupe. Ces groupes sont fort différents : parfois, les « petits » titres survivent et conservent, au moins pour les pages locales, une rédaction autonome ; souvent, l'ancien journal devient simplement une édition locale du grand régional. La structure de ces groupes est aussi fort complexe ; ils associent, avec bien des variantes, les moyens d'impression, la régie publicitaire, les services de distribution et la rédaction des titres associés. La plupart de ces quotidiens (34 sur 54), auxquels la loi interdit de paraître plus de six fois par semaine, ont désormais aussi un supplément dominical (ou du lundi en Alsace et en Moselle) qui s'enrichit souvent d'un magazine féminin et/ou de programmes de télévision nationale.

Ces groupes, de plus, ayant consolidé leur monopole régional en matière de presse, s'orientent désormais vers la diversification de leurs activités dans l'édition de livres et de guides, les radios, voire les télévisions locales, la télématique, les journaux gratuits...

Survivent toujours, au sein des zones de diffusion des grands régionaux, bien des quotidiens d'arrondissement, voire de canton, mais la plupart sont passés sous le contrôle de leur grand voisin. Restent les hebdomadaires locaux qui sont parfois intégrés dans les groupes des régionaux, mais qui conservent leur autonomie rédactionnelle et leur lectorat fidèle.

À la fin des années 1980, certains quotidiens parisiens, *Le Figaro*, *Libération* et *Le Monde*, ont tenté de créer des éditions locales pour la région lyonnaise : ces entreprises ont finalement échoué, car trop coûteuses et peu rentables. De même, à Toulouse, les tentatives de créer des journaux contre le monopole de *La Dépêche* (*Toulouse Matin, Courrier Sud, Le Journal de Toulouse*) furent éphémères. Plus originales, les tentatives de créer des *city magazines* mensuels ou bimensuels se multiplient avec des succès variables : certains de ces périodiques sont des organes militants qui cherchent à briser le monopole informatif du régional en place ; d'autres ont été créés par les régionaux eux-mêmes.

Tableau 30. - Quotidiens de province diffusant plus de 100 000 exemplaires (1981-2002)

	1981	1991	1997	2002	Évolution 2002/1981 (en %)
Ouest-France (Rennes)	702 252	794 058	786 907	785 113	+ 11,80
Sud Ouest (Bordeaux)	363 392	367 238	350 779	329 271	- 9,39
La Voix du Nord (Lille)	373 300	371 158	344 323	317 616	- 14,92
Le Progrès (Lyon)	321 346	386 659	266 441	263 246	- 18,08
Le Dauphiné libéré (Grenoble)	367 012	293 190	269 220	260 582	- 29,00
La Nouvelle République du Centre-Ouest (Tours)	281 663	266 398	259 025	243 606	- 13,51
La Montagne (Clermont-Ferrand)	249 739	244 048	224 690	215 468	- 13,72
L'Est républicain (Nancy)	258 192	243 085	225 243	212 575	- 17,67
La Dépêche du Midi (Toulouse)	255 126	228 249	210 563	207 348	- 18,73
Les Dernières Nouvelles d'Alsace (Strasbourg)	217 599	223 217	214 529	203 345	- 6,55
Le Télégramme de l'Ouest (Morlaix)	170 058	186 287	198 148	194 072	+ 14,12
La Provence (Marseille) (a)	170 515	156 912	145 103	168 661	- 1,09
Le Midi libre (Montpellier)	189 867	184 554	168 559	164 580	- 13,32
Le Républicain lorrain	205 179	193 908	179 702	161 871	- 21,11
Nice-Matin	255 612	261 055	237 265	137 543 (b)	- 46,19
L'Union (Reims)	134 400	110 935	133 810	120 947	- 10,01
L'Alsace (Mulhouse)	129 350	126 054	122 877	115 900	- 10,40
Le Courrier de l'Ouest (Angers)	113 884	107 464	107 783	101 174	- 11,16
Paris-Normandie (Rouen)	138 647	112 126	96 636	81 551	- 41,18

Source : OJD-DC.

(a) Ex-*Provençal* ; (b) 273 226 avec *Corse-Matin* et *Var-Matin*. NB : tous les titres sont nés à la Libération sauf *Le Progrès* (1859), *La Dépêche* (1870), *L'Est républicain* (1889) et *La Montagne* (1919).

Au total, les zones de concurrence où les lecteurs ont le choix entre plusieurs titres se rétrécissent de plus en plus. Outre les arrondissements ou les cantons sur les marges des grands fiefs où continuent à paraître les éditions rivales de deux ou trois régionaux, il existe encore des agglomérations où paraissent deux quotidiens (Lille-Roubaix, Nantes et Le Havre), mais ils sont contrôlés par le même groupe et ne se différencient que par leurs pages d'information locale. À Troyes, France Antilles et, à Pau, Sud Ouest ont laissé aux deux journaux qu'ils contrôlent une plus grande autonomie de gestion.

Pour se prémunir de toute tentative de prise de contrôle par des intérêts extérieurs, comme le furent dans les années 1970-1980 certains des journaux repris par le « papivore » Hersant, ainsi que de crises internes liées à des problèmes familiaux, parfois de succession, certaines sociétés ont adopté la forme de fondation, comme *La Montagne*, ou d'association à but non lucratif, comme *Ouest-France*[6]. Ces précautions sont d'autant plus naturelles que la conquête par R. Hersant de beaucoup de ses journaux avait montré les risques de rachat d'entreprises pourtant prospères, mais dont l'actionnariat de la société éditrice, trop dispersé ou mal contrôlé par la direction, permettait l'intrusion d'intérêts extérieurs, qui pouvaient finalement et à bon compte s'emparer de la majorité des parts. Les exemples fournis, entre autres, par *Paris-Normandie* en 1972, *Nice-Matin, L'Est républicain* en 1997 ou, plus récemment, *La Voix du Nord* en 2000-2002, ont démontré la relative fragilité de ces grandes entreprises de presse provinciales.

La crise du groupe Hersant, qui couvait depuis quelques mois, fut révélée par la mort de son patron en avril 1996 ; l'intégration du groupe Havas dans la CGE en 1997-1998 fut suivie par son retrait du capital des nombreuses entreprises de presse où il possédait des intérêts. Ceci, ajouté à des difficultés de succession dans quelques autres titres, dont les fondateurs de 1944-1945 avaient atteint l'âge de passer la main, a provoqué, à la fin des années 1990, un profond bouleversement dans le paysage de la presse provinciale : la présentation par régions de la situation permet d'esquisser le récit de ce remuement fin de siècle, même si la brièveté du propos ne peut rendre compte de tous les épisodes, ni exposer en détail l'enchevêtrement des intérêts financiers ou autres impliqués dans la défense ou la conquête des entreprises d'influence que sont les grands et petits journaux de province[7].

La répartition géographique

Le Midi méditerranéen

En moins d'un lustre, le paysage de la presse de la Provence au Roussillon a complètement changé. En 1982, R. Hersant entra dans le capital du *Midi libre* en échange de son apport de l'édition de *Centre Presse* de Rodez. La dispersion de son capital, où Havas et Hachette avaient aussi des parts, fragilisait l'entreprise, qui avait pourtant réussi à racheter *L'Indépendant* de Perpignan en 1987. Un grave conflit de cinq semaines, en juin-juillet 1997, entre la direction et les ouvriers du Livre qui s'opposaient à la modernisation, non négociée, de l'imprimerie et à celle de l'entreprise, aggrava la crise ; finalement, après bien des péripéties, différents partenaires (la BNP, *La Stampa*, *El País*...), emmenés par le groupe du *Monde*, prirent le contrôle de l'ensemble.

(6) *Ouest-France* est, depuis avril 1990, une société anonyme dont l'actionnaire à 99,97 % est une société civile, elle-même propriété à 99,90 % d'une association loi de 1901, l'Association pour le soutien des principes de la démocratie humaniste, dont le siège est à Rennes.

(7) Les chiffres de diffusion qui suivent les titres sont ceux que fournit Diffusion Contrôle pour 2002 : il s'agit de la diffusion totale France et étranger.

Le *Midi libre* (165 000 exemplaires) domine l'Hérault, le Gard, la Lozère ; *Centre Presse* (24 000 exemplaires) l'Aveyron ; *L'Indépendant* (69 000 exemplaires), vieux journal fondé en 1846 et réanimé en 1868, les Pyrénées-Orientales et il se partage l'Aude avec *Le Midi libre*. Sur l'inspiration d'une équipe parisienne, l'ensemble a progressivement concentré ses moyens de production et de gestion.

Après la Libération, trois titres se disputaient Marseille. *La Marseillaise,* communiste, survit encore difficilement et diffuse quelques dizaines (?) de milliers d'exemplaires. *Le Provençal*, socialiste, organe de Gaston Defferre, luttait contre *Le Méridional*, organe de droite. La mort du député-maire, en 1986, permit à Hachette de racheter les deux titres et, dix ans après, de les fusionner sous le titre commun de *La Provence* (169 000 exemplaires), qui, outre les Bouches-du-Rhône, se diffuse dans le Sud du Vaucluse et dans les Alpes-de-Haute-Provence. À Toulon, *Var-Matin* (87 000 exemplaires), héritier de *La République*, avait été racheté en 1961 par *Le Provençal.* En 1998, il a été vendu par Hachette à *Nice-Matin,* mais il conserve son autonomie rédactionnelle. *Nice-Matin* (137 000 exemplaires) fut longtemps dirigé par Michel Bavastro, qui le quitta en 1996 à l'âge de 90 ans : sa société, divisée entre des intérêts familiaux divergents, fut acquise fin 1997-début 1998 par le groupe Hachette-Lagardère. Celui-ci domine donc des Alpes au Rhône, mais il n'a pas pu s'étendre sur tout l'arc méditerranéen. L'achat de *Nice-Matin* a mis un terme à la concurrence entre les éditions corses de Nice (*Corse-Matin*) et de Marseille (*La Corse*) : *Corse-Matin* est le seul quotidien de l'île, qui compte cependant, avec *Le Journal de la Corse,* un des plus vieux hebdomadaires de France.

Le Midi aquitain

Deux villes et leurs journaux dominent le Sud-Ouest garonnais et pyrénéen. Chacun de ces deux groupes, héritiers d'une vieille tradition, est contrôlé par des capitaux familiaux et a su jusqu'ici résister aux pressions des autres *holdings* de la presse nationale.

À Toulouse, *La Dépêche du Midi*, fondée en 1870 (207 000 exemplaires), vieux journal de tradition radicale, est majoritairement (à 67 %) propriété de la famille Baylet, qui dirige le groupe. Elle domine la Haute-Garonne, l'Ariège, l'Ouest de l'Aude et de l'Aveyron, le Tarn, le Lot, le Tarn-et-Garonne, le Gers, les Hautes-Pyrénées avec *La Nouvelle République des Pyrénées* de Tarbes (13 600 exemplaires) et contrôle aussi *Le Petit Bleu* d'Agen (12 500 exemplaires) ainsi que *Midi olympique*, l'hebdomadaire du rugby (76 000 exemplaires).

À Bordeaux, *Sud Ouest* (329 000 exemplaires), qui est un peu l'héritier de *La Petite Gironde* de la IIIe République, propriété à 80 % de la famille Lemoine, a perdu son directeur, Jean-François Lemoine, en février 2001. L'entreprise s'est installée en 2002 dans des locaux très modernes et a alors adopté le format tabloïd pour sa nouvelle formule. Le groupe a maintenu la parution, avec des rédactions autonomes, de *La Charente libre* à Angoulême (40 000 exemplaires), de la *Dordogne libre* à Périgueux (5 800 exemplaires) et, à Pau, des deux quotidiens *La République des Pyrénées* (31 200 exemplaires) et *L'Éclair* (catholique) (9 200 exemplaires). Les limites du journal sont au Nord les Charentes, à l'Est la Dordogne et l'Ouest du Lot-et-Garonne, sans parler évidemment de la Gironde, des Landes et des Pyrénées-Atlantiques.

Sud Ouest a aussi un secteur d'édition, un réseau de plusieurs dizaines de journaux gratuits et des intérêts dans l'audiovisuel régional. Le pays Basque a perdu les quotidiens qui y avaient pourtant survécu jusqu'en 1975.

Le Massif central

La Montagne de Clermont-Ferrand (215 000 exemplaires) a été fondé par Alexandre Varenne en 1919 et maintenu par sa veuve Marguerite jusqu'en 1990, date où elle le confia à une fondation destinée à protéger son indépendance et celle des titres voisins, qui sont associés dans le groupe Centre presse : *Le Populaire du Centre*, né en 1905, vieux journal socialiste de Limoges (49 000 exemplaires), *Le Journal du Centre* de Nevers (33 000 exemplaires), *Le Berry républicain* de Bourges (34 000 exemplaires), repris en 1981 au groupe Hersant. Ce groupe fort dynamique accorde des prix à des journalistes de la presse régionale. Quant à *Centre Presse* de Poitiers (21 000 exemplaires), il a été vendu en 1996 par le groupe Hersant à *La Nouvelle République du Centre-Ouest* de Tours. *L'Écho du Centre*, journal communiste de Châteauroux, et son édition pour l'Indre, *La Marseillaise du Berry*, ont tenté, en 1994, de survivre en se dégageant du PCF, non sans difficultés.

Rhône-Alpes - Bourgogne

R. Hersant a réussi à mettre la main, en 1982, sur *Le Progrès de Lyon*, vieux titre fondé en 1859, et, en 1985, sur *Le Dauphiné libéré,* né en 1944, épuisés par leur rivalité. Il étendit le bloc ainsi créé en reprenant par la suite, de 1990 à 1991, le journal de Chalon-sur-Saône, ceux de Dijon, et en transformant celui de Saint-Étienne en une simple édition du *Progrès*. Cet ensemble fortement endetté n'est pas le fleuron le plus prospère de la Socpresse. *Le Progrès* (263 000 exemplaires) rayonne dans le Rhône, la Loire, l'Ain, et patronne un journal « sérieux », *Lyon Matin* (3 500 exemplaires). *Le Dauphiné libéré* (260 000 exemplaires) couvre les deux Savoie, l'Isère, les Hautes-Alpes, la Drôme et l'Ardèche. À Dijon, *Le Bien public-Les Dépêches* est né de la fusion de deux titres longtemps rivaux (54 000 exemplaires). *Le Journal de Saône-et-Loire* de Chalon (67 000 exemplaires) couvre son département. À Auxerre, *L'Yonne républicaine* (40 000 exemplaires) a su conserver son indépendance et son statut de société coopérative ouvrière de production.

L'Est

En Alsace, dans un territoire densément peuplé, la vente par portage assure aux deux quotidiens un lectorat nombreux et fidèle.

Le vieux journal de Mulhouse, *L'Alsace* (116 000 exemplaires), propriété du Crédit mutuel d'Alsace depuis 1982, dessert le Haut-Rhin – mais il se heurte dans l'arrondissement de Colmar aux éditions des *Dernières Nouvelles d'Alsace* – et le Territoire de Belfort.

Les Dernières Nouvelles d'Alsace (203 000 exemplaires) sont nées en 1877 et furent reprises en 1919 par la Librairie Quillet. Elles ont éliminé progressivement leurs concurrents locaux, mais n'ont jamais pu déborder en Lorraine. Reprise en 1987 par le groupe Hachette, l'entreprise est passée depuis cette date, successivement, en 1993[8] sous le contrôle du groupe France Antilles, puis en mai 1997, de *L'Est républicain* de Nancy et est enfin retombé avec celui-ci, sous la coupe de *France Antilles* en 1998-1999.

L'Est républicain (213 000 exemplaires) a finalement pris en 2001 la propriété de *La Liberté de l'Est* d'Épinal (29 500 exemplaires), qui conserve son autonomie rédactionnelle, et celle du *Journal de la Haute-Marne* (27 000 exemplaires).

Au total, le groupe de *L'Est républicain* (France Antilles) domine en Meurthe-et-Moselle, en Haute-Saône, en Haute-Marne, dans les Vosges, le Doubs et la Meuse.

Limité au Nord par le Luxembourg et la Sarre, au Sud par *L'Est républicain* et à l'Ouest par *L'Union* de Reims qui domine dans les Ardennes, *Le Républicain lorrain* de Metz (162 000 exemplaires) de la famille Puhl-Demange est réduit au département de la Moselle et aux cantons du Pays Haut de la Meurthe-et-Moselle. Dans les années 1980, ses tentatives pour prendre le contrôle de *L'Est républicain* à la famille Lignac ont échoué : elles sont à l'origine du grand remuement de la propriété des journaux de la région.

Champagne-Ardenne - Picardie

L'absence d'une grande métropole a conduit à la publication de plusieurs journaux autour des villes moyennes.

À Troyes, *L'Est Éclair* (29 000 exemplaires) et *Libération Champagne* (8 200 exemplaires) sont tombés sous la tutelle de *L'Est républicain*.

À Reims, *L'Union* (121 000 exemplaires), née à la Libération sous l'égide du Comité départemental de libération, a conservé ce patronage résistant jusqu'à son rachat en 1982-1985 par le groupe Hersant, qui, après avoir repris *L'Ardennais* de Charleville à *L'Est républicain*, en a fait une simple édition du journal de Reims : *L'Union* se vend aussi dans le Sud de l'Aisne.

(8) On craignit un temps, dans les années 1996-1998, que les DNA ne soient reprises par un groupe de presse allemand !

À Saint-Quentin, *L'Aisne nouvelle,* qui paraît six à sept fois par mois (25 000 exemplaires), est éditée par *La Voix du Nord*.

À Amiens, *Le Courrier picard* (70 000 exemplaires), créé en 1944, longtemps édité par une société coopérative ouvrière, a fini par tomber dans les années 1990 sous le contrôle de *La Voix du Nord* : il se diffuse dans la Somme et dans l'Oise, où il se heurte, dans le Sud du département, à la concurrence active des éditions du *Parisien*.

Nord - Pas-de-Calais

Dans ces deux départements fortement et densément peuplés, *La Voix du Nord* (318 000 exemplaires) domine largement. Son histoire récente est caractéristique de la fragilité de la propriété d'un grand journal prospère dont les capitaux trop modestes et trop dispersés peuvent être assez facilement rachetés par un « prédateur » extérieur.

Le quotidien communiste *La Liberté* est mort en 1992. *Nord Matin*, socialiste, repris en 1967 par le groupe Hersant, a été absorbé en 1993 par *Nord-Éclair* (53 000 exemplaires), vieux journal démocrate-chrétien de Roubaix-Tourcoing, lui-même absorbé en 1975 par la Socpresse.

À partir de 1997-1998, la société de *La Voix du Nord* fut agitée par une série de querelles internes, à la suite desquelles le puissant groupe Rossel (*Le Soir* de Bruxelles...), lui-même associé à la Socpresse, prit une part croissante dans le capital du journal de Lille, en septembre 2002, alors qu'il en contrôlait quelque 75 %, dont il céda 50 % à la Socpresse, malgré les multiples conflits et procès qui continuent à contester la régularité de ces cessions successives. Avec *La Voix du Nord*, le groupe encore mal stabilisé Socpresse-Rossel étend son fief d'Amiens à la frontière belge et mord même assez largement sur le pays wallon et à Bruxelles. À Calais, *Nord Littoral* (8 500 exemplaires) est aussi lié à ce vaste ensemble.

La Normandie

Les départements normands sont, avec le Massif central, la zone où se sont le mieux maintenus les hebdomadaires locaux de canton ou d'arrondissement, qui résistent bien à la concurrence. Même lorsqu'ils sont rachetés par les groupes de grands quotidiens, ils conservent leur autonomie rédactionnelle et leur clientèle. La Basse-Normandie est en réalité le domaine du groupe breton de *Ouest-France* (Caen est une des rares villes de son importance à ne pas avoir pu conserver un quotidien) et la Haute-Normandie (Seine-Maritime et Eure) est divisée entre les quotidiens du Havre, cantonnés dans leur arrondissement, et celui de Rouen. Après s'être longtemps opposés, les deux quotidiens du Havre, nés tous deux à la Libération – l'un à gauche, *Le Havre libre* (17 500 exemplaires), l'autre à droite, *Le Havre Presse* (14 500 exemplaires) –, ont aujourd'hui un contenu très comparable sous la tutelle de France Antilles (celui-ci depuis 1969, celui-là depuis 1981). *Paris-Normandie*, né en 1944, fut le premier grand régional à tomber en 1982 sous la coupe de R. Hersant. Le rachat de ce journal, issu de la Résistance, fit à l'époque beaucoup de bruit : il ne lui fut que modérément bénéfique puisque sa diffusion est en baisse constante (81 551 exemplaires en 2002 contre 162 000 en 1972). Dans le Sud de sa zone, dans les Yvelines, les éditions du *Parisien* dominent largement... et *Ouest-France* vient d'acquérir, dans l'Eure, des hebdomadaires locaux, aux portes de la grande région parisienne.

Dans le Nord du Cotentin, *La Presse de la Manche* (27 000 exemplaires), reprise par *Ouest-France* en février 1990, conserve une rédaction autonome et fort active.

Les pays de la Loire

Toutes les grandes villes de la vallée de la Loire conservent leur quotidien.

À Orléans, *La République du Centre* (54 000 exemplaires), qui avait été reprise en partie par le journal de Tours, est depuis peu associée au groupe parisien Amaury, qui contrôle plus du tiers de ses parts : ce dernier, qui a repris en 1999 *L'Écho républicain* de Chartres (31 000 exemplaires), prépare une mise en commun des moyens techniques des deux journaux ; il tente donc d'étendre son influence à l'Est et au Sud de la région parisienne.

À Tours, *La Nouvelle République du Centre-Ouest* (244 000 exemplaires), qui contrôle aussi *Centre Presse* à Poitiers, rayonne sur l'Indre-et-Loire, le Loir-et-Cher, la Vienne et une partie du Cher.

Le journal du Mans, *Le Maine libre* (49 000 exemplaires) et celui d'Angers, *Le Courrier de l'Ouest* (101 000 exemplaires), furent, en 1992, cédés à la Socpresse par le groupe Amaury. Celle-ci visait à créer avec les deux quotidiens nantais qu'elle contrôlait déjà, *Presse Océan* (57 000 exemplaires) et *L'Éclair* (4 300 exemplaires), un ensemble cohérent : les difficultés pour harmoniser et concilier un ensemble aussi hétérogène n'ont pas donné, jusqu'ici, de résultats bien convaincants.

La Bretagne

Irréductiblement décidé à résister au géant de Rennes, *Le Télégramme* (194 000 exemplaires) de la famille Coudurier, édité à Morlaix, fait preuve d'un beau dynamisme. Avec ses dix-sept éditions, il domine le Finistère et l'Ouest des Côtes-d'Armor et du Morbihan, où la disparition, en 1995, de *La Liberté du Morbihan* du groupe Hersant a créé un vide autour de Lorient. Il a une diffusion « mondiale », car il est un peu aussi le journal de la Marine nationale.

Depuis Rennes, avec sa quarantaine d'éditions qui concernent tout le pays gallo et la Basse-Normandie, *Ouest-France* (785 000 exemplaires) est le plus grand journal français et l'un des mieux équipés. Ses actionnaires, dont la famille Hutin-Desgrée du Lou, ont su protéger l'indépendance de leur entreprise. Celle-ci s'est diversifiée dans l'édition, dans les journaux gratuits par les activités du groupe Spir-Carillon, et dans la télématique. Il a été un des derniers en France à se doter, en novembre 1997, d'un supplément du dimanche. *Ouest-France* contrôle aussi, tout en leur laissant une large autonomie de gestion et de rédaction, des dizaines d'hebdomadaires locaux dans l'Ouest et jusqu'aux portes de la région parisienne. Il a, en janvier 2001, repris les dix-sept titres du groupe Méaulle.

Les quotidiens des Dom-Tom

Depuis 1964, le groupe Hersant, appuyé sur des intérêts locaux, a peu à peu pris le contrôle des grands quotidiens des Dom-Tom : *France Antilles* et son supplément *Le Journal de la Guyane, Les Nouvelles calédoniennes, La Dépêche de Tahiti* et *Les Nouvelles de Tahiti*. À la Réunion, il a des intérêts dans *Le Quotidien* (33 000 exemplaires). La vigueur des luttes politiques dans ces îles et territoires provoqua épisodiquement la production de titres concurrents.

CHAPITRE 11

...et les périodiques

L'étal bariolé des boutiques de presse n'offre jamais qu'une image incomplète de l'infinie variété du monde des périodiques (voir chapitre 1). Aussi bien, par manque d'espace, de nombreux titres n'y trouvent pas leur place et bien d'autres n'empruntent pas le canal des messageries pour se diffuser.

Les limites de leur marché sont incertaines : dans ses franges basses, la masse des bulletins se confond avec celle des circulaires et feuilles volantes et relève en fait du monde de la correspondance ; dans ses franges hautes, les revues et autres publications à périodicité longue avec celle des livres et des brochures et participe plus au monde de l'édition de librairie que de la presse *stricto sensu*.

L'ardeur de la concurrence entre les groupes éditeurs de magazines et l'imagination d'éditeurs isolés usent, depuis plusieurs lustres, des merveilleuses possibilités que les techniques conjuguées de la composition électronique, de l'impression en couleur et de l'infographie leur offrent pour transformer la physionomie des périodiques et séduire leurs publics ; certains, depuis 2002, ont un second format « de poche ».

Le classement de ces milliers de titres est encore plus délicat que celui des quotidiens, et les multiples critères utilisables pour ordonner cette extraordinaire diversité accroissent encore la difficulté de leur présentation.

Les années 2001 et 2002 furent, en général, dures pour le marché des magazines, qui avait au contraire été florissant dans le lustre précédent. La régression de la publicité et la crise économique en sont sans doute la cause principale, mais aussi peut-être parfois une certaine lassitude des lecteurs devant le manque d'originalité de certaines formules, qui sacrifient au brillant de la forme la densité du contenu.

Une des caractéristiques de l'évolution du journalisme récent des magazines est le recours au style *people*, comme dans les publications du groupe Prisma Presse dans les années 1980, à l'exemple des magazines allemands, mais aussi anglo-saxons. Certes, l'exploitation sous forme d'échos sur la vie des vedettes du spectacle ou des notoriétés du « grand monde » est une très vieille tradition française, mais le recours systématique à ce journalisme d'indiscrétion (au moins en apparence) que, dès l'avant-guerre, avaient pratiqué *Voilà* et

Cinémonde (ici inspirés par les magazines américains de cinéma) ou *Confidences* (ici aussi copié des *true stories* américaines) et qui fit florès après guerre avec *Ici Paris, France Dimanche* et *Samedi Soir*, a pris, aux temps nouveaux de la télévision et donc de la personnalisation croissante des vedettes, une ampleur débordante. Nos vieux magazines « à sensation » ont dû changer de style et copier les tabloïds britanniques et les magazines « d'intérêt humain » américains comme *People* ou *National Inquirer*. Cette mode n'affecte pas que les publications de divertissement ; elle atteint aussi, de plus en plus, le journalisme politique : la vie privée des hommes politiques est de plus en plus dévoilée, comme si leur image ne pouvait plus se construire uniquement à partir de leur action et de leur parole publiques. Il semble que séduire devienne progressivement plus important que convaincre et que les « gens » soient désormais plus intéressants que les faits, que le « vécu » serve de pierre de touche aux analyses des problèmes du monde, que le « choc des photos » l'emporte sur le « poids des mots ». La popularité s'acquiert autant dorénavant en suscitant des réflexes de sympathie ou de compassion pour un personnage que par adhésion à un programme ou à une action.

Outre la périodicité, le format et la pagination, qui sont des caractéristiques évidemment distinctives des titres et des catégories, le prix est moins discriminant dans la mesure où les publications « haut de gamme », luxueux magazines de bibliothèque, souvent largement pourvus en publicité, se distinguent plus par leurs qualités formelles, et accessoirement rédactionnelles, que par leur prix.

Quant aux critères de contenu, toujours liés au lectorat et aux types d'annonceurs recherchés, on peut *grosso modo* les classer en trois grandes catégories, non sans de multiples nuances qui rendent souvent très floues les limites des genres. D'abord, les publications qui consacrent l'essentiel de leurs rubriques à rendre compte de l'actualité générale ou sectorielle ; ensuite, à leur opposé, celles qui sont surtout destinées à distraire et dont les contenus n'ont donc que peu de rapport direct avec la vie du monde, en recourant aux jeux ou à la fiction – mais on peut aussi traiter l'actualité sous forme romanesque et la réalité se déguise souvent en fiction – ; enfin, celles qui ont une fonction d'assistance à l'exercice d'un métier ou d'une occupation. Autrement dit, les publications d'informations générales, celles de divertissement et celles de documentation technique ou professionnelle[1].

La présentation des périodiques, tentée dans les pages suivantes, adoptera donc successivement comme catégories : les périodiques d'information générale, les périodiques d'informations spécialisées par contenu et par lectorat, les périodiques d'évasion, les périodiques de documentation. Mais il reste en-

(1) On retrouve la même distinction en Allemagne entre, d'une part, les *Zeitungen,* qui intègrent aussi bien les quotidiens *(Tageszeitungen)* que les périodiques d'information générale et, d'autre part, les *Zeitschriften* (magazines) et les *Fachzeitschriften* (revues professionnelles).

tendu que cette classification est forcément arbitraire et pourrait être valablement discutée tant l'identité de chaque titre est trop complexe pour se laisser réduire à une caractéristique unique.

■ Les périodiques d'information générale

■ Les hebdomadaires locaux

La multiplication, depuis les dernières années du XIXe siècle, des éditions locales des quotidiens des métropoles régionales ont réduit notablement le nombre des journaux, hebdomadaires, bi- ou trihebdomadaires, qui avaient auparavant satisfait les besoins d'informations locales du monde des villages et des bourgs et servi de support aux annonces locales, légales ou commerciales, des cantons ou des arrondissements ruraux. En 1914, on en comptait plusieurs milliers, et encore quelque 900 en 1939. En 2000, DDM en recense encore 245 (plus 64 journaux d'annonces légales) et, en 2001, 260, plus 62 journaux d'annonces légales ; en 2002, 203 se soumettent au contrôle de Diffusion Contrôle, dont un bihebdomadaire et trois bihebdomadaires, qui diffusent ensemble quelque 2 millions d'exemplaires.

Le très dynamique Syndicat de la presse hebdomadaire régionale a obtenu que, depuis 1995, l'État soutienne leur modernisation. Depuis une décennie, leur marché semble avoir retrouvé un certain dynamisme. Si plus de la moitié sont encore propriété d'une société indépendante, souvent familiale, un nombre croissant d'entre ces publications sont désormais reprises par les quotidiens de province qui, par respect pour les habitudes des lecteurs ruraux, maintiennent leur parution et leur autonomie rédactionnelle. La densité de leur répartition est très inégale : très rare dans le Midi, le Nord et l'Est, elle est très forte en Normandie, dans le Centre et dans la grande banlieue parisienne. Les titres les plus achalandés sont : *La Manche libre* de Saint-Lô (67 900 exemplaires), *Le Courrier cauchois* d'Yvetot (41 800 exemplaires), *Le Pays roannais* (32 900 exemplaires), *Le Républicain de Seine-et-Marne* de Melun (31 800 exemplaires), *Le Messager de Thouars* (27 031 exemplaires)...

Dans les grandes villes, ce type de publication a disparu, sauf parfois dans leur banlieue. Plus récemment, après 1975, parfois soutenus par un groupe rival comme à Toulouse, à Montpellier et à Nantes, ou animés par une petite équipe de contestataires du cru en opposition aux élus et au(x) grand(s) quotidien(s) local(aux), quelques titres sont apparus, dont la vie est incertaine. À Lyon, pour se protéger contre un tel risque, *Le Progrès* édite depuis 1995 *Lyon Capitale*. Les magazines mensuels de ville tentent de s'implanter : leur modèle est *Lyon Mag* (22 000 exemplaires).

Faut-il compter comme supports de ce journalisme de proximité les milliers de bulletins municipaux gratuits au service des municipalités en place, dont

on dit qu'ils touchent mensuellement ou trimestriellement plus de 15 millions de foyers ?

Les journaux du septième jour

Comblant l'interruption obligatoire hebdomadaire de parution, ces journaux, édités par les quotidiens régionaux, sont désormais pratiquement présents dans la France entière. Ils souffrent du lourd handicap de la fermeture des réseaux ordinaires de diffusion le dimanche, peut-être aussi du besoin des individus d'oublier en fin de semaine les soucis des jours de travail. On en comptait 23 titres en 1985, contre 34 en 2000, qui diffusent quelque 2,4 millions d'exemplaires. La création, à la fin des années 1970, de suppléments, magazines (de télévision ou féminins) ou autres, ajoutés au numéro du samedi a aussi freiné le marché du dimanche : ces suppléments, à eux seuls, représentent un quart de la diffusion totale des magazines. En France, les ventes des journaux du septième jour n'atteignent que 53 % de celles des quotidiens de la semaine contre 89 % pour les journaux du dimanche en Grande-Bretagne et 107 % aux États-Unis. En Allemagne, en France, en Italie et en Espagne, la presse du septième jour est peu développée.

À Paris, *Le Journal du dimanche* (295 000 exemplaires) du groupe Lagardère, au contenu d'excellente qualité, a finalement bien résisté à la concurrence récente des deux organes du groupe Amaury, *Le Parisien Dimanche* (184 000 exemplaires) et *L'Équipe Dimanche* (312 000 exemplaires).

Les feuilles doctrinales

Les partis politiques n'ont pas assez de militants pour entretenir un quotidien et les annonceurs répugnent à confier leur publicité à des journaux trop engagés. Le Parti socialiste a perdu son organe, *Le Populaire*, en 1969 et le Parti communiste a le plus grand mal à maintenir *L'Humanité* en vie. Les quotidiens nationaux ou provinciaux revendiquent tous leur indépendance par rapport aux partis politiques, lors même qu'ils avouent ou expriment leurs préférences idéologiques. Même dans le monde des hebdomadaires ou mensuels, la presse « d'opinion » partisane est de moins en moins présente sur le marché[2]. À l'extrême droite, la multiplicité des titres n'est pas l'indice de leur prospérité. Leur histoire est marquée par de multiples ruptures et le Front na-

(2) Dès 1962, le Parti gaulliste avait soutenu *La Nation*, alors quotidien, puis *La Lettre de la Nation*, qui disparut en 1979. Le Parti socialiste avait aussi remis à son service *L'Unité* de 1972 à 1986, puis a tenté de soutenir *Vendredi* en 1988. Le PCF a dû fortement réduire son appareil de presse. *France nouvelle* et *La Nouvelle Critique* ont, en 1980, fusionné en *Révolution*, qui devint *Regards* en 1995. *L'Humanité Dimanche* n'est plus que *L'Humanité hebdo* et elle est réduite à une (maigre) vente militante.

tional n'est pas forcément le fédérateur d'une masse de titres souvent marqués par la nostalgie et l'intégrisme religieux[3]. Reste que désormais, pour tous les partis politiques comme pour les associations diverses, les bulletins intérieurs sont souvent relayés par des circulaires ou des informations diverses diffusées par des sites internet.

En dehors des partis politiques, bien des groupes idéologiques et religieux possèdent leurs propres moyens d'expression périodiques. Les catholiques, en dehors des magazines et revues édités par les groupes de presse catholiques, trouvent dans *La France catholique* ou *L'Homme nouveau* l'expression d'un catholicisme conservateur et dans le bimensuel *Golias* celle d'un catholicisme critique. Restent aussi les centaines de bulletins paroissiaux qui diffusent ensemble près de 2 millions d'exemplaires et des semaines religieuses, présentes sous des titres divers et en dépendance souvent directe de l'évêque dans tous les diocèses. *L'Actualité des religions,* née en 1953, est une revue œcuménique du groupe PVC : elle est devenue, en septembre 2003, avec la participation du *Monde*, *Le Monde des religions*.

Les protestants éditent, depuis 1945, *Réforme* et *Le Christianisme (au XXIe siècle)* depuis 1971.

Les israélites disposent aussi de nombreuses publications, dont deux mensuels : *La Tribune juive*, née en 1971 mais abandonnée en mai 2003 (6 450 exemplaires), et *L'Information juive*, organe du Consistoire depuis 1948.

Les grandes centrales syndicales, en plus de leurs multiples bulletins sectoriels et/ou locaux, ont chacune un organe national : *NVO – La Nouvelle Vie ouvrière* – (CGT), *Force ouvrière* (CGT-FO), *Syndicalisme hebdo* (CFDT), *Encadrement Magazine* – ex-*Voix des cadres* – (CFE-CGC)...

▪ La presse d'échos et satirique

Depuis *Le Mercure français* de l'Ancien Régime, le journalisme d'indiscrétion et, depuis *Le Charivari* (1833), de caricature a tenu une place notable dans la presse française. *Le Canard enchaîné*[4], né en 1915, hebdomadaire, a repris

(3) Ces publications ne sont pas contrôlées par Diffusion Contrôle, se diffusent peu en boutiques de presse ordinaire, et leurs responsables sont souvent peu disposés à fournir des renseignements. De vieux titres survivent, comme *Minute,* fondé en 1962, *Rivarol,* né en 1951, ou *L'Action française* (longtemps titrée *Aspects de la France*). *Présent,* né quotidien en 1982, sous la devise « Dieu-famille-patrie », continue à paraître cinq fois par semaine. Le Front national édite *Français d'abord* (bimensuel *bulletin interne*) et participe, sans qu'il puisse apparaître comme l'organe officiel du parti, à *National Hebdo* (1984). Reste la masse des dizaines de publications locales, souvent confidentielles.

(4) Cf., dans la bibliographie, L. Martin.

cette tradition. Impertinent, indépendant puisque propriété d'une quasi-coopérative de ses journalistes, rédigé par une équipe de quelque 70 rédacteurs et dessinateurs, il refuse la publicité. Il paraît hebdomadairement sur huit pages : son lectorat a, dans le temps, évolué au gré de la conjoncture politique. Sous le ton humoristique de ses chroniques et le trait satirique de ses dessins, le sérieux de ses révélations est rarement pris en défaut. Il diffusait 371 000 exemplaires en 1990, 506 000 en 1995, 429 000 en 2000 et 424 182 en 2001, dont 11,5 % d'abonnés ; cette année-là, ses ventes se firent dans la région parisienne à 28,6 %, dans les départements à 65,8 % et à 5,6 % à l'étranger. *Les Dossiers du Canard*, trimestriels, se sont vendus à 72 000 exemplaires. Au total, une entreprise de presse très prospère.

À droite, *Minute,* né en 1962, organe de la rancune des « pieds-noirs », a perdu beaucoup de son audience et survit comme organe d'une droite extrême.

Hara-Kiri, contestataire né en 1960, autour d'une équipe de rédacteurs et de dessinateurs iconoclastes, a eu une existence tumultueuse autour du « professeur Choron » (Bernier) et de Cavanna, qui en firent, en 1969, *Charlie Hebdo*. Son succès fut notable, mais s'interrompit en 1981. *La Grosse Bertha* reprit une partie de son ancienne équipe. Des dissensions internes conduisirent, en 1993, à faire renaître *Hara-Kiri,* qui vécut mal et peu et, en juin 1992, *Charlie Hebdo,* qui poursuit sa carrière avec Philippe Val comme rédacteur en chef, Gérard Biard et Bernard Maris (« oncle Bernard ») comme rédacteurs en chefs adjoints, et une pléiade de dessinateurs : Wolinski, Cabu... Sa diffusion avoisine les 70 000 exemplaires.

Les magazines d'informations générales

L'entre-deux-guerres avait connu de grands magazines politico-littéraires : *Candide, Vendredi, Gringoire, Marianne, Je suis partout, La Lumière...* La tradition fut reprise sous la IVe République, mais ce n'est qu'après 1962, avec la fin de la guerre d'Algérie, que s'imposa dans ce créneau la formule des *news magazines*, copies de *Time* et de *Newsweek* américains. Ces magazines, visant la clientèle des jeunes cadres « dynamiques », a eu un grand succès ; elle attira aussi les annonceurs très intéressés par cette cible aisée et fortement consommatrice.

L'Express fut créé en 1953 par Jean-Jacques Servan-Schreiber et Françoise Giroud. Cet hebdomadaire mendésiste perdit une bonne part de ses lecteurs après la signature des accords d'Évian en 1962. Il adopta alors la formule de *Newsweek* et son succès fut considérable auprès des lecteurs et des annonceurs. Sa diffusion atteignit 600 000 exemplaires en 1972, puis baissa au gré des foucades politiques de J.-J. Servan-Schreiber. Ce dernier céda l'affaire en mars 1977 à un homme d'affaires anglais, Jimmy Goldsmith, qui orienta le magazine à droite avec Raymond Aron. En 1988, *L'Express* fut repris par le groupe Alcatel et remonta à 554 000 exemplaires ; racheté par le groupe Havas en

1995, il tombait donc, avec *Le Point,* dans les mains du groupe CGE-Vivendi qui finit par le vendre avec *L'Expansion,* en octobre 2002, à la Socpresse financée par Serge Dassault... Il diffusait, en 2002, à 554 716 exemplaires avec son édition belge *Le Vif* (113 000 exemplaires).

Tableau 31. - Quelques grands périodiques d'information générale (1981-2002) (tirage en nombre d'exemplaires)

Source : OJD-DC

(a) Chiffres fournis par le journal lui-même.

Création	Titre	1981	1991	2000	2002
1953	L'Express	506 865	580 208	554 996	554 716
1950	Le Nouvel Observateur	384 861	309 974	501 444	544 401
1972	Le Point	336 201	415 966	323 915	358 909
1956	Valeurs actuelles	113 250	(90 000)	86 764	95 876
1915	Le Canard enchaîné (a)	468 517	396 622	429 000	n.c.
1949	Paris Match	919 223	861 845	770 426	707 678
1977	VSD	334 564	293 068	235 909	230 963
1945	La Vie	338 637	249 534	219 481	203 824
1983	Le Pèlerin Magazine	482 821	346 102	310 107	302 259
1990	Courrier international	—	(95 000)	125 803	166 695
1954	Le Monde diplomatique	n.d.	n.d.	193 804	230 358

Le Nouvel Observateur est l'héritier de *France Observateur*, organe d'une gauche non communiste et critique à l'égard de la SFIO ; né en 1950, il adopta la nouvelle formule en 1964, lorsque l'industriel Claude Perdriel renfloua l'hebdomadaire. Le renouveau du Parti socialiste, dont il restait indépendant, lui profita sous la direction de Jean Daniel (venu de *L'Express*). Sa diffusion passa de 340 000 exemplaires en 1976 à 385 000 en 1981 et, après une nette baisse dans les années 1980, remonta, grâce en particulier à son supplément *Télé Obs*, à 471 000 exemplaires en 1996, et 544 000 exemplaires en 2002. *Le Nouvel Observateur* a créé un supplément pour la région parisienne. C. Perdriel contrôle aussi le magazine économique *Challenges* et *Sciences et avenir*. Son groupe a échangé 5,5 % de ses parts avec 6 % de celles du groupe Le Monde.

Le Point est né en 1972 d'une scission de la rédaction de *L'Express*. Commandité à l'origine par Hachette, puis en 1982 par Gaumont, puis par la Générale occidentale en 1993, son équipe, autour de Claude Imbert, sut conserver son indépendance et trouver le succès : 250 000 exemplaires en 1976, 336 000 en 1981, 318 000 en 1988. Il fut en 1995, repris par la CEP (Havas) et intégré dans le groupe Générale des eaux. Il finit par être racheté en 1997 par le groupe de François Pinault ; Franz-Olivier Giesbert en devint le directeur de la rédaction après avoir quitté *Le Figaro*. En 2002, revigoré, *Le Point* diffuse 359 000 exemplaires.

Raymond Bourgine a repris, en 1956, le vieil hebdomadaire *Aux Écoutes de la finance,* qu'il transforma en *Finance,* et créa un petit groupe de presse, Compagnie française de journaux, devenu Valmonde en 1982, avec *Le Spectacle du monde*, mensuel en 1962 (39 500 exemplaires) et *Le Journal de la finance*. Ce groupe, repris en 1993 par Fimalac (Financière Marc Ladreit de La Charrière), fut racheté par Serge Dassault en 1998, qui revint ainsi dans le monde de la presse, où son père avait déjà pénétré avec *Jours de France*, avant de prendre une forte participation dans la Socpresse. *Valeurs actuelles*, orienté à droite, se vend pour l'essentiel par abonnements (96 000).

Témoignage chrétien, organe de la résistance catholique, créé en 1941 par le père jésuite Pierre Chaillet, continue depuis soixante ans à témoigner contre les dérives de la société et de la politique, et à défendre les valeurs spirituelles du christianisme. En 2000, *Le Monde diplomatique* et Les Publications de la Vie catholique sont entrés dans son capital.

Fondé en novembre 1990, *Courrier international* est une sorte de revue en français de la presse internationale, dont l'originalité et le succès s'affirment d'année en année : il s'appuie sur un réseau très étendu de correspondants. À l'origine sous le patronage de Havas, il est aujourd'hui une filiale du groupe Le Monde (1997 : 107 000 exemplaires ; 2002 : 167 000, dont 7 % à l'étranger).

Le Monde diplomatique, fondé en 1954 comme supplément du *Monde*, ce mensuel, dont la rédaction fut toujours autonome, est devenu en 1996 une filiale du groupe Le Monde, qui contrôle 51 % de ses parts et s'est installé dans ses propres locaux depuis 2002. Il est très ouvert sur le tiers-monde et opposé à la mondialisation libérale ; sa diffusion (1998 : 183 000 exemplaires ; 2002 : 230 000 dont 29 % à l'étranger) est en nette progression.

Né en 1984, *L'Événement du jeudi* de Jean-François Kahn atteignit son apogée en 1993 avec 210 000 exemplaires, puis déclina sous des directions diverses et, après quelques avatars, faute de publicité et de lecteurs, disparut en 2000. J.-F. Kahn créa fin 1994 un nouveau magazine indépendant, *Marianne*, fait d'articles courts et de rubriques d'idées, qui diffusait encore près de 200 000 exemplaires en 2000, et poursuit sa carrière malgré la faiblesse de ses recettes publicitaires.

En marge de ces *news magazines* bien installés, bien des magazines d'enquêtes et d'idées, hebdomadaires ou mensuels, ont pu trouver épisodiquement leur place sur le marché comme *Actuel* (1969-1975 puis 1979-1994) de Jean-François Bizot, *Globe* de Georges Benamou (1985-1994), *L'Autre Journal* de Michel Butel (1986-1990 puis 1991-1993), *L'Idiot international* de Jean-Édern Hallier, relancement en 1991 du titre soixante-huitard *Politique Hebdo* de Bernard Langlois, qui fut suivi de *Politis*, revue toujours vivante, *La Une* de Robert Laffont (1991-1998), Le *Vrai Papier Journal* de Karl Zéro en 2000.

■ Les magazines familiaux d'informations catholiques

Les magazines édités par les grandes centrales catholiques sont moins soucieux d'analyser l'actualité que d'expliquer le monde, de défendre les valeurs chrétiennes et d'offrir à la famille entière des lectures diversifiées. Ils sont les héritiers d'une vieille tradition. *Pèlerin Magazine,* de Bayard Presse, remonte à 1873 et *La Vie* (alors *La Vie catholique*) à 1938, éponyme du groupe PVC. Ces deux publications sont en fait concurrentes ; la première a une clientèle plus rurale que la seconde. Depuis janvier 1978 paraît l'édition française d'un magazine italien, décliné dans le monde latin, *Famille chrétienne*, d'orientation plus conservatrice.

■ Les magazines d'information photographique

Ces magazines (*picture magazines*) ont connu leur apogée avant et après la seconde guerre mondiale, jusqu'à ce que la télévision, vulgarisant les images, et la multiplication des magazines illustrés spécialisés réduisent leur popularité[5].

Paris Match, créé en 1949 par Jean Prouvost et animé jusqu'à sa mort le 26 juin 2001 par Roger Thérond, élimina progressivement ses concurrents, atteignant dans les années 1960 un tirage de 1,5 million d'exemplaires. Cédé à Daniel Filipacchi en 1975, il ne vendait alors que 0,5 million d'exemplaires. Sa formule évolua alors : « le poids des mots, le choc des photos » était son nouveau slogan, mais en fait, le journal renonça aux grands reportages pour se consacrer à l'exploitation des sujets « *people* » et, en attachant plus d'importance aux « gens » qu'aux événements, il retrouva une plus grande audience. Son concurrent, *Jours de France* de Marcel Dassault, fut finalement cédé en 1989 à Robert Hersant, qui le fit phagocyter par *Le Figaro Magazine*. *VSD* (Vendredi samedi dimanche), créé en 1977 par Maurice Siegel, chassé d'Europe n° 1, obtint d'abord un large succès, puis fut repris par Prisma Presse en 1996 et continue sa carrière (231 000 exemplaires). *Monde 2*, mensuel du groupe Le Monde, est né en 2000 (126 000 exemplaires).

En marge des hebdomadaires, deux mensuels se sont lancés dans une formule que le *National Geographic* américain exploitait depuis longtemps et qui a créé en 1997 une édition française (233 000 exemplaires) chez Prisma Presse : *Grands Reportages* (1988) du groupe anglais EMAP (68 000 exemplaires) et *Géo* (1979), déclinaison par Prisma Presse du grand magazine allemand

(5) La tradition remonte à la création en 1832 du *London Illustrated News* et de *L'Illustration* en 1833. Grâce aux progrès des techniques, la photographie remplaça progressivement les gravures au trait : les grandes réussites de l'entre-deux-guerres furent, en France, *Vu* (1928) et *Match* (1938), *Life* (1936-1972) et *Look* (1937-1971) aux États-Unis et *Picture Post* en Angleterre, qui disparut en 1957.

(397 000 exemplaires). Ils ont été rejoints, en 2000, par *Bon Voyage* (102 000 exemplaires) du groupe Lagardère.

■ Les périodiques d'informations spécialisées

Spécialisant leur contenu pour mieux rendre compte d'un secteur particulier de l'information ou pour mieux répondre aux attentes d'une catégorie particulière de lecteurs, ces périodiques peuvent être, non sans quelques difficultés, classés en cinq grandes catégories.

■ La presse économique et financière

Comme pour les quotidiens et malgré son expansion, la presse périodique économique et financière est encore loin de pouvoir se mesurer à celle des pays anglo-saxons, dont elle copie souvent les formules, en particulier celles de l'hebdomadaire américain *Business Week* et du bimensuel *Fortune*. Elle s'est longtemps heurtée au manque de culture économique des Français, au faible développement de l'actionnariat populaire, à la tradition de secret du monde des affaires français et aux méthodes de la publicité financière. Depuis 2001, après une période d'euphorie, la crise économique a fortement réduit sa prospérité.

Tableau 32. - Quelques périodiques économiques en 2002

Source : Diffusion Contrôle

(a) Succède en octobre 1999 à *La Vie française*.

Création	Titres	Groupes propriétaires	Diffusion en 2002
Hebdomadaires			
1867	Le Journal des finances	Dassault-Socpresse	
1945	La Vie financière (a)	Socpresse	95 000
1974	Investir	LVMH	123 000
1989	Le Revenu hebdo	Le Revenu français	137 000
Bimensuels			
1975	Le Nouvel Économiste	J. Abbou (Coprosa)	69 000
1975	Challenges	C. Perdriel	232 000
Mensuels			
1991	Capital	Prisma Presse	379 000
1974	Investir Magazine	LVMH	131 000
1995	Le Revenu mensuel	Le Revenu français	148 000
1986	Enjeux-Les Échos	Pearson	150 000
1979	Mieux vivre votre argent	Dassault-Socpresse	243 000
1967	L'Expansion	Socpresse	153 378
1945	Management	Pearson	95 000

Pendant longtemps, son contenu a attaché plus d'importance aux affaires boursières qu'à la vie des entreprises elles-mêmes. Les plus importants de ses titres se sont dotés de services informatiques disponibles sur l'internet.

La presse sportive

L'information sportive tient en général, dans la presse quotidienne, une place considérable, mais elle entretient aussi un grand nombre de publications spécialisées. En 2000, la DDM recensait quelque 180 titres sportifs dont 22 hebdomadaires, 90 mensuels et 60 trimestriels. Deux catégories divisent cette masse : celle des multiples publications destinées aux pratiquants et aux amateurs, et spécialisées chacune dans un type de pratique sportive – ce sont de très bons supports publicitaires –, et celle des « sportifs » spectateurs des sports professionnels, qui suivent les matchs et les épreuves sans y participer, dont les publications attirent peu les annonceurs, leur clientèle étant essentiellement masculine et peu réceptive aux annonces. L'information sportive diffusée par les organes de la seconde catégorie est souvent ordonnée par les grandes fédérations du sport professionnel ou par des officines liées à l'organisation des manifestations et aux paris sur les résultats. Ses relations avec la télévision, dont certaines chaînes acquièrent l'exclusivité des retransmissions, sont fort complexes.

Le groupe Amaury domine ici avec *L'Équipe* et ses dérivés, *L'Équipe Magazine* (340 000 exemplaires), *France Football* bihebdomadaire (le mardi, 210 000 exemplaires et le vendredi, 129 000 exemplaires), *Vélo Magazine* (57 000 exemplaires). Sont aussi bien achalandés *Onze Mondial* (155 000 exemplaires) pour le football et *Midi olympique* pour le rugby (78 000 exemplaires). Les courses hippiques et leurs paris entretiennent, à côté de *Paris Turf* (96 000 exemplaires), une demi-douzaine de semi-quotidiens de pronostics (*Bilto, Week-End, Spécial Dernière, Le Meilleur, Tiercé Magazine*).

En marge des sports mécaniques proprement dits, toute une presse de l'automobile et de la moto trouve un large public : *L'Auto Journal* (166 000 exemplaires) bimensuel, *Auto Plus* hebdomadaire (331 000 exemplaires), *Moto Magazine* mensuel (129 000 exemplaires)...

La presse de radiotélévision

La présentation des programmes de télévision a suscité, en dehors des rubriques spécialisées des quotidiens et des *news magazines*, un grand nombre d'hebdomadaires de tout format, dont beaucoup sont très bon marché : ce sont de bons supports publicitaires, car ils sont souvent feuilletés par tous les membres du foyer. La multiplication des chaînes leur a posé de gros problèmes de présentation et de mise en page. Dans cette masse, on distingue, par la qualité de ses commentaires et de ses analyses critiques des programmes, *Télérama*, du groupe PVC, aujourd'hui associé au *Monde*. Le succès des suppléments magazines des quotidiens, *TV Magazine* du groupe Hersant et *TV hebdo* du groupe Hachette, leur assure une place de choix dans ce monde. En 2002, les quelque quatorze titres présents sur le marché diffusaient par semaine quelque 18 millions d'exemplaires.

Tableau 33. - Magazines de télévision

Source : Diffusion Contrôle

(a) Diffusé dans les grandes surfaces.

Création	Titre	Groupe éditeur	Diffusion en 2002
1960	Télé 7 Jours	Lagardère	2 229 000
1950	Télérama	PVC	664 000
1986	Télé-Loisirs	Prisma Presse	2 012 000
1955	Télé Magazine (a)	PGP	619 000
1966	Télé Poche	EMAP	1 018 000
1976	Téléstar	EMAP	1 798 000
1982	Télé Z	EPM	2 177 000
1986	TV hebdo	Lagardère	1 850 000
1988	TV Magazine	Socpresse	4 928 000

La presse féminine et du foyer

L'évolution de la presse féminine est commandée par les lentes transformations de la condition et de la mentalité des femmes, des mœurs et des modes. La multiplication des titres et la diversification des contenus s'expliquent par les différences entre les âges et la sensibilité des lectrices. Les limites de cette presse sont difficiles à fixer ; en effet, bien des publications dites familiales, de décoration, de médecine populaire, de lectures ou de jeux sont conçues pour un public majoritairement féminin. La prospérité de ces magazines est entretenue par de fortes recettes publicitaires, car les femmes, mères de familles ou non, ont souvent la responsabilité des dépenses du ménage. Aussi le marché est-il fortement concurrentiel, car tous les groupes de presse sont tentés par ce marché, souvent très rentable.

En 2000, avec 108 titres dont 7 hebdomadaires, 45 mensuels et 54 trimestriels, les magazines féminins diffusaient près de 18 millions d'exemplaires au moins.

Le renouvellement des formules a conduit à la disparition, en 1988, des vieux titres de tradition catholique : *L'Écho de la mode* (1878) et *Femmes d'aujourd'hui* (1933). Survit encore *Modes et travaux* (1919), repris en 1995 par le groupe EMAP. *Elle* (1945), du groupe Lagardère, né en 1945, possède comme *Marie-Claire* (1937) de nombreuses éditions internationales.

Marie-France (1945) a été repris par le groupe Marie-Claire ; ce dernier, dirigé par Évelyne Prouvost, était associé au groupe cosmétique L'Oréal qui, en 2001, a cédé ses parts au groupe Lagardère. L'arrivée de Prisma Presse a bouleversé le marché avec le succès de *Prima* en 1982 et surtout de *Femme actuelle* en 1984. Le groupe EMAP, en reprenant *Modes et travaux*, puis *20 Ans* et *Biba* au groupe Excelsior en 2001, le groupe Jalou, avec *Jalouse* et *Muteen*, le groupe Ayache, avec *Questions de femmes*, ont pris pied sur ce marché. La fusion de *Version Femme,* du groupe Hersant, et de *Femina,* du groupe Lagardère, a donné naissance, en décembre 2001, à *Version Femina*, supplément féminin offert hebdomadairement par de nombreux quotidiens. *Le Figaro Madame,* mensuel en 1980 puis hebdomadaire, est un supplément du quotidien.

Tableau 34. - Principaux magazines féminins et du foyer

	Création	Titres	Groupe éditeur	Diffusion en 2002
Hebdomadaires	1945	Elle	Lagardère	344 000
	1984	Femme actuelle	Prisma Presse	1 424 000
	1980	Madame Figaro	Socpresse	483 000
	1986	Maxi	Bauer	565 000
	2002	Version Femina	Socpresse-Lagardère	364 000
Mensuels	1954	Marie-Claire	Marie-Claire	483 000
	1945	Marie-France	Marie-Claire	200 000
	1973	Cosmopolitan	Marie-Claire	227 000
	1988	Avantages	Marie-Claire	488 000
	1919	Modes et travaux	EMAP	525 000
	1980	Biba	EMAP	216 000
	1960	20 Ans	EMAP	138 000
	1982	Prima	Prisma Presse	702 000
	1997	Jalouse	Jalou	91 800
	1921	L'Officiel de la couture et de la mode	Jalou	101 000
	1969	Parents	Lagardère	340 000
	1997	DS	Hayache	119 000
	1921	Vogue	Condé Nast	112 000
	1933	Votre Beauté	L'Oréal	104 000
	1990	Top Santé	EMAP	514 000
	1987	Santé Magazine	A. Giovanni	392 000

Source : Diffusion Contrôle

La presse des magazines « de santé » est dominée par *Top Santé* (EMAP, 1990), *Santé Magazine* (indépendant) et *Réponses Santé* (Ayache).

Vogue (1921), *La Dépêche de la mode* (1976), *L'Officiel* (1921) dominent le haut de gamme du secteur de la mode.

Les nombreux magazines de la famille, de la décoration, de la maison et du jardinage complètent ce monde si divers d'une presse à la fois de conseil et d'évasion.

Bayard Presse, qui ne possède plus, depuis l'échec d'*Alma* en 1976, de magazine féminin, a longtemps dominé avec *Notre Temps* (1 040 000) le marché des magazines du troisième âge. Il est aujourd'hui concurrencé par *Pleine Vie*

du groupe EMAP (1 140 000 exemplaires) et par *Vivre Plus,* lancé en avril 2002. Faut-il y joindre *Psychologies* (273 000 exemplaires), le magazine de Jean-Louis Servan-Schreiber créé en 1970 sous le titre *Psychologie*, puis au pluriel en 1983 ?

Quant à la presse masculine, qui a du mal à définir ses formules, elle retrouve une vigueur nouvelle avec des modèles anglo-saxons : *Men's Health* (122 000 exemplaires) (groupe Radole), *FHM* (*For Him Magazine,* 161 000 exemplaires) et, plus récemment, *Maximal,* du groupe Lagardère, déclinaison de l'américain *Maxim*. La mode des journaux grivois, comme *Lui, Newlook* ou *Play Boy,* est passée, mais *Entrevue,* de Lagardère, créé en 1992 (562 000 exemplaires), en a recueilli en partie l'esprit et le lectorat.

La presse des jeunes et des adolescents

Le rapide renouvellement de leur clientèle a toujours posé problème à la presse des jeunes, mais aujourd'hui, les jeunes, plus autonomes, sont moins attachés à « leur » journal qu'aux temps de la IVe République et des débuts de la Ve, qui virent le succès de grands magazines pour adolescents, comme *Pilote,* lancé en 1959, et *Tintin,* tous deux disparus en 1989. Seul survit petitement *Spirou* (47 000 exemplaires). La naissance, en 1963, de publications comme *Salut les copains* orientait l'intérêt des adolescents vers la musique et la chansonnette « yé-yé », puis, après 1968, la mode des bandes dessinées « contestataires » ont profondément modifié les assises du marché et, pour un temps, effacé, au temps de la mixité scolaire, la différence autrefois essentielle entre les journaux des garçons et ceux des filles.

En 2000, on estime à 138 le nombre des périodiques pour les jeunes : 3 semi-quotidiens, 5 hebdomadaires, 85 mensuels et 45 trimestriels, pour une diffusion totale au numéro de 120 millions d'exemplaires.

Ce monde est dominé par quelques grands groupes. Hachette Filipacchi Médias exploite l'héritage d'Édimonde et les matériaux de Walt Disney, avec *Le Journal de Mickey* (1934-166 000 exemplaires) et ses dérivés, mais aussi avec les survivances de *Salut les copains* : *Salut* mensuel (179 000 exemplaires).

D'autres éditeurs déclinent leurs publications par tranches d'âge, ce qui réduit évidemment les tirages. Bayard Presse publie une dizaine de titres, de *Pomme d'api* à *Okapi* et à *Phosphore*, Fleurus d'*Abricot* à *Perlin* ; Milan de *Toupie* à *Toboggan*. Ces maisons publient aussi de petits livres mensuels comme *J'aime lire* ou *Je bouquine*.

Une des nouveautés les plus originales est la parution de petits magazines présentant de une à cinq fois par semaine l'actualité du monde aux jeunes, à l'exemple du *Journal des enfants*, lancé en 1984 par *L'Alsace* de Mulhouse et dont le succès a suscité plusieurs concurrents. Play Bac Presse publie *Quoti* pour les 5-6 ans, *Le Petit Quotidien* après 7 ans, *Mon Quotidien* pour les

10-14 ans et, au-delà, *L'Actu* ; et Milan, *Les Clefs de l'actu junior* pour les 8-12 ans et *Les Clés de l'actu* pour les plus grands, Fleurus et Télérama *L'Hebdo des ados* ; et toujours *Le Journal des enfants*.

■ La presse d'évasion

Les rapports de la réalité et de la fiction sont particulièrement confus dans les médias et la lecture de la presse est en soi, quelle qu'en soit la nature, une occasion de détente hors de l'activité normale de la vie quotidienne. La pure fiction ou le récit romancé des faits « réels », mais en fait pittoresques et exotiques, puisqu'ils se déroulent hors de son environnement immédiat, dans un monde éloigné dans l'espace et souvent socialement inaccessible pour le lecteur ou la lectrice, offrent mille possibilités d'évasion : ils sont un des charmes premiers de la lecture de la presse. Bien des périodiques et bien des rubriques de quotidiens accentuent cette fonction de divertissement.

■ La presse indiscrète

Jouant sur l'attrait de la révélation des « dessous » de la vie des vedettes de spectacle ou des « secrets de coulisses » de la politique ou des affaires, ces publications remplissent plus nettement que les autres les fonctions psychothérapeutiques qui sont celles du journalisme. Si, souvent, le contenu de ces articles et leurs illustrations ne sont pas moralement exemplaires, le succès qu'ils rencontrent montre qu'ils correspondent bien à une attente psychologique fondamentale et à une pratique ancestrale.

Depuis une décennie, ce genre journalistique s'est amplifié et on parle désormais d'une presse « *people* » qui, comme celle d'Angleterre, exploite sans beaucoup de scrupules les « trois S » (sport, sexe et scandale), assistée par les photographes *paparazzi* à la recherche de photos « chocs » et de *scoops*. Dans les années 1950, on parlait de presse « à scandale » ou « à sensation ». Survivent les vieux titres qui ont fait la gloire du genre : *France Dimanche* (1946, 575 000 exemplaires), *Ici Paris* (1945, 442 000 exemplaires) et *Le Nouveau Détective* (né en 1934, sous le titre *Détective*).

Prisma Presse réactiva le genre avec *Gala* (1993, 304 000 exemplaires) ou *Voici* (576 514 exemplaires), ou Lagardère avec *Entrevue* (308 000 exemplaires) et depuis l'été 2003 *Public*. *Oh là !* complète l'éventail (1987, 114 000 exemplaires). *Point de vue-Images du monde* (308 000 exemplaires) se contente d'exploiter, avec toute la révérence exigée, la vie des princesses et de quelques stars de l'aristocratie.

La presse de lectures

Dans la suite directe des romans-feuilletons et de la littérature populaire du XIXe siècle, et souvent avec les mêmes ressorts, bien des titres offrent d'abord des lectures romanesques ou pittoresques. Après la disparition récente de *Bonnes Soirées*, de *La Veillée des chaumières* et de *Confidences*, le genre est maintenu par *Nous deux* (702 624 exemplaires). De même, ont disparu les grands magazines populaires de cinéma, comme *Cinémonde,* et le succès va aujourd'hui à *Première* (1976, 199 000 exemplaires) ou à *Studio Magazine* (1987, 101 000 exemplaires). Alors que *Les Cahiers du cinéma* (85 500 exemplaires) sont réservés aux cinéphiles chevronnés, la photo attire aussi bien des curieux avec *Photo* (69 000 exemplaires) ou *Réponses Photo* (49 000 exemplaires). *Sélection du Reader's Digest* (726 000 exemplaires) poursuit sa carrière même si son succès s'affaiblit.

La presse de vulgarisation historique, qui fut longtemps une des caractéristiques du marché français (alors que les Américains et les Allemands lisaient plus que nous des périodiques de vulgarisation scientifique ou géographique), a subi de profondes transformations depuis une décennie. *L'Histoire,* mensuel de l'éditeur Le Seuil créé en 1978, avait offert aux historiens universitaires un moyen de bonne vulgarisation de leurs connaissances et le succès avait suivi (79 500 exemplaires), comme *La Recherche* du même éditeur favorisait la vulgarisation de la recherche scientifique. Reprise avec les Éditions Tallandier en 1999 par le groupe de François Pinault, la vieille revue *Historia* (105 000 exemplaires) fut rénovée un peu sur le modèle de *L'Histoire,* qui fut à son tour rachetée aux éditions du Seuil par le même groupe en avril 2000. Les éditions PVC ont lancé, en 1984, *Notre Histoire* (24 000 exemplaires) dans une formule comparable à celle de ses concurrents, mais plus orientée sur le passé de l'Église et des religions.

La presse de violons d'Ingres

Bien des rubriques de quotidiens et de magazines sont consacrées à des conseils pratiques pour telle ou telle activité de loisir ; tout naturellement, les mêmes préoccupations ont donné naissance à des magazines spécialisés dans la culture de ces *hobbies*. Outre ceux qui se consacrent à des jeux comme le bridge, les échecs, les mots croisés (qui offrent plus de 150 titres aux cruciverbistes), la cuisine et ses recettes, le tourisme, le bricolage, le jardinage (*Rustica*, 1928, 270 000 exemplaires), la chasse, la pêche, toutes les formes de collection (*Timbres Magazine*, né en 2001 de la fusion de trois titres qui l'avaient précédé), la bibliophilie… Parmi ces multiples titres, on peut citer un des plus anciens, né en 1884, *Le Chasseur français* (525 000 exemplaires), à l'origine organe de la Manufacture d'armes et de cycles de Saint-Étienne, repris par Bayard Presse puis finalement, en 2001, par EMAP, ou *La Vie du rail* (1938, 160 000 exemplaires), qui regroupe les anciens cheminots et les fanatiques du chemin de fer.

La presse de documentation

Le journalisme de service, qui transmet non le récit d'événements, mais des connaissances ou des renseignements, s'oppose par ses contenus monosémiques aux articles de la presse d'information ou de divertissement. Des publications spécialisées relaient et approfondissent les rubriques de conseils ou de communiqués de la presse grand public. On peut y distinguer trois catégories : la presse administrative, la presse professionnelle et technique à portée utilitaire pour l'exercice d'un métier ou d'une activité, enfin la presse de culture qui tend à diffuser des connaissances scientifiques, des réflexions critiques sur les productions de la science, de la littérature ou des beaux-arts. Pour cette dernière catégorie, la frontière avec la presse populaire de vulgarisation est souvent malaisée à tracer.

Cette presse subit depuis deux décennies la concurrence des nouveaux modes de diffusion télématique des données, en particulier sur les sites de l'internet animés soit par les éditeurs de publications de presse écrite, soit à la source par les officines ou services producteurs de ces données.

La presse administrative

Il ne peut être question de présenter ici la masse des publications officielles publiées par le gouvernement et les différents services publics ou parapublics. On en compte plus de 400, de natures très diverses[6].

Elles sont dominées par le *Journal officiel de la République française* et ses multiples éditions. Le *Bulletin officiel des annonces légales obligatoires* joue un rôle important dans le monde des affaires. La plupart des administrations centrales publient leur *Bulletin officiel* spécialisé dans la publication des textes réglementaires et communiqués de leur ministère. L'Insee édite de multiples publications annuelles ou mensuelles riches de données statistiques. La Documentation française (services du Premier ministre) publie, outre de nombreux ouvrages et brochures documentaires (rapports ou études spécialisées), une trentaine de publications périodiques, pour son propre compte

(6) Cf. Commission de coordination de la documentation administrative, *Répertoire des publications officielles au sein de l'administration française,* La Documentation française, Paris, 1991. Cet organisme a été remplacé (décret n° 98-752 du 27 août 1998 instituant un comité des publications auprès du secrétaire général du gouvernement et abrogeant le décret n° 71-570 du 13 juillet 1997 portant création d'une commission de coordination de la documentation administrative, *Journal officiel, Lois et décrets,* n° 198 du 28 août 1998), par un comité des publications « chargé d'étudier les questions posées par l'édition et la diffusion des publications émanant des services et établissements publics administratifs de l'État ». Ce service répertorie les périodiques et collections de l'administration sur le site internet de la Documentation française (http://www.ladocumentationfrancaise.fr/editionpublique_pages/index.shtml).

ou celui de différentes administrations. Les administrations centrales et leurs services déconcentrés, les établissements publics des services de l'État et des collectivités régionales, départementales ou locales, sont aussi de gros éditeurs de publications documentaires ou informatives.

L'ensemble de ces publications est, pour les journalistes d'informations générales, une source documentaire de premier ordre, même si elle est à la fois sous-utilisée et rarement citée comme référence.

▪ La presse technique et spécialisée

En 2000, la DDM en recensait 1 485 titres dans le monde de la presse éditeur, soit : 5 bulletins quotidiens, 149 hebdomadaires, 649 mensuels et 682 trimestriels ou autres ; 165 à vocation agricole, 376 médicale, 408 de services marchands et 175 scientifique-pédagogique. Leur tirage annuel s'élevait à plus de 250 millions d'exemplaires pour un chiffre d'affaires d'environ 1,126 milliard d'euros. Ces publications vivaient, ensemble, à 55,2 % de la publicité, car leurs lectorats, très délimités, constituent d'excellentes cibles pour les annonces. Elles se diffusaient à 0,3 % par vente au numéro, à 65 % par abonnement, à 33,6 % par services gratuits et n'avaient que 1,2 % d'invendus.

La presse agricole, fortement organisée et souvent en relation avec de puissantes organisations agricoles et/ou syndicats de producteurs, est en majorité spécialisée dans tel ou tel secteur ou région. Domine le marché, un grand titre généraliste, *La France agricole* (168 000 exemplaires), qui paraît proche de la FNSEA.

L'informatique a, en peu d'années, provoqué la naissance d'un très grand nombre de publications, souvent patronnées par des producteurs de matériels et/ou de programmes ; la crise de la « *net*économie » en a fortement réduit le nombre et la prospérité. *01 Informatique* (70 000 exemplaires) est encore le *leader* généraliste du secteur.

En médecine, *Le Quotidien du médecin* (1971, 72 600 exemplaires) reste le grand organe généraliste dans un secteur fortement influencé par les laboratoires pharmaceutiques.

Le Moniteur des travaux publics et du bâtiment, hebdomadaire (1903, 61 800 exemplaires), conserve sa prééminence dans son domaine.

Dans cette catégorie, la domination des grands groupes d'éditeurs spécialisés étrangers (Reed Elsevier, EMAP, Wolters Kluwer) s'impose au détriment des vieux éditeurs français.

▪ La presse de culture

La presse des lettres et des spectacles, fortement concurrencée par les rubriques culturelles des quotidiens et des *news magazines,* a perdu certains titres un temps dominateurs. En 1967 est mort *Arts, lettres et spectacles*, en 1971 *Les Lettres françaises* communisantes d'Aragon, en 1984 *Les Nouvelles littéraires* de la librairie Larousse, créées en 1922. Parmi les titres les mieux achalandés, on peut citer le mensuel *Lire* (1975, 104 000 exemplaires), dirigé par Bernard Pivot et repris en 1993 par Pierre Assouline, et *Le Magazine littéraire* (1966), *Connaissance des arts* (1952, 31 000 exemplaires) et *Beaux-Arts Magazine* (1983, 61 000 exemplaires).

Pour le cinéma, outre les publications grand public comme *Première* (1976, 200 000 exemplaires), *CinéLive* (1997, 122 000 exemplaires) ou *Studio Magazine* (1987, 101 000 exemplaires), deux grandes revues rivales, *Les Cahiers du cinéma* (1951, 31 000 exemplaires), récemment entrés dans le groupe du *Monde*, et *Positif* (1952), retiennent la clientèle des cinéphiles passionnés.

▪ La presse des sciences

La presse de vulgarisation scientifique étend la clientèle des revues spécialisées ; son marché est dominé par cinq mensuels : *Science et vie* (1913, 375 000 exemplaires) de l'ancien groupe Excelsior, *Sciences et avenir* (1947, 275 000 exemplaires) du groupe Perdriel, *La Recherche* (suite d'*Atome*, créé en 1970) (63 000 exemplaires), *Pour la Science*, inspiré du *Scientific American* (1977, 49 000 exemplaires) et *Ça m'intéresse*, du groupe Prisma Presse (1981, 240 000 exemplaires).

▪ Les revues savantes

Ces multiples revues à périodicité longue, souvent étroitement spécialisées dans un domaine, attirent peu la publicité ; elles sont souvent subventionnées par le CNRS ou, pour les publications d'académies régionales, par les collectivités locales. Elles souffrent de la perte d'audience du français dans les universités et les laboratoires étrangers, mais aussi du « photocopillage » de leurs articles.

▪ Les grandes revues

Plus proches de la nature et de la forme du livre que de celles des périodiques, elles sont, depuis le XIXe siècle, les organes privilégiés de l'expression des idées. Elles sont aujourd'hui atteintes par la concurrence des livres et des pages culturelles des quotidiens et autres magazines. Conservatoires culturels et laboratoires d'idées, elles servent à la maturation des analyses et des doctrines contemporaines.

Parmi les titres les plus vénérables, sinon les plus prospères, *La Nouvelle Revue française*, fondée en 1903 et reparue en 1953, *Esprit* (1930), *Études* (1856), inspirées par les jésuites, *Europe* (1953), longtemps marxiste et au-

jourd'hui moins partisane. En réalité, les 400 à 500 titres de ces revues[7] forment un monde très vivant, où les créations sont nombreuses. On peut signaler, un peu au hasard, *Commentaire*, fondé en 1978 par Raymond Aron, *Autrement* (1975), *Critique* (1946), *Humanisme* (1976), du Grand Orient de France, *Le Débat* bimensuel de l'éditeur Gallimard (1980), fondé par Pierre Nora et Marcel Gauchet, *Les Cahiers rationalistes* (1931), le *Ramses* de l'Ifri et *La Revue internationale et stratégique* (1991) de l'Iris, *Pouvoirs* (1977)...

■ La presse de langue étrangère en France et les publications à destination de l'étranger

La presse étrangère d'origine ou de langue étrangère est soumise à un régime différent de celui des publications françaises ; l'article 14 de la loi de 1881, modifiée par le décret-loi du 6 mai 1939, donne aux autorités le droit d'interdire la diffusion de journaux étrangers ou édités en langue étrangère en France. Même si cette possibilité n'est que très rarement utilisée, elle peut paraître aujourd'hui contestable au vu des engagements internationaux pris par la France, et en particulier de l'article 10 de la Convention européenne de sauvegarde des droits de l'homme et des libertés fondamentales du 4 novembre 1950. La loi du 1er août 1986 limite à 20 % la part de capitaux possédés par des étrangers – non communautaires – dans une société de presse éditant en France une publication en français.

Dans les faits, la circulation de la presse étrangère est très libre et les journalistes étrangers peuvent exercer en France leur métier sans entrave.

La presse destinée aux émigrés est en nette régression, car ils peuvent désormais recevoir la presse de leur pays ; en outre, la francisation des jeunes générations distend leurs liens avec le pays d'origine de leurs parents. Ainsi est mort en 1989 le quotidien en polonais *Narodowiec,* quotidien né à Berlin en 1909 et transféré à Lens en 1924. De même, la presse yiddish a perdu ses dernières publications, le communiste *Die Naye Presse* (1926-1994), le sioniste *Unser Vort* (1926-1996) et le socialisant *Unser Shtime* (1938-1995).

La presse destinée aux touristes compte quelques magazines en allemand, anglais et japonais.

La presse éditée en France mais pour une large part destinée à l'étranger – outre l'*International Herald Tribune,* déjà évoqué, héritier d'une tradition de journaux édités en anglais à Paris, remontant à la monarchie de Juillet – a

(7) Cf. *La Revue des revues*, septembre-octobre 2000.

compté, après la guerre du Liban, quelques titres réfugiés du Moyen-Orient en France, mais c'est désormais à Londres que se publient les principaux organes arabes à vocation internationale.

Deux groupes de presse éditent en France des publications destinées à l'Afrique. Dans le secteur économique, *Marchés tropicaux et méditerranéens* et, dans le secteur de la presse féminine, le groupe de Breteuil, avec *Amina* et *Yasmina*. *Jeune Afrique,* magazine d'information fondé à Tunis en 1960, puis installé en France par Béchir ben Yahmed (71 000 exemplaires) et rebaptisé *L'Intelligent* en 2000, est au cœur du groupe Jeune Afrique, qui édite des ouvrages et quelques publications spécialisées, dont *Economia* ; sa diffusion se heurte épisodiquement à des interdictions politiques de diffusion dans certains pays.

La presse parallèle

De tout temps, en marge des circuits commerciaux ordinaires, ont paru des publications animées par l'enthousiasme créateur ou le dévouement militant.[8]

Toutes les périodes révolutionnaires ont provoqué une éclosion de journaux libres, contestataires, dont le retour à l'ordre entamait le déclin. Copiant parfois les formules de la presse *underground* (ou *free press*) américaine, dans l'après Mai 68, virent le jour de nombreuses publications au destin incertain, mais qui révélèrent des talents (dessinateurs et journalistes) qui trouvèrent ensuite leur place dans la presse installée[9]. *Actuel* (1970-1975 puis 1979-1994) fut longtemps le modèle de cette presse alternative dont les petites annonces furent très caractéristiques des besoins et des rêves des jeunes contestataires. Dès la fin des années 1970 naquirent de multiples fanzines qui mêlaient dessins, BD et textes. La libération des ondes, à partir de 1981, avec la création de nombreuses stations de radio libres, détourna de la presse bien des jeunes, comme après 1992, les sites internet.

Dans ce foisonnement, la bande dessinée et le dessin furent des moyens d'expression très utilisés. Après la fin des années 1980, ces publications ont perdu

(8) V. la thèse de Pierre-José Chadaigne, *La communication alternative* : *la presse parallèle en France* (de la fin des années 1960 à la fin des années 1990), polygraphié, Université Panthéon-Assas, mars 2002.

(9) Certains de ces titres tentèrent leur chance dans le monde des quotidiens, ainsi le premier *Libération* (1973-1981), suite de *La Cause du peuple* (1970-1973), *Rouge,* redevenu hebdomadaire en 1979, *L'Humanité rouge* et *Le Quotidien du peuple,* disparus respectivement en octobre 1979 et décembre 1980.

l'audience des nouvelles générations : seul survit aujourd'hui, héritier indirect d'une chaîne de titres aux multiples avatars (*Hara-Kiri, Charlie Hebdo, La Grosse Bertha*...), *Charlie Hebdo,* reparu en 1981.

Les Inrockuptibles, né en 1986 comme *fanzine* tiré à quelques centaines d'exemplaires, est devenu un magazine branché (42 000 exemplaires) qui, associé au *Monde*, publie un hebdomadaire de spectacles, *Aden*. Son succès est contesté par *Rock and Folk* mensuel (41 000 exemplaires). L'esprit de Mai toucha aussi le mouvement féministe, qui soutint dans le premier lustre des années 1970 *Le Torchon brûle*, *Le Quotidien des femmes* et *Femmes en mouvement*. Les mouvements régionalistes ont aussi leurs organes, dont l'apogée se situe au début des années 1980. Quant à l'écologie, elle a multiplié ses titres (ou inspiré des éditeurs soucieux d'en exploiter le marché) sans qu'aucun ne réussisse à s'imposer comme fédérateur de groupes mal coordonnés et jaloux de leur indépendance.

Reste aussi toujours vivace et toujours recommencée la presse des lycées, parfois soutenue par le corps professoral, celle des petites revues littéraires éphémères et celle des groupes écologistes, dont le semestriel *La Hulotte* (150 000 abonnés), ou de quartier... Les facilités de leur fabrication grâce aux techniques de la PAO (publication assistée par ordinateur) et de l'*offset* favorisent leur création, sinon leur survie.

Un des derniers avatars de cette presse parallèle a rapidement échoué : la presse des rues diffusée par colportage, rédigée par quelques bénévoles, est arrivée de Londres en 1993. Destinés à permettre aux sans domicile fixe de s'exprimer et de trouver quelques revenus, ces journaux (*Le Réverbère, La Rue, L'Itinérant, Macadam Journal*...) ont vite fini par n'offrir que des articles sans grand intérêt ; leur vente relève donc plus de la mendicité que de la diffusion de la presse.

ANNEXE 1

Aperçu historique sur l'évolution de la presse en France

On ne saurait comprendre la presse française sans se référer à son passé. Son originalité par rapport à la presse des autres pays occidentaux s'explique autant sans doute par son histoire que par les caractères spécifiques de la société française.

Déterminer ce qui, dans la presse d'aujourd'hui, est le résultat d'une tradition est d'autant plus malaisé que les journalistes, observateurs du présent, préoccupés de deviner ce qui va se passer, sont très médiocrement intéressés par la connaissance de leur passé et très ignorants de leur héritage. Pourtant, les structures géographiques, politiques et économiques du monde des journaux, les recettes et les formules du journalisme, mais aussi, surtout peut-être, les habitudes de lecture des Français sont profondément marquées par le passé, malgré les profondes transformations qui ont, après la seconde guerre mondiale, affecté l'évolution de la presse en France. L'usage que les Français font de leurs journaux, la notion que les journalistes ont de leur rôle et de leur place dans la société, les formes que prennent les publications dans notre pays sont influencés par plus de trois siècles d'histoire.

■ Les débuts de la presse en France, sous l'Ancien Régime

Le journalisme avant les journaux

Après l'invention de l'imprimerie, comme tous les pays européens, la France a connu, dès la fin du XVe siècle, des feuilles volantes, qui, sous forme d'occasionnels (récits d'événements « politiques ») ou de canards (récits d'événements extraordinaires, faits divers criminels ou merveilleux), de libelles religieux ou politiques, avaient toutes les caractéristiques de la presse écrite, sauf la périodicité.

À cette même époque, le développement de l'imprimerie multiplia les almanachs et les chronologies dont l'exemple le plus voisin du journal fut le *Mercure français*, qui parut annuellement de 1611 à 1648.

La naissance des périodiques au XVIIe siècle

Les premiers périodiques naquirent aux Pays-Bas et en Allemagne au début du XVIe siècle. En France, le premier hebdomadaire ne vit le jour qu'en 1631. Fondé par Théophraste Renaudot, *La Gazette* bénéficiait d'un privilège qui lui assurait le monopole pour tout le royaume : officieuse, elle devint l'organe officiel du ministère des Affaires étrangères en 1762 sous le titre de « *La Gazette de France* » et conserva

jusqu'en 1789 le droit exclusif de fournir des informations d'actualité politique.

En 1665, son monopole fut pour la première fois officiellement entamé par la parution, sous le patronage de Colbert, du *Journal des savants*, recueil de notices bibliographiques, publiant les nouvelles de la République des lettres.

En 1672 parut le troisième grand périodique de l'Ancien Régime, le *Mercure galant*, devenu *Mercure de France* en 1724 : ce fut une feuille d'échos mondains et de variétés littéraires.

Le développement de la presse écrite au XVIIIe siècle

Malgré la relative sévérité du contrôle des autorités (censure, autorisation de publication) et le mépris par lequel les grands écrivains du XVIIIe siècle ont tenu les journalistes et leurs écrits, le « siècle des Lumières » a vu se multiplier les publications périodiques. On en comptait une cinquantaine à Paris en 1787, et en province une trentaine nées après 1750, comme d'humbles feuilles d'annonces. Sous des formes et des périodicités diverses, ces gazettes répondaient à une curiosité de plus en plus grande des classes aisées. Leur contenu est aujourd'hui une source de renseignements indispensable pour ceux qui cherchent à mieux connaître la pensée du XVIIIe siècle. Parmi les plus répandues (sinon les plus originales), on peut citer le *Journal de Trévoux* (1701-1767), inspiré par les jésuites, les *Nouvelles ecclésiastiques* (1728-1803), de tendance janséniste, le *Journal historique et politique* (1772-1792) du célèbre éditeur Panckoucke, le *Journal encyclopédique* (1756-1773), édité à Liège...

Le premier quotidien français, le *Journal de Paris*, parut en 1777[1].

■ La presse sous la Révolution et l'Empire

Dès la fin de 1788, l'effervescence due à la convocation des États généraux favorisa la parution de centaines de brochures, mais il fallut attendre le 19 mai 1789 pour que fût autorisée la publication de véritables périodiques : l'article 11 de la Déclaration des droits de l'homme et du citoyen (26 août 1789) définit le principe nouveau de la liberté de la presse : « La libre communication des pensées et des opinions est un des droits les plus précieux de l'homme : tout citoyen peut donc parler, écrire, imprimer librement, sauf à répondre des abus de cette liberté dans les cas déterminés par la loi ». De mai 1789 à décembre 1799, il est paru en France plus de 1 500 périodiques divers de toutes formes et tendances.

De 1789 au 10 août 1792

La presse jouit alors d'une liberté de fait pratiquement absolue et les innombrables journaux ont largement contribué à renforcer l'écho des grands débats politiques et à mobiliser les citoyens pour la défense de leurs idées ; par là, elle accéléra le processus révolutionnaire et accrut peut-être aussi, parfois, la confusion des esprits.

Quelques-uns des journaux de la période furent de véritables feuilles d'informations quotidiennes de ton assez neutre comme le *Journal des débats et décrets*, *La Gazette nationale* ou *Le Moniteur universel*, puis, après le 5 mai 1792, *La Gazette de France*, devenue *La Gazette nationale*, le *Journal de Paris* ou *La Feuille villageoise* (hebdomadaire). Ces jour-

(1) Cf. Sgard (J.) *et alii*, *Dictionnaire des journaux (1600-1789)*, Éditions Universitas, 1991, 2 vol.

naux réussirent à traverser toutes les épreuves de la Révolution.

La plupart de ces feuilles nouvelles étaient les organes des personnalités qui les inspiraient ou les rédigeaient et furent souvent plus proches du pamphlet que du périodique d'information. Ainsi Brissot et *Le Patriote français*, Mirabeau et *Le Courrier de Provence*, Rivarol et *Le Journal politique et national*, Camille Desmoulins et *Les Révolutions de France et de Brabant*, Suleau et *L'Ami du Roi*, Peltier et les *Actes des Apôtres*, Marat et *L'Ami du peuple*, Hébert et *Le Père Duchesne*...

Sous la Convention (septembre 1792-octobre 1795)

Après le 10 août, la liberté de la presse ne fut plus respectée et de nombreux journalistes furent victimes de la Terreur. Les feuilles royalistes furent immédiatement éliminées, ce fut ensuite le tour des feuilles girondines ; C. Desmoulins, qui tentait de défendre une politique modérée avec *Le Vieux Cordelier*, fut exécuté, comme plus tard Hébert, l'« enragé ».

La chute de Robespierre, en juillet 1794, entraîna une certaine libéralisation et l'on vit reparaître des organes royalistes comme *La Quotidienne* de Michaud ou *L'Orateur du peuple* de Fréron, ou jacobins comme *Le Journal des hommes libres* ou *Le Tribun du peuple* de Babeuf.

Sous le Directoire (octobre 1795 à novembre 1799)

Ce régime faible eut à supporter les attaques d'une presse désormais nombreuse et puissante. En 1796, il paraissait plus de 70 publications périodiques politiques à Paris : pour se défendre, les membres du Directoire établirent la censure, supprimèrent certains journaux, poursuivirent les journalistes de droite ou de gauche sans parvenir à réduire la puissance du nouveau « quatrième pouvoir ». Ils imposèrent le timbre aux feuilles politiques.

Le Consulat et l'Empire

Aux lendemains du 18 Brumaire, Bonaparte remit de l'ordre dans la presse dont il savait quels dangers elle pourrait représenter pour ses projets ; un arrêté du 27 nivôse an VIII (17 décembre 1800) réduisit à treize le nombre des journaux parisiens et il fit du *Moniteur universel* l'organe officiel du gouvernement.

Le poids du pouvoir écrasa toutes les velléités d'indépendance de la presse et se fit de plus en plus lourd : les frères Bertin furent chassés du *Journal des débats* qui devint le *Journal de l'Empire* en 1805 ; des censeurs furent imposés à toutes les rédactions.

En 1811, un arrêté ne laissa subsister que quatre journaux à Paris et confisqua leur propriété. En province, les journaux ne pouvaient traiter la politique que par extraits du *Moniteur* et, en 1810, les préfets ne laissèrent subsister qu'un journal par département.

Napoléon avait compris que la presse était aussi un instrument de gouvernement et qu'intermédiaire entre le pouvoir central et l'opinion publique, elle pouvait, si elle était bien dirigée, servir sa politique : il attacha une importance considérable à « ses journaux » : il les lisait, inspirait des campagnes de presse, tançait les journalistes nonchalants.

Les guerres napoléoniennes ont été doublées par des guerres de plumes, mal connues mais acharnées, et ont révélé la puissance nouvelle de la propagande par la presse.

■ L'âge d'or de la presse (1815-1914)

Favorisée à la fois par les progrès des techniques, par la libéralisation puis la démocratisation des institutions politiques, et par la généralisation de l'instruction publique, la presse développa régulièrement ses tirages jusqu'en 1914 dans le même temps où elle abaissait son prix de vente. L'évolution des tirages de la presse quotidienne parisienne est très caractéristique des transformations de la presse au XIXe siècle ; le tableau 2, p. 41, illustre l'évolution quantitative de son marché.

À l'augmentation énorme des tirages, il convient d'ajouter naturellement l'accroissement des formats et de la pagination, ce qui conduit à une véritable transformation de la nature, des fonctions et du contenu de la presse.

Les facteurs et les formes de l'évolution au XIXe siècle

Les progrès techniques

Les **matières premières** : Lorilleux mit au point, dès 1819, l'encrage des formes par rouleau. Ce n'est qu'après 1870 que le papier à pâte de bois commença à remplacer le papier de chiffon en France ; il fournit ensuite le papier en bobine indispensable pour les rotatives.

La **composition** : le clichage, mis au point en 1852 par Nicolas Serrière, permit la duplication rapide des formes imprimantes. Mais la composition mécanique, mise au point en 1886 aux États-Unis par Mergenthaler, fut lente à pénétrer en France, où la linotype ne fut guère utilisée avant le XXe siècle.

L'**impression** : la résistance ouvrière ralentit, après 1815, l'introduction en France des presses mécaniques anglaises. En 1847, Marinoni mit au point pour *La Presse* de Girardin la première presse à réaction qui imprimait 8 000 numéros à l'heure ; il construisit ensuite, en 1867, la première rotative pour *Le Petit Journal* qui, régulièrement perfectionnée par la suite, pouvait assurer vers 1900 des tirages de 50 000 exemplaires de quatre pages à l'heure.

L'information : la mise au point du télégraphe électrique fut pour la presse une révolution technique de toute première importance. La première ligne en France date de 1845 (Paris-Rouen) ; à partir de 1879, les journaux français purent louer des fils spéciaux à l'administration des Postes et, en 1884, *La Petite Gironde* put ainsi établir, à Paris, le premier bureau de rédaction autonome d'une feuille de province. En 1874 déjà, le transcripteur Baudot pouvait transmettre plus de 5 000 mots à l'heure. Cette révolution dans la transmission des nouvelles profita beaucoup à l'Agence Havas qui, doyenne des agences internationales de presse, fut fondée en 1832-1835 et put, grâce à l'appui des gouvernements successifs, exercer un quasi-monopole sur le monde de l'information en France (dans le même temps, elle avait passé des accords avec les agences Wolff, Reuters et Associated Press). Elle contrôla aussi une bonne part de la publicité française.

Les **transports** : le rapide développement du réseau des chemins de fer aida à la diffusion de la presse et favorisa le développement des feuilles parisiennes à grand tirage d'audience nationale.

Ce n'est qu'à partir de 1892 que la Librairie Hachette commença à s'intéresser aux messageries de journaux, au sein desquelles elle prit très vite une place prépondérante.

Les problèmes économiques

Un **marché en expansion** : l'industrialisation de la production conduisit à un abaissement du prix de vente qui accéléra la consommation. De 80 francs par an, l'abonnement passa, après 1836 (*La Presse* de Girardin), à 40 francs puis, en 1863, la naissance du *Petit Journal* à 5 centimes représenta la dernière étape de la démocratisation de la presse, qui se vendit désormais surtout au numéro dans la rue.

Les **ressources publicitaires** : jamais la presse française du XIXe siècle ne put avoir des recettes publicitaires comparables à celles des grands journaux anglo-saxons (elle s'en plaignait aussi au XXe siècle et de nos jours encore...). Elle profita à l'occasion des subventions gouvernementales et de certaines formes de publicité financière qui lui valurent bien des reproches de vénalité, souvent justifiés.

La conquête de la liberté politique

De 1814 à 1880, les rapports de la presse et des différents gouvernements furent très difficiles : rendue responsable des mécontentements de l'opinion publique dont elle n'était que l'expression, elle eut à triompher des obstacles que les gouvernements mettaient à son développement – cautionnement, timbre, autorisation préalable –, à rejeter les différentes formes de contrôle qu'ils cherchaient à lui imposer – censure, avertissements, brevet d'imprimeur –, à échapper aux poursuites judiciaires que lui valait la multiplicité des délits de presse prévus par la législation.

Sans chercher à préciser le détail de cette législation (de 1815 à 1881, le régime de la presse fut législativement modifié plus de trente fois), on peut signaler comme les plus sévères les lois d'octobre 1814, celles du 31 mars 1820 et de mars 1822, les lois de septembre 1835, celle du 29 juillet 1849 et les décrets de février 1852, et comme plus libérales celles de 1819, d'octobre 1830 (qui garantissaient, entre autres, la juridiction du jury), de mars 1848 et de mai 1868. Après bien des hésitations (décrets de septembre 1870, lois de février 1871, de décembre 1875), la IIIe République accepta de donner le 29 juillet 1881 à la presse française le régime le plus libéral du monde, qui mit un terme à la lutte du pouvoir contre la presse et qui, justifiant par là les espoirs des libéraux qui le votèrent, affaiblit finalement l'audience des feuilles extrémistes. Il est vrai qu'en renonçant à tout contrôle politique sur la presse, les législateurs de 1881 renoncèrent aussi à surveiller son organisation économique, et assurèrent en fait l'immunité aux journalistes, qui transformèrent la liberté en licence.

Les transformations du contenu

Les transformations du contenu de la presse furent très lentes et ce n'est guère qu'après 1880 que la presse populaire à 5 centimes généralisa l'emploi des grands titres ; quant aux illustrations, très rares dans les quotidiens avant 1900, elles ne se multiplièrent dans la presse quotidienne, grâce à la mise au point de la similigravure, qu'après 1905.

La mise en page en colonnes denses où les articles se suivaient selon une hiérarchie immuable resta à la mode jusque vers 1900, date à laquelle la présentation commença à s'aérer dans le même temps où la pagination passait à six pages, puis à huit pages. Quant au style même du journaliste, il évolua insensiblement : petit à petit, la chronique fit place à la nouvelle brève, au reportage, aux échos ; les journaux renoncèrent à publier les interminables comptes rendus des séances parlementaires, et firent la place au roman-feuilleton, aux informations littéraires et théâtrales, puis aux sports...

Les grandes étapes et les grands titres

La monarchie constitutionnelle (1815-1848)

À cette époque de suffrage censitaire, l'influence politique de la presse fut considérable ; par une loi bien souvent vérifiée, les feuilles d'opposition furent de loin plus lues et mieux entendues que les feuilles gouvernementales, que leur caractère officieux rendait conformistes et ennuyeuses. Sous la Restauration, les conservateurs pouvaient compter sur *La Quotidienne* et *La Gazette de France*, cependant que le *Journal des débats* manœuvrait et accordait parcimonieusement l'appui de son autorité aux ministres qui savaient gagner sa sympathie, *Le Constitutionnel* s'imposant comme le plus important des journaux libéraux. La Révolution de 1830 fut faite par la presse, que menaçait la première des ordonnances de Charles X. Les Trois Glorieuses furent provoquées par les appels des journalistes du *National* et de *La Tribune*.

Sous la monarchie de Juillet, la presse, plus libre que précédemment, fut très active. Si le roi pouvait compter sur l'appui des *Débats* et du *Constitutionnel* puis de *La Presse*, *Le National* restait dans l'opposition avec *La Réforme* puis *Le Siècle*, cependant que *La Gazette de France*, légitimiste, menait contre les Orléans une guerre de plume acharnée et que les différentes écoles socialistes faisaient péniblement paraître leurs organes. Le lancement des journaux à 40 francs d'abonnement par an – *La Presse* de Girardin et *Le Siècle* de Dutacq (1er juillet 1836) – provoqua un élargissement du marché. Les petits journaux illustrés (*Le Charivari*, *La Caricature*), le magazine illustré (*L'Illustration*, 1843), les revues savantes (*Revue des deux mondes*, 1829) naquirent dans cette période, qui vit aussi un développement rapide de la presse de province, qui se politisa pour la première fois depuis 1792.

La IIe République

De février à juin 1848, la presse jouit d'une liberté quasi absolue et, en quelques semaines, deux cents titres parurent à Paris, où se trouvèrent exprimées toutes les tendances de l'esprit « quarante-huitard » et ils servirent de tribune à toutes les personnalités de l'époque. Le triomphe du parti de l'ordre entraîna, par étapes, la perte de cette liberté (lois du 12 août 1848, du 29 juillet 1849, du 29 juillet 1850) et la disparition de la plupart des nouvelles feuilles. Le rétablissement du cautionnement, en août 1848, amena la célèbre protestation de Lamennais qui, dans le dernier numéro du *Peuple constituant*, écrivit : « Il faut aujourd'hui de l'or, beaucoup d'or pour jouir du droit de parler. Nous ne sommes pas riches. Silence aux pauvres ! »

Le coup d'État du 2 décembre 1851, comme celui du 18 Brumaire, fut suivi de la suppression de nombreuses feuilles et ne laissa subsister que onze journaux à Paris. Tous les délits de presse furent correctionnalisés et le décret du 23 février 1852 instaura un régime très sévère et très habile qui, par le système des avertissements, imposait aux journaux survivants une autocensure efficace. L'administration se réservait aussi le droit, par le biais des communiqués, de « rétablir la vérité » lorsque les journalistes avaient osé mettre en cause la politique ou les actes du gouvernement.

Le Second Empire

Les progrès de la presse sous Napoléon III, malgré les contraintes politiques, furent considérables.

L'**Empire autoritaire (1852-1860)** : le régime des décrets de février 1852 est appliqué sans difficulté et la presse, prudente à Paris comme en province, chercha surtout à éviter les poursuites. Le gouvernement avait à son service, à Paris, en plus du *Moniteur universel*, *Le Pays*, *Le Constitutionnel* et *La Patrie* ; les catholiques avaient *L'Univers* qui, devenu ultramontain sous la direction de Veuillot, fut supprimé de 1860 à 1867 et remplacé par le pâle *Monde* ; le plus fort tirage restait celui du *Siècle* de Havin, « moniteur de l'opposition », anticlérical et fidèle soutien de la politique des nationalités de l'Empereur.

L'**Empire libéral (1860-1868)** : le lent affaiblissement de l'autorité et du prestige de l'Empire profita à la presse : incapable de contrôler les journaux, le gouvernement préféra, pour affaiblir l'audience de chacun d'entre eux, favoriser la création d'organes nouveaux. Naquirent ainsi, entre autres : *L'Opinion nationale* de Guéroult (1859), *Le Temps* de Nefftzer (1861), *L'Avenir national* de Peyrat (1863), *La Liberté*, que Girardin acquit en 1866. C'est ainsi que Villemessant put, en 1867, transformer en feuille politique *Le Figaro* qui, créé hebdomadaire en 1854, devenu bihebdomadaire en 1856, était quotidien depuis 1866.

Dans le même temps, pour satisfaire sans risque politique grave le besoin de lecture des classes populaires, le gouvernement impérial favorisait la naissance de la petite presse à 5 centimes, à qui la politique était interdite.

La **fin de l'Empire (1868-1870)** : la presse joua un rôle essentiel dans la crise politique des dernières années de l'Empire. La loi du 11 mai 1868 avait supprimé l'autorisation préalable et les avertissements. Elle entraîna un extraordinaire renouveau de la presse politique à Paris et en province et les sanctions judiciaires multipliées ne vinrent pas à bout des attaques des journaux contre le gouvernement. Bien mieux, deux des grands épisodes politiques de la période (la souscription Baudin et l'affaire Victor Noir) eurent leur origine dans le monde de la presse d'opposition. Parmi les titres nouveaux de la période se distinguaient *L'Électeur libre* de J. Favre et E. Picard, *Le Réveil* de Delescluze, *Le Rappel*, inspiré par Victor Hugo, mais c'est surtout Henri Rochefort qui, avec son pamphlet hebdomadaire, *La Lanterne*, puis son quotidien *La Marseillaise*, porta à l'Empire les coups les plus durs.

La fin du Second Empire marque aussi une étape essentielle dans l'évolution de la presse française : la naissance du quotidien populaire à 5 centimes. Le journal à un sou fut lancé en 1863 par Moïse Millaud. *Le Petit Journal*, non politique, de demi-format, trouva une formule nouvelle grâce aux chroniques de Timothée Trimm et aux romans-feuilletons de Gaboriau et Ponson du Terrail. Il sut exploiter le fait divers (affaire Tropmann). En 1870, il tirait déjà à plus de 400 000 exemplaires. Il ne traitait pas de politique pour ne pas avoir à payer le timbre. Il eut de nombreux imitateurs. Sa parution marque les débuts de la presse quotidienne à grand tirage en France et dans le monde. Elle contribua à généraliser la vente au numéro.

La IIIe République de 1870 à 1914

Le rôle de la presse fut essentiel dans le jeu politique de la période ; la concurrence acharnée des journaux contribua dans une très large mesure à passionner la vie politique : les grandes crises, comme le lent cheminement des idées politiques dans le corps social, ne peuvent se comprendre sans référence à l'action de la presse, qui augmente ses tirages dans des proportions considérables, à Paris comme dans les départements, et multiplie, exagérément peut-être, le nombre de ses titres.

Les **débuts de la République (1870-1879)** : la guerre puis la Commune bouleversèrent la presse parisienne, qui ne retrouva quelque stabilité qu'en juin 1871. Si les journaux et les journalistes « rouges » furent éliminés après l'écrasement de la révolution parisienne, dans la diversité de ses tendances, la presse fut l'instrument de la lutte des partis pour la conquête du pouvoir : l'échec de la tentative du 16 mai 1877 montra à l'évidence que, désormais, le temps était révolu où le gouvernement pouvait espérer contrôler les journaux. Les légitimistes s'appuyaient sur *L'Union*, *La Gazette de France* et *L'Univers* ; les bonapartistes sur *L'Ordre*, *Le Gaulois*, *Le Pays* et *Le Petit Caporal* ; les orléanistes sur *Le Français*, *Le Journal de Paris*, *Le Soleil* ; *La Défense sociale et religieuse* de Mgr Dupanloup soutenait Mac-Mahon. Mais la presse républicaine était de loin la plus influente sur l'opinion, du modéré *Journal des débats* au radical *Rappel* en passant par *Le Temps*, *Le XIXe Siècle*, *Le Petit Journal* (que contrôlait Girardin), *La France* et *La République française*, organe doctrinal de Gambetta.

La **loi du 29 juillet 1881** : enfin, au pouvoir en janvier 1879, les républicains préparèrent longuement la nouvelle loi sur la presse, qui représente, avec ses soixante-dix articles, le plus gros effort législatif entrepris en la matière ; elle assura la plus grande liberté à la presse et réduisit à très peu les délits de presse. Cette indulgence fut accentuée par la suite par la répugnance des autorités judiciaires à poursuivre les journaux ou les journalistes. Ce libéralisme ne fut guère remis en cause que par les attentats anarchistes, qui conduisirent au vote en 1893-1894 des « lois scélérates », qui visaient les délits nouveaux de propagande anarchiste mais dont la portée fut finalement limitée.

Les principaux titres de 1880 à 1914 : la multiplicité des titres se prête mal à une présentation schématique. En fait, bien des journaux secondaires ont eu, à l'occasion de tel événement ou de telle campagne, une importance épisodique souvent bien mal connue.

Le développement de la presse « d'information à grand tirage ». – Quatre titres dominent le marché par l'importance de leurs tirages. *Le Petit Journal* tira à un million dès 1895, mais compromit son succès en prenant le parti des antidreyfusards, alors que, sous la direction de Jean Dupuy, *Le Petit Parisien* devint après 1900 le plus grand journal de France (et du monde), avec un tirage de 1,5 million d'exemplaires. À côté de ces feuilles populaires, *Le Journal* de Letellier et *Le Matin* de M. Bunau-Varilla représentaient, avec un tirage qui approchait pour chacun d'eux le million en 1914, la presse de la petite bourgeoisie.

La presse de qualité du centre. – Continuant à se vendre à 20 ou 15 centimes, tirant à moins de 100 000 exemplaires, certaines feuilles s'adressaient à un public cultivé et socialement assez élevé : *Le Figaro*, journal littéraire, très parisien de ton, dont la ligne politique conservatrice manquait de fermeté ; *Le Gaulois* monarchiste, dirigé par Arthur Meyer, qui avait la clientèle aristocratique ; le *Journal des débats*, très académique et encore lu plus pour la qualité de ses chroniques que pour la valeur de ses informations ; *Le Temps* enfin, qui, sous la direction d'Adrien Hébrard, était devenu le plus sérieux des journaux français, celui dont les informations servaient de référence.

La presse « d'opinion ». – Le classement des centaines de titres de quotidiens parus dans cette période est d'autant plus difficile que, souvent, leur ligne politique varie au gré des changements de propriétaires ; leur existence est souvent éphémère. Parmi les titres les plus importants, on peut, non sans arbitraire, retenir comme :

– **journaux de droite** : *L'Écho de Paris*, qui fut l'organe du nationalisme sous l'inspiration de Henri Simond ; *L'Éclair* d'Ernest Judet ; *La Libre Parole*, fondée par Édouard Drumont en 1892, qui fut antisémite ; *L'Autorité* de Paul de Cassagnac, antirépublicaine ; *L'Action française* de Charles Maurras et Léon Daudet, quotidienne depuis 1908 ; *L'Intransigeant*, lancé par Rochefort en 1881, qui avait évolué du socialisme au nationalisme ;

– **journaux religieux** : le Ralliement entraîna un reclassement de la presse catholique. *L'Univers* perdit son audience, et *La Croix* des Pères assomptionnistes, fondée en 1883, malgré les péripéties que traversa la Maison de la bonne presse qui l'éditait, fut le grand organe, très combatif, du catholicisme français, cependant que les feuilles des « abbés démocrates » ou des sillonnistes ne trouvaient qu'une faible audience ;

– **journaux du centre** : leurs tendances sont multiples et ils sont le plus souvent l'organe d'une personnalité ou d'un groupe ; *La République française*, tombée à la mort de Gambetta aux mains des « opportunistes » ; *La Patrie*, *La Presse*, *La Liberté*, *Le Siècle*, *Le* XIX*e Siècle* eurent une assez grande audience et, selon les périodes, sont à classer plus ou moins à droite ;

– **journaux radicaux** : ils ont souvent changé de propriétaires ; *Le Rappel*, *La Lanterne*, *Le Radical*, *Le Voltaire* ont vécu pendant toute la période ; *L'Action*, fondée en 1903, fut l'organe des radicaux anticléricaux. Clémenceau inspira tour à tour *La Justice* (fondée en 1880), *L'Aurore* (fondée en 1897) et *L'Homme libre* (fondé en 1913) ;

– **journaux socialistes** : leur existence fut mouvementée et leur vie difficile. Après l'amnistie de 1880, ils se multiplièrent ; les plus importants furent *Le Cri du peuple* de Jules Vallès (pour la période 1883-1886), *La Petite République* (après 1892), et surtout *L'Humanité*, créée par Jaurès en 1904 et devenue en 1905 l'organe du Parti socialiste unifié ;

– journaux divers : *Comoedia*, quotidien littéraire créé en 1907, le *Gil Blas*, quotidien grivois, *Le Vélo*, premier quotidien sportif lancé en 1891 et supplanté par *L'Auto*, née en 1900. *L'Excelsior*, journal quotidien abondamment illustré, lancé par Pierre Lafitte en 1911, dont la formule annonçait celle des quotidiens des années 1930.

La presse de province[2]. - Elle subit une complète transformation et ses titres se multiplièrent ; chaque canton possédant plusieurs hebdomadaires de tendances politiques opposées, presque chaque arrondissement avait son ou ses quotidiens (on en compte 242 pour l'ensemble des départements en 1914) et, déjà, de grands titres régionaux rayonnaient autour des plus grandes villes (mais chacun devait compter avec un ou plusieurs concurrents). Parmi ces derniers, plusieurs ont des tirages supérieurs à 200 000 exemplaires : *Le Progrès* (de Lyon) et le *Lyon républicain*, *L'Ouest-Journal* à Rennes, *La Petite Gironde* à Bordeaux, *La Dépêche* à Toulouse, *Le Petit Marseillais*, cependant qu'une quinzaine dépasse ou avoisine les 100 000 exemplaires, comme *L'Écho du Nord* et *Le Réveil du Nord* à Lille, *La France* de Bordeaux...

■ La Grande Guerre (1914-1918)

Elle fut pour la presse française une très rude épreuve et marqua dans son évolution une étape très importante ; peut-être même le début d'une lente récession car si, en 1914, la presse française, par son dynamisme, l'importance de ses tirages et souvent l'originalité de

(2) Cf. Lerner (Henri), *La Dépêche, journal de la démocratie (1870-1939)*, Université Toulouse-Le Mirail, 1978, 2 vol. ; Roth (François), *Le temps des journaux 1860-1940* (en Moselle), Éditions Serpenoise, 1983 ; Wirtz-Habemeyer (D. E.), *Histoire des Dernières Nouvelles d'Alsace*, La Nuée bleue, Strasbourg, 1987 ; Ladoire (J.) *et alii*, *Un demi-siècle de presse bordelaise*, Les Cahiers de la mémoire, Bordeaux, 1994 (124 p.) ; Vautravers (C.), Mattalia (A.), *Des journaux et des hommes du* XVIII*e au* XXI*e siècle, à Marseille et en Provence*, A. Barthélémy, Avignon, 1994 (264 p.).

ses formules, était la première du monde, elle ne retrouva plus cette supériorité après la guerre, et la presse anglo-saxonne exerça dès lors, dans le monde du journalisme, une suprématie indiscutée.

Les pratiques de la censure eurent aussi pour effet de diminuer considérablement la confiance que les Français (et surtout les soldats) accordaient à leurs journaux : il est difficile de mesurer l'importance que cette réaction peut avoir eue par la suite sur leur audience, mais il est évident qu'une fois la guerre finie, la presse dans son ensemble se trouva déconsidérée aux yeux de ses lecteurs.

La vie des journaux

Les difficultés matérielles furent considérables – manque de main-d'œuvre, restriction de papier (les journaux ne parurent que sur quatre et souvent deux pages), irrégularité des transports, restriction des ressources (en particulier publicitaires), augmentation des coûts – qui entraînèrent un relèvement du prix de vente, qui passa à 10 centimes en 1917...

La censure

Appliquée dès le 2 août 1914, elle fut de plus en plus sévère ; souvent critiquée, elle fut au total très efficace et le « bourrage de crânes », s'il contribua à accentuer le fossé entre l'arrière et les combattants, soutint efficacement le moral de la nation. La censure française fut beaucoup plus sévère que celle de nos alliés ; elle fut souvent utilisée par le gouvernement à des fins de politique intérieure.

L'évolution des titres

La guerre tua, dès août 1914, un grand nombre de feuilles. Elle favorisa le développement des gros tirages qui pouvaient mieux supporter les difficultés matérielles. À Paris, elle permit aux cinq « grands », *Le Petit Parisien*, *Le Petit Journal*, *Le Journal*, *Le Matin* et *L'Écho de Paris*, d'organiser en commun leur diffusion et leur régie publicitaire.

L'Écho de Paris, journal très proche des milieux militaires, augmenta fortement ses tirages, ainsi que *L'Intransigeant*.

À gauche, surtout après 1917, les divisions du Parti socialiste suscitèrent la création de feuilles nouvelles, parfois pacifistes, cependant que *L'Humanité*, sans Jaurès, perdait de son audience. *L'Œuvre* de Téry, devenue quotidienne en 1915, trouva une importante clientèle, et son indépendance lui valut de nombreuses difficultés ou la censure. *Le Bonnet rouge*, d'Almereyda, fut poursuivi à la fin 1917 pour avoir reçu de l'argent allemand ; de même, certains affairistes qui avaient pris des intérêts dans *Le Journal* furent traduits devant la justice militaire pour trahison et exécutés.

■ L'entre-deux-guerres (1919-1939)

Les conditions nouvelles

La presse dut tenir compte des grands changements survenus dans la curiosité de ses lecteurs. Elle dut en particulier étendre son champ d'information en accordant plus de place à l'étranger (en développant en particulier les reportages), et en multipliant ses pages magazine : pages sportives, pages de cinéma, de radio, d'automobile, de tourisme, rubriques enfantines et féminines... et, après 1930, bandes dessinées.

Dans la présentation des journaux, l'illustration prit une place de plus en plus grande ; cette évolution fut favorisée par une régulière augmentation de la pagination qui, pour les grands titres parisiens, atteignait 12 pages en 1939.

Cette période est aussi caractérisée par un très rapide développement de la presse magazine illustrée, le quotidien perdant déjà quelques-unes de ses positions au profit de publications spécialisées (cinéma, radio, magazines féminins, journaux d'enfants, revues de lectures...).

La presse et la politique

L'agitation politique qui caractérise la période eut sur la presse de graves conséquences : elle accentua la décadence de la presse d'« opinion » au profit de la presse commerciale, mais surtout, elle engendra une très grande instabilité des titres : beaucoup d'entre eux eurent des succès considérables mais éphémères.

La vigueur des luttes politiques dans un monde où les masses étaient mobilisées par la propagande rendait la législation libérale de 1881 parfois inadaptée devant les dangers des doctrines totalitaires. Pourtant, malgré plusieurs tentatives et à l'exception, notable il est vrai, de la correctionnalisation de délits nouveaux, la loi ne fut pas modifiée avant septembre 1939.

La concentration

Même si elle est masquée au niveau des titres par la survie de journaux sans audience, la concentration est accentuée pendant cette période par les effets de la politique de déflation des années 1926 à 1932 et de la crise économique du début des années 1930. Elle est particulièrement sensible en province, où les grands régionaux contrôlent une part du marché de plus en plus grande, mais cette tendance est aussi caractérisée par la multiplication des hebdomadaires politiques, qui jouent désormais de plus en plus le rôle qui était tenu avant la guerre par les petits quotidiens d'opinion.

La presse parisienne

Les grands tirages de l'avant-guerre

Le *consortium* des « cinq grands », s'appuyant sur les messageries Hachette et l'Agence Havas, tenta, au lendemain de la Victoire, de monopoliser le marché mais, déchiré par la concurrence entre ses titres, il échoua assez vite.

Le Petit Parisien maintint son tirage de 1,5 million jusqu'en 1935 ; il subit ensuite la dure concurrence de *Paris Soir*. Sa formule évolua très lentement. Rue d'Enghien s'éditait aussi un nombre considérable de publications (*Le Miroir*, *La Vie à la campagne*, *Nos Loisirs*... et le quotidien *Excelsior*) ; la guerre précipita la décadence du *Petit Journal*, qui finit par devenir l'organe des Croix-de-feu du colonel de La Rocque.

Le Matin, toujours dirigé par Maurice Bunau-Varilla, penchait nettement à droite : son antiparlementarisme et son anticommunisme n'empêchèrent pas son audience de diminuer.

Le Journal qui était devenu, en 1925, propriété de l'Agence Havas, traversa des crises assez graves, mais maintint son tirage au-dessus de 400 000 exemplaires.

L'Écho de Paris ne retrouva jamais, malgré les qualités d'Henri de Kérillis, son directeur politique, et le talent de ses collaborateurs, son audience de la période de guerre. Il disparut en 1937, peu de temps après la mort de son propriétaire, Henri Simond.

L'Intransigeant, qui fut dans les années 1920 le plus grand journal du soir de Paris, perdit lentement de son audience après 1931, lorsque Léon Bailby en fut chassé et alla fonder *Le Jour*.

La presse Coty

François Coty, grand parfumeur d'origine corse, tenta de créer un groupe de presse pour servir ses ambitions politiques. Après avoir acquis *Le Gaulois* qu'il fusionna avec *Le Figaro*, acheté en 1922 et installé en 1925 au rond-point des Champs-Élysées, il lança en 1928 *L'Ami du peuple* : cette feuille, qu'il vendait 10 centimes alors que les autres journaux en coûtaient 25, fut boycottée par les messageries Hachette et par l'Agence Havas. Elle tira cependant, avec son édition du soir, jusqu'à 700 000 exemplaires, mais l'incertitude de sa ligne politique et la maladresse de ses formules de présentation ne lui permirent pas de conserver ses premiers succès. Le groupe Coty fut dispersé en 1933. *Le Figaro*, sous la direction de Lucien Romier et de Pierre Brisson, retrouva alors lentement son style et ses clients habituels.

La presse Prouvost

Le succès des journaux lancés par Jean Prouvost dans les années 1930 est l'élément le plus important de l'histoire de la presse de l'avant-guerre. Venu au journalisme assez tard, cet industriel du textile, soutenu aussi par le groupe sucrier Beghin, fit ses premières armes dans la presse avec *Paris Midi*, acheté en 1924 ; en 1930, il acheta *Paris Soir*, qui tirait alors à 60 000 exemplaires : en 1939, son tirage était supérieur à 1,5 million. Sa formule, qui réservait une place de choix à l'illustration photographique, aux grands titres, à l'exploitation des faits divers, était élaborée et sans cesse améliorée par une équipe où se distinguèrent Raymond Manevy, Gabriel Perreux, Renaudon puis Pierre Lazareff, et qui disposait de moyens considérables.

Le succès de *Paris Soir* contraignit tous les autres journaux à modifier leur présentation et leur contenu : c'était un nouveau journalisme qui s'imposait et qui étendait ses formules au magazine illustré (*Match*) et à l'hebdomadaire féminin (*Marie-Claire*).

Les journaux du centre

Si *Le Figaro* subit divers avatars et si les *Débats* continuaient sous la direction d'E. de Nalèche la vie feutrée d'un journal d'abonnés, *Le Temps*, dont le tirage resta stable aux environs de 70 000 exemplaires, changea plusieurs fois de directeurs : en 1931, la nomination à sa tête d'Émile Mireaux et de Jacques Chastenet fut le signe de la participation à sa propriété de divers groupes de l'industrie charbonnière et métallurgique : si la qualité du journal n'en fut pas affectée, sa ligne politique s'infléchit nettement à droite.

Les journaux catholiques

La Croix resta le grand organe catholique, mais sa direction subit plusieurs changements, surtout en 1927 où la papauté lui imposa une ligne politique nouvelle, moins liée à celle de la droite catholique traditionnelle. La Maison de la bonne presse développa ses publications périodiques.

Après avoir lancé en 1924 l'hebdomadaire *La Vie catholique* illustrée, Francisque Gay et ses amis démocrates-chrétiens publièrent en 1932 *L'Aube*, quotidien de la démocratie-chrétienne, dont l'audience resta faible.

L'expérience de l'hebdomadaire *Sept* (1934-1937), poursuivie par *Temps présent* (1937-1938), fut aussi très importante pour la définition du programme de la nouvelle sensibilité catholique.

La presse de droite

En dehors de *L'Écho de Paris*, de *L'Intransigeant*, du *Petit Journal* (après 1937) ou de *L'Ami du peuple*, la presse de droite compta de nombreux titres : *L'Ordre* d'Emile Buré, *L'Écho national* d'André Tardieu (1919-1924), *La Liberté*, reprise par Taittinger avant de devenir en 1937 l'organe de Jacques Doriot.

L'Action française, malgré la faiblesse relative de ses tirages, avait une place très importante à droite car c'était souvent par rapport à ses doctrines ou à ses hommes que se définissaient les autres journaux ; sa vie fut très agitée et ses directeurs Charles Maurras et Léon Daudet furent souvent poursuivis. La condamnation de son action par le Vatican en 1926 lui porta un coup sévère.

Mais, plus que par ses quotidiens, c'est par le succès de ses hebdomadaires que la droite exerça sur l'opinion publique une action importante.

Candide, lancé par l'éditeur A. Fayard en 1924, dirigé par J. Bainville, puis par P. Gaxotte, tirait en 1937 à plus d'un demi-million ; *Je suis partout* ne fut, à son origine en 1930, qu'un satellite de *Candide*, mais après 1936, il fut l'organe affiché des admirateurs du régime fasciste, voire de l'Allemagne nazie, et il poursuivit après 1940 sa carrière dans la collaboration.

Gringoire, dirigé par H. de Carbuccia, créé en 1929, fut très violent contre les partis et les hommes de gauche. Henri Béraud fut son plus célèbre collaborateur. Ses tirages atteignirent 800 000 exemplaires en 1937.

La presse de gauche

Très variée dans ses titres et ses doctrines, elle compte des titres très importants, et le succès du Cartel des gauches en 1924, celui du Front populaire en 1936 reposent pour une bonne part sur l'action de ses journaux. Son histoire est marquée par l'épisode du *Quotidien* d'Henri Dumay qui, lancé en 1922, avec l'appui de souscripteurs recrutés dans la petite bourgeoisie radicale et socialiste, fut l'expression des mécontentements et des aspirations de la gauche traditionnelle. Il contribua au succès du Cartel en 1924, mais ne put maintenir son tirage de 380 000 exemplaires ; mal géré, abandonné par ses principaux rédacteurs en 1926, il finit sa carrière sous la direction de Hennessy après 1929.

L'Œuvre, dont les tirages dépassaient régulièrement les 200 000 exemplaires, fut après la mort de G. Téry, dirigée par Jean Piot ; Marcel Déat prit, dans sa rédaction, une place de plus en plus grande après 1936.

L'Ère nouvelle et *La République* furent, avec des succès divers, les organes des diverses nuances du radicalisme, qui comptait en province de solides organes comme *La Dépêche* de Toulouse.

La presse communiste était organisée autour de *L'Humanité*, dont le PCF avait conservé la propriété après le congrès de Tours (1920). Sous la direction de Marcel Cachin et malgré de nombreux changements de rédacteur en chef, elle augmenta ses tirages de 150 000 exemplaires en 1920 à 350 000 en 1939. *Le Soir*, fondé en 1937 et dirigé par Louis Aragon et Jean-Richard Bloch, eut beaucoup de succès. Le PCF créa aussi de très nombreux périodiques.

Le Parti socialiste-SFIO eut beaucoup de difficultés à maintenir sa presse. *Le Populaire*, dont l'existence fut difficile, était dirigé par Léon Blum et ne trouva une audience importante qu'en 1936.

Sans réussir à obtenir l'audience des grands périodiques de droite, la presse hebdomadaire de gauche compte des titres de qualité. *Le Canard enchaîné*, fondé en 1915, obtint, sous la direction de Maurice Maréchal, un succès croissant qui dure toujours. *La Lumière* poursuivit après 1927 la tentative du *Quotidien* avec Georges Boris et Albert Bayet. *Marianne*, lancé en 1932 par l'éditeur Gallimard, fut l'organe d'Emmanuel Berl et de ses amis ; sa formule se modifia après 1937. *Vendredi* fut, de novembre 1935 à novembre 1938, sous la direction de Jean Guéhenno, André Chamson et Andrée Viollis, l'organe de combat du Front populaire.

La presse de province

Ses progrès, déjà sensibles avant 1914, furent encore accentués par la guerre, lorsque les journaux de Paris eurent plus de mal à atteindre les départements, et que les nouvelles locales prirent une importance plus grande. L'automobile permettait désormais d'atteindre les ruraux, même les plus isolés.

Ces entreprises solides modernisèrent leur équipement et commencèrent à multiplier leurs pages locales ; la concentration jouait en faveur des grands régionaux, dont neuf tiraient en 1939 à plus de 160 000 exemplaires. On comptait encore, en 1938, 175 titres de quotidiens en province, édités dans 81 villes ; leur tirage global est estimé à près de 5,5 millions, soit autant que les quotidiens de Paris.

■ La guerre de 1939 à 1945

Comme en 1914, la guerre vint brutalement bouleverser les structures de la presse française ; les drames de la vie nationale de cette période eurent aussi en ce domaine des conséquences durables[3].

La « drôle de guerre » et la débâcle

Dès août 1939, les décrets-lois avaient permis au gouvernement Daladier d'interdire, après la signature du pacte germano-soviétique, les pu-

(3) Cf. Amaury (P.), *Les deux premières expériences d'un ministère de l'Information en France*, LGDJ, Paris, 1969 (875 p.).

blications communistes. Le rétablissement de la censure, le 28 août, se fit sans difficultés majeures et la presse entra dans la guerre sans à-coups.

La débâcle bouleversa la vie de la presse parisienne et, dès le 10 juin 1940, contraignit les rédactions à se replier en province ou à disparaître.

Une fois la tourmente passée et l'Armistice signé, la division de la France en zone occupée et zone libre allait marquer pour quatre ans la vie de la presse ; même après l'occupation de la zone sud en novembre 1942, la presse de la zone nord resta étroitement soumise au contrôle de la *Propaganda-Abteilung* et échappa en fait à celui du régime de Vichy.

La presse de la zone sud

Sous la censure et les consignes vichyssoises, pendant que continuaient à paraître la plupart des quotidiens régionaux ou départementaux dans des conditions matérielles et politiques de plus en plus difficiles, les journaux parisiens repliés menaient une existence assez artificielle ; leur clientèle était réduite par les difficultés de transport et le manque d'intérêt de ces organes pour des lecteurs qui demandaient surtout aux journaux des renseignements pratiques pour leur vie de tous les jours.

La plupart de ces journaux repliés s'éditaient à Lyon : *Le Figaro*, *L'Action française*, *Le Journal*, *Le Temps*. Sauf *L'Action française*, la plupart cessèrent leur parution en 1942 après l'invasion de la zone sud. Ainsi, *Le Figaro* se saborda le 11 novembre 1942, *Le Temps* fin novembre 1942. *La Croix* continua à paraître à Limoges jusqu'en 1944, mais résista le plus possible aux ordres de Vichy. *Paris Soir*, replié à Lyon, cessa de paraître le 12 novembre mais fut contraint de reparaître et disparut seulement le 25 mai 1943 (son édition de Marseille disparut en avril 1943 et celle de Toulouse fin 1943).

La presse de la zone nord

Les occupants firent reparaître la plupart des grands régionaux, et à Paris, jouant de menaces ou de séduction, ils favorisèrent la reparution de feuilles collaborationnistes. M. Bunau-Varilla relança *Le Matin* dès le 17 juin 1940 ; *Le Petit Parisien* ne reparut que le 8 octobre mais, dès le 22 juin, les Allemands avaient publié, sans l'accord de ses propriétaires, une édition de *Paris Soir*. Marcel Déat reprit *L'Œuvre* le 24 septembre, Doriot lança *Le Cri du peuple* et Jean Luchaire *Les nouveaux Temps* le 1er novembre, dont il voulait faire l'organe sérieux de la collaboration[4].

En plus de *Signal*, magazine illustré traduit de l'allemand, parurent ou reparurent de nombreux hebdomadaires comme *Au Pilori* ou *Je suis partout*.

Cette presse, dont l'influence diminuait rapidement au fur et à mesure que la situation de l'Allemagne nazie se dégradait et que la propagande de la Résistance et de la radio anglaise portait ses fruits, reste un tragique exemple d'aveuglement : jusqu'en août 1944, elle reprit les slogans de ses maîtres.

La presse clandestine

Témoignage du refus de la défaite à ses origines dès 1940, puis expression d'une Résistance qui se cherchait, elle devint, à travers ses multiples organes, un instrument de propagande incomparable dès 1943. La vie de ses titres est bien souvent marquée d'épisodes tragiques dont certains resteront, hélas, mal connus. Un catalogue, publié en 1954, a recensé plus de 1 000 titres de feuilles clandestines, sans compter les innombrables tracts, affiches ou brochures.

Devant la difficulté de présenter ces organes dans le peu de place qu'il est possible de leur consacrer ici et l'injustice que comportait un choix parmi les titres et les hommes qui les ré-

(4) Cf. Dioudonnat P.-M.), *L'argent nazi à la conquête de la presse française (1940-1944)*, Picollec, 1981, et Fréville (H.), *La presse bretonne dans la tourmente (1940-1946)*, Plon, Paris, 1979.

digèrent, il semble préférable de renvoyer le lecteur aux ouvrages qui leur ont été consacrés[5].

Essentielle apparaît la création, fin 1943, de la Fédération nationale de la presse clandestine qui définit, en accord avec les organisations de Résistance et les autorités du gouvernement provisoire, le futur statut de la presse de la Libération.

■ La presse de l'après-guerre

La Libération entraîna pour la presse un complet bouleversement de ses structures, de ses organes et de son personnel : jamais une transformation aussi complète n'avait été tentée. Si cette révolution ne fut pas aussi durable que ses promoteurs l'avaient espéré dans la Résistance ou dans l'exil, elle a du moins, pour un temps, fait table rase du passé, mis en place des titres, des hommes et des organismes nouveaux, et défini un régime différent de celui de 1881. Depuis la Libération, l'évolution a transformé profondément cette nouvelle presse ; les contraintes économiques ont favorisé la concentration. Les contraintes du journalisme commercial ont rendu inopérantes beaucoup des prescriptions de 1944 ou 1945. Les résistants ont pu donner leur chance à un très large éventail de journaux et de journalistes : ils ne pouvaient garantir à chacun la même réussite. Les ordonnances du 26 août 1944 et du 30 septembre 1944 interdirent la reparution des titres qui avaient paru sous le contrôle allemand ; les biens des entreprises éditrices, mis sous séquestre, furent concédés aux journaux de la Résistance.

Un des effets les plus durables de la crise de la guerre et des réformes de la Libération fut d'affaiblir le rayonnement de la presse quotidienne parisienne au profit de celle des départements.

Dès 1947, après l'expansion extraordinaire de l'après-Libération, le marché des quotidiens entra en crise. Beaucoup de titres parisiens auparavant bien achalandés finirent par disparaître, comme *L'Aube*, *Ce Matin*, *Le Pays*, *Ce Soir*, *Le Populaire*, *Libération*, *Paris Presse*, *Franc-Tireur*... alors que ceux qui avaient su, en les adaptant, reprendre les formules de l'avant-guerre, comme *Le Figaro*, *L'Humanité*, *La Croix*, *Le Monde*, *Le Parisien libéré*, *France Soir*, *L'Aurore*, survécurent et trouvèrent parfois la voie du succès. En province, la concentration joua aussi au profit des plus grands ou des feuilles accrochées à un terroir bien marqué ; la carte des centres de diffusion devait très vite retrouver les caractéristiques de celle de l'avant-guerre.

La renaissance de la presse périodique fut plus lente : des premiers hebdomadaires politiques, peu survécurent ; les survivants furent vite condamnés à une vie médiocre. La presse magazine ne reprit son épanouissement qu'après 1949, lorsque fut supprimé le rationnement du papier : elle n'a cessé depuis d'accroître son lectorat et de diversifier ses contenus et ses organes...

(5) En particulier Bellanger (Claude), *La presse clandestine*, A. Colin, Paris, 1961. V. aussi Roux-Fouillet (R. et P.), *Catalogue des périodiques clandestins 1939-1945*, Bibliothèque nationale, Paris, 1954.

■ Depuis la Libération

Le bouleversement à la Libération

Les transformations de la presse française, dans son statut, ses entreprises et ses personnels, n'ont eu d'équivalent dans aucun des pays d'Europe occidentale. La presse fut encadrée par une série d'ordonnances du gouvernement provisoire du printemps et de l'été 1944. Elle se fondait sur une épuration des sociétés éditrices, de leurs responsables et de leurs journalistes. Les journaux qui avaient paru sous la tutelle de l'occupant, après juin 1940 en zone nord ou après novembre 1942 en zone sud, furent interdits, et leurs biens, mis sous séquestre, furent attribués en location aux équipes des anciennes feuilles clandestines et/ou déléguées des mouvements et partis de la Résistance. La répartition de la pénurie de papier journal était assurée par les autorités ; les messageries prirent une forme coopérative, la Société nationale des entreprises de presse (Snep) gérant les biens des anciens journaux ; un même prix de vente était imposé à toutes les publications. Les nouveaux journaux autorisés, très nombreux et si vite lus avec leur pagination réduite, trouvaient une clientèle abondante, qui compensait ses frustrations de lecture des années noires.

La IVe République (1946-1958)

Ce foisonnement euphorique dura peu. Dès 1947, le désenchantement de l'opinion, lassée de la confusion politique, et les dures conditions de vie d'une part, et, de l'autre, les grèves des ouvriers du Livre et l'augmentation du prix de vente, conséquence de l'inflation, souvent aussi les maladresses de gestion des nouveaux responsables, mirent un terme à cette effervescence. Le nombre des titres et la diffusion des quotidiens baissèrent drastiquement jusqu'en 1952 à Paris et en province pour remonter lentement par la suite.

Les journaux de Paris, victimes de leur effacement en province sous l'occupation et des difficultés des transports pour leur diffusion dans les départements après la Libération, perdirent alors une bonne partie de leur clientèle provinciale au profit des journaux du cru.

À Paris, *L'Humanité*, dominant à gauche *Le Populaire* socialiste, *Franc-Tireur, Libération...*, et, à droite, *L'Aurore* disputant la première place du *Figaro* à *Paris Presse* ; pourtant, déjà, *Le Parisien libéré* et surtout *France Soir* devenaient les plus forts tirages grâce à leur clientèle populaire. *Le Monde* défendait sa position de journal de référence indépendant.

En province, souvent animés par les anciens professionnels et parfois les anciens propriétaires, les grands régionaux retrouvaient la place des anciens titres et absorbaient ou conduisaient à la ruine leurs concurrents moins bien gérés ou trop politisés : ainsi *Ouest-France, Le Progrès, La Voix du Nord, La Dépêche, Sud Ouest, Le Dauphiné libéré...*

La fin du rationnement du papier, en 1949, et l'entrée progressive dans la société de consommation, donc de la publicité, stimulaient la presse magazine qui commençait alors son irrésistible ascension.

La Ve République

De 1958 à 1968

L'actualité tourmentée sous la présidence du général de Gaulle et le début des « Trente Glorieuses » favorisèrent la remontée des tirages des quotidiens malgré les progrès croissants de la télévision, mais au seul profit des titres *leaders*. On ne créait plus de journaux et des titres importants disparurent même à Paris : *Franc-Tireur, Le Populaire, Libération, Paris Presse*, alors que *France Soir* atteignait son apogée et *Le Monde* une certaine prospérité. Le marché des magazines, quant à lui, était florissant et en expansion. *Paris Match* diffuse alors 1,5 million d'exemplaires ; les *news magazines L'Express* et *Le Nouvel Observateur* trouvaient la riche clientèle des cadres. *Salut les copains* et ses émules, en exploitant les ve-

dettes du yé-yé, bouleversaient la presse des jeunes. *Elle, Marie-Claire, Marie-France* et *Femmes d'aujourd'hui* survolaient leurs concurrents dans la conquête des lectrices. *Lui* renouvelait la presse grivoise et les magazines de télévision amorçaient, avec *Télé 7 Jours* et ses concurrents, la conquête d'un public sans cesse croissant.

De 1969 à 1981

Sous les présidences de Georges Pompidou et de Valéry Giscard d'Estaing, la lente érosion de la diffusion des quotidiens se poursuit, tant à Paris qu'en province, ainsi que la concentration des titres. Déjà s'esquissait la remise en cause du système de presse mis en place à la Libération. L'*offset*, la photocomposition et l'informatique transformaient les ateliers de la presse. Robert Hersant, défiant l'ordonnance du 26 août 1944, poursuivait, titre après titre, la constitution de son groupe de journaux parisiens et provinciaux ; autour du *Figaro,* il réussit à imposer les suppléments magazines de fin de semaine, copiés de la Grande-Bretagne. *France Soir* s'épuisait à vouloir freiner sa décadence et *Le Parisien libéré,* stoppé par le conflit avec les ouvriers du Livre, perdait plus de la moitié de sa diffusion. La publicité affluait, la presse magazine en étant la première bénéficiaire. Les groupes éditeurs se renforçaient de Hachette à Filipacchi et à la CEP.

Les journaux contestataires, gauchistes, des années 1970 n'eurent qu'une existence épisodique et aléatoire, mais l'esprit de Mai ouvrait de nouvelles voies à l'enquête journalistique des journaux et magazines établis.

Après 1981

La privatisation d'une partie importante des chaînes de radio et de télévision entraîna un bouleversement complet du marché publicitaire ; la presse profita aussi de son expansion. Elle finit par réduire à peu les fondements du système de la Libération : l'ordonnance du 26 août 1944 fut abandonnée. L'AFP eut du mal à s'adapter à l'informatisation. Les NMPP furent agitées de multiples crises. Surtout, les entreprises et les groupes de presse s'ouvrirent à des capitaux extérieurs au monde de la presse et parfois étrangers ; mais il est inutile de présenter ici les étapes et les formes de cette évolution, qui est exposée dans les chapitres de l'ouvrage.

ANNEXE 2

Bibliographie

Revues spécialisées

CB News (hebdomadaire) : 175, rue d'Aguesseau, 92100 Boulogne-Billancourt (1986).

La Correspondance de la presse (bulletin quotidien d'information) : SGP, 13, avenue de l'Opéra, 75001 Paris (1945).

La Gazette de la presse francophone (bimensuel) : 3, cité Bergère, 75009 Paris (1974).

Stratégies (hebdomadaire) : groupe Reed-Elsevier, 2, avenue Pasteur, BP 62, 92137 Issy-les-Moulineaux Cedex (1971).

Techniques de presse (mensuel) : *International Association for Newspaper and Media Technology* (IFRA), Darmstadt (RFA).

Annuaires, répertoires, lexiques...

Annuaire de la presse, de la publicité et de la communication : 190, boulevard Haussmann, 75008 Paris (depuis 1880).

Dictionnaire des médias : Balle (F.) (dir.), Bordas, Paris, 1998.

Guide de la presse : Office universitaire de presse, Paris, 1986, 1990, 1994, 1996...

Lexique de la presse écrite : Albert (P.) (dir.), Dalloz, Paris, 1989 (207 p.).

MédiaSig, l'aide-mémoire de la presse et de la communication : Service d'information du gouvernement (SIG – ex-SID), diffusé par La Documentation française, Paris (annuel depuis 1974 ; auparavant, *Médiasid)*, 30e éd. 2004.

Tarif Média (5 numéros par an) : 150, rue Gallieni, 92514 Boulogne Cedex (depuis 1961).

Sources statistiques

Association mondiale des journaux (*World Association of Newspapers***)** : 25, rue d'Astorg, 75008 Paris ; *World Press Trends* (annuel).

Centre d'étude des supports de publicité (CESP) : 136, boulevard Haussmann, 75008 Paris ; il publiait annuellement depuis 1958 et, depuis 1992, il labellise les études d'audience des différents organismes (AEPM, Euro PQN, PQR, Ipsos...).

Diffusion contrôle-OJD (Association pour le contrôle de la diffusion des médias) : 40, boulevard Malesherbes, 75008 Paris ; *Procès-verbaux et récapitulations annuelles* et, depuis 1991, *Observatoire annuel de l'écrit*.

Direction du développement des médias (DDM) : services du Premier ministre (ex-SJTIC), 69, rue de Varenne, 75700 Paris ; elle publie depuis 1961 des statistiques sur la presse : *Tableaux statistiques de la presse* (annuel) (dernière éd. : *Tableaux statistiques de la presse. Données détaillées 2000. Rétrospective 1985-2000,* 2002) et *Chiffres clés de la presse* et différents *Indicateurs statistiques sur la publicité et l'audiovisuel*, ainsi que *Info-Médias*, bulletin trimestriel, diffusé par La Documentation française.

Institut de recherches et d'études publicitaires (Irep) : 62, rue La Boétie, 75008 Paris ; *Le marché publicitaire français*, annuel depuis 1959, et nombreuses autres études.

France Pub (ex-Observatoire permanent des entreprises) : Groupe Havas ; publication annuelle depuis 1992 sur les investissements publicitaires français.

Ministère de la Culture :

— *Annuaire statistique de la Culture, 1. - 1960-1970*, La Documentation française, Paris, 4 vol., *1977 ; 2. - 1970-1974*, La Documenta-

tion française, Paris, 2 vol., 1977 et 1978 ;

— *Les pratiques culturelles des Français (1973-1980),* Dalloz, Paris, 1983 (438 p.) ;

— *Nouvelle enquête sur les pratiques culturelles des Français (1989-1990),* La Documentation française, Paris, 1992 ;

— *Les pratiques culturelles des Français (1973-1989),* O. Donnat et D. Cogneau, La Documentation française, Paris, 1990 ;

— *Chiffres clés de la Culture. Édition 1996*, J. Cardona, C. Lacroix, Direction de l'administration générale, Département des études et de la prospective, La Documentation française, Paris, 1997.

Ministère de l'Économie-Insee (Institut national de la statistique et des études économiques) : *Annuaire statistique* (annuel) et coll. « Insee résultats », série NAF 74-4 A et B (publicité).

Ministère de l'Industrie-Sessi (Services des statistiques industrielles), séries 221 C et E (presse), et 623 (publicité) de *l'Enquête annuelle entreprises* (EAE).

Secodip (Société d'études de la consommation, distribution et publicité) : 2, rue Francis-Pédron, 78241 Chambourcy Cedex, Groupe Sofres ; elle étudie les annonces dans les médias et publie des estimations globales sur le marché publicitaire.

Rapports officiels

Bourg-Broc (B.), Poniatowski (L.), *Mission d'information commune sur la presse écrite*, Assemblée nationale, rapport d'information n° 3512, Paris, 1997.

Chambonnaud (C.), *Liberté d'information et protection du citoyen face au développement des médias,* Journaux officiels, Paris, 1999, 127 p.

Cluzel (J.), *La presse*, rapport sur le projet de loi de finances 1996, annexe 31, *Journal officiel,* Paris, 1995 (cf. aussi les années précédentes), 88 p.

Drancourt (M.), « L'équilibre économique des entreprises de presse », *Avis et rapport du Conseil économique et social*, n° 11, Paris, 21 mars 1974, p. 623 à 661.

Gouteyron (A.), *La distribution de la presse entre rationalité et solidarité*, rapport n° 152 de la Commission des affaires culturelles du Sénat, Paris, 1994.

Goux (Ch.), Forgues (P.), *Rapport d'information de la Cour des comptes sur les mécanismes d'aide publique à la presse*, Assemblée nationale, Paris, 5 novembre 1985, 86 p.

Journal officiel, Documents parlementaires, rapports annuels des commissions parlementaires sur la loi de finances, en particulier sur les budgets du Premier ministre et du ministère de la Culture et de la Communication et à l'occasion des débats législatifs sur des projets concernant la presse.

Lenoir (R.), Prot (B.), *L'information économique et sociale*, rapport au Président de la République, La Documentation française, Paris, 1979, 215 p. + 327 p.

Miot (J.), *Les effets des nouvelles technologies sur l'industrie de la presse*, Journaux officiels, Paris, 1999, 118 p.

Marquet (M.-C.), Pelou (P.), *La gestion des publications officielles*, ministère de la Recherche et de l'Enseignement supérieur, DBMist, La Documentation française, Paris, 1988.

Pelou (P.), *La documentation administrative*, ministère de l'Éducation nationale, de la Jeunesse et des Sports, DBMist, La Documentation française, Paris, 1988.

Serisé (J.), « Rapport du groupe de travail sur les aides publiques aux entreprises de presse présenté à M. le Premier ministre », *Cahiers de la presse française*, n° 92, Paris, 1972, 56 p.

Vedel (G.), *La gestion des entreprises de presse*, avis adopté par le Conseil économique et social, Journaux officiels, Paris, 1979, 45 p.

Droit de la presse

Auby (J.-M.), Ducos-Ader (R.), *Droit de l'information*, Dalloz, Paris, 2e éd., 1983.

Bilger (P.), Prévost (B.), *Le droit de la presse*, coll. « Que sais-je ? », n° 2469, Puf, Paris, 1990.

Blin (H.), Chavanne (A.), Drago (R.), Boinet (J.), *Droit de la presse*, Librairies techniques, Paris, 1976 (mise à jour par feuillets mobiles).

Chamoux (J.-P.), *Droit de la communication*, coll. « Que sais-je ? », n° 2884, Puf, Paris, 1994.

Colliard (C.-A.), *Les libertés publiques*, Dalloz, Paris, 1989.

Cousin (B.), Delcros (B.) Jouandet (T.-P.), *Le droit de la communication*, Éditions du Moniteur, Paris, 1990, 2 vol.

Derieux (E.), *Droit de la communication*, LGDJ, Paris, 4e éd., 2003, 724 p.

Derieux (E), « Droit de la communication, recueil de textes, législation, » *Légipresse*, Victoires Éditions, 5e éd., 2003, 140 p.

Derieux (E), *Droit européen et international des médias,* LGDJ, 2003, 280 p.

Derieux (E), « Droit de la communication, recueil de textes, jurisprudence », *Légipresse*, 3e éd., 1998, 206 p.

Derieux (E), *Droit des médias*, Dalloz, Paris, 1995, 160 p.

Franceschini (L.), *Droit de la communication*, Hachette Éducation, Paris, 1996, 160 p.

Légipresse : revue mensuelle du droit de la communication, Victoires Éditions, Paris (1970).

Morange (J.), *Les libertés publiques*, Puf, Paris, 4e éd., 1997.

Rivero (J.), *Libertés publiques*, Puf, Paris, 1984, 2 vol.

Robert (J.), Duffar (J.), *Libertés publiques et droits de l'homme*, Domat-Montchrestien, Paris, 6e éd., 1996, 856 p.

Généralités

Agnès (Y.), Landa (F.), Serryn (D.), *La presse des jeunes*, coll. « L'École des parents », Alternative, Syros/Alternatives, Paris, 1988, 124 p.

Albert (P.), *La presse*, coll. « Que sais-je ? », n° 414, Puf, Paris, 1re éd. 1968, 12e éd. 2002, 128 p.

Albert (P.), *Les médias dans le monde*, Ellipses, Paris, 1994, 144 p.

Albert (P.), Koch (U.) *et alii, Les médias et leur public en France et en Allemagne*, Éd. Panthéon-Assas, Paris, 2003, 430 p.

Albert (P.), Koch (U.) *et alii, Images médiatiques franco-allemandes*, Reinhard Fischer, Munich, 1993, 418 p.

Albert (P.), Koch (U.) *et alii, France et Allemagne, deux paysages médiatiques*, Peter Lang, Francfort-sur-le-Main, 1990, 308 p.

Albert (P.), Leteinturier (C.) (avec la collab.), *Journalisme et documentation. Les banques de données de presse en France*, éd. Jean-Cyrille Godefroy, Paris, septembre 1984, 164 p.

Albert (P.), Leteinturier (C.), *Les médias dans le monde. Enjeux et diversités nationales,* Ellipses, Paris, 1999, 160 p.

Alexandre (P.), *Les patrons de presse. 1982-1997*, Anne Carrière, Paris, 1997, 294 p.

Balle (F.), *Médias et société,* coll. « L'Université nouvelle », précis Domat-Montchrestien, Paris, 11e éd., 2003, 836 p.

Balle (F.), *Et si la presse n'existait pas...*, Lattès, Paris, 1987, 198 p.

Baudelot (P.), Les *agences de presse en France*, La Documentation française-SJTI, Paris, 1991.

Bertrand (C.-J.) *et alii*, *Médias. Introduction à la presse, la radio et la télévision*, Ellipses, Paris, 1995, 318 p.

Bonvoisin (S.-M.), Maignien (M.), *La presse féminine*, coll. « Que sais-je ? », n° 2305, Puf, Paris, 1986, 128 p.

Brochant (B.), Lendrevie (J.), *Le publicitor*, Dalloz, Paris, 4e éd., 1993, 600 p.

Cent ans d'histoire de « La Croix », Le Centurion, Paris, 1988.

Charon (J.-M.), *La presse des jeunes*, La Découverte, Paris, 2002, 120 p.

Charon (J.-M.), *Cartes de presse, enquête sur les journalistes*, Stock, Paris, 1993, 356 p.

Charon (J.-M.), *La presse en France de 1945 à nos jours*, Le Seuil, Paris, 1991, 423 p.

Charon (J.-M.), Rieffel (R.) (dir.), « La presse magazine », *Réseaux*, Télécom-Cnet, Paris, vol. 19, n° 105, 2001.

Clausse (R.), *Le journal et l'actualité*, Marabout université, Paris, 1967.

Cluzel (J.), *Presse et démocratie*, LGDJ, Paris, 1997.

Coquart (E.), Huet (P.), *Le monde selon Hersant*, Ramsay, Paris, 1997, 500 p.

Delporte (C.), *Les journalistes en France (1880-1950),* Le Seuil, Paris, 1999, 454 p.

De Plas (B.), Verdier (H.), *La publicité*, coll. « Que sais-je ? », n° 274, Puf, Paris, 128 p.

Direction du développement et des médias, Centre de recherches administratives et politiques, *Devenir journalistes : sociologie de l'entrée sur le marché du travail,* DDM, La Documentation française, Paris, 2001.

Éveno (P.), *L'argent et la presse française des années 1820 à nos jours,* Éditions du Comité des travaux historiques et scientifiques (CTHS), Paris, 2003, 238 p.

Éveno (P.), *Le Monde 1944-1995. Histoire d'une entreprise de presse*, Le Monde éditions, Paris, 1996, 540 p.

Feuerstein (P.), *Un journal, des journaux : histoire, grandeur et servitude d'un journal de province* (*La Montagne*), Éditions Créer, Nonette, 1997, 240 p.

Feyel (G.) *et alii*, *La distribution et la diffusion de la presse du XVIIIe siècle au IIIe millénaire*, Éd. Panthéon-Assas, Paris, 2002, 452 p.

Gayan (L.-G.), *La presse quotidienne régionale*, Éditions Milan, Toulouse, 1990.

Gonnet (J.), *Éducation aux médias : les controverses fécondes*, Hachette Éducation, Paris, 2001, 142 p.

Gonnet (J.), *Journaux scolaires et lycéens*, Retz, Paris, 1988, 143 p.

Gonnet (J.), *Le journal et l'école*, Casterman, Paris, 1978, 176 p.

Guillauma (Y.), *La presse en France*, La Découverte, Paris, 2e éd., 1990, 128 p.

Guisnel (J.), *Libération, la biographie*, La Découverte, Paris, 2003, 348 p.

Guissard (L.) (dir.), *Le pari de la presse écrite*, Bayard Presse, Paris, 1998, 356 p.

Husson (D.), Robert (O.), *Profession journaliste*, Eyrolles, Paris, 1991.

Huteau (J.), Ullmann (B.), *AFP, une histoire de l'Agence France-Presse 1944-1990*, Robert Laffont, Paris, 1992, 572 p.

Junqua (D.), *La presse, le citoyen et l'argent*, Gallimard, Paris, 2002, 339 p.

Junqua (D.), *La presse écrite et audiovisuelle*, CFPJ, Paris, 1995, 167 p.

Kayser (J.), « Le quotidien français », *Cahiers de la Fondation nationale des sciences politiques*, n° 122, Armand Colin, Paris, 1963, 200 p.

Kayser (J.), *Mort d'une liberté*, Plon, Paris, 1963, 400 p.

Kraemer (G.), *Trois siècles de presse francophone dans le monde hors de France, Belgique, Suisse et Québec*, L'Harmattan, Paris, 1995, 224 p.

Ladoire (J.), *Histoire du journal Sud Ouest*, Éditions Sud Ouest, Bordeaux, 1991, 142 p.

Lancry (R.), *La saga de la presse, d'Émilien Amaury à Robert Hersant*, Lieu Commun, Paris, 1993.

Le Bohec (J.), *Les rapports presse-politique*, L'Harmattan, Paris, 1997, 254 p.

Lefébure (A.), *Havas, les arcanes du pouvoir*, Grasset, Paris, 1992, 406 p.

Martin (G.), *L'imprimerie*, coll. « Que sais-je ? » n° 1067, Puf, Paris, 8e éd., 1993, 128 p.

Martin (L.), *Le Canard enchaîné… 1915-2002*, Flammarion, Paris, 2002, 728 p.

Martin (M.), *La presse régionale. Des affiches aux grands quotidiens,* Fayard, Paris, 2002, 502 p.

Martin (M.), *Trois siècles de publicité en France*, Odile Jacob, Paris, 1992, 430 p.

Martin (M.) (dir.), *Histoire et médias. Journalisme et journalistes français 1950-1990*, Albin Michel, Paris, 1991, 308 p.

Mathien (M.), *Les journalistes*, coll. « Que sais-je ? », n° 2976, Puf, Paris, 1995.

Mathien (M.), *La presse quotidienne régionale*, coll. « Que sais-je ? », n° 2074, Puf, Paris, 1993.

Mathien (M.), Conso (C.), *Les agences de presse internationales*, coll. « Que sais-je ? », n° 3231, Puf, Paris, 1997.

Mathien (M.), Rieffel (R.) (dir.), *L'identité professionnelle des journalistes*, CUEJ, Strasbourg, 1995, 242 p.

Mouillaud (M.), Tétu (J.-F.), *Le journal quotidien*, Presses universitaires de Lyon, Lyon, 1989, 204 p.

Neveu (E.), *Une société de communication ?*, Montchrestien, Paris, 2001, 160 p.

Nouzille (V.), Schwartzbrod (A.), *L'acrobate : Jean-Luc Lagardère ou les armes du pouvoir,* Le Seuil, Paris, 1998, 348 p.

Péan (P.), Cohen (P.), *La face cachée du Monde,* Fayard et Mille et une Nuits, Paris, 2003, 636 p.

Perrier (J.-C.), *Le roman vrai de Libération*, Julliard, Paris, 1994, 476 p.

Pigeat (H.), *Les agences de presse. Institutions du passé ou médias d'avenir ?*, coll. « Les études », La Documentation française, Paris, 1996, 130 p.

Rieffel (R.), *La tribu des clercs. Les intellectuels sous la Ve République,* Calmann-Lévy, Paris, 1993, 692 p.

Rieffel (R.), *L'élite des journalistes*, coll. « Sociologie aujourd'hui », Puf, Paris, 1984, 220 p.

Rieffel (R.) *et alii, Les journalistes français à l'aube de l'an 2000*, Éd. Panthéon-Assas, Paris, 2001, 220 p.

Rieffel (R.) *et alii, Les journalistes français en 1990*, La Documentation française, Paris, 1991, 140 p.

Roudy (P.), *L'école et la presse*, Ellipses, Paris, 1996, 192 p.

Thibau (J.), *Le Monde 1945-1996 : Histoire d'un journal,* Plon, Paris, 1996.

Todorov (P.), *La presse française à l'heure de l'Europe*, La Documentation française-SJTI, Paris, 1990, 124 p.

Toussaint-Desmoulins (N.), *L'économie des médias*, coll. « Que sais-je ? » n° 1701, Puf, Paris, 1992, 128 p.

Tristani-Potteaux (P.), *Les journalistes scientifiques*, Economica, Paris, 1997, 110 p.

Vautravers (C.), Mattalia (A.), *Des journaux et des hommes du XVIIIe au XXIe siècle, à Marseille et en Provence*, Éd. Barthélemy, Avignon, 1994, 264 p.

Vernette (E.) *et alii, La publicité : théories, acteurs et méthodes*, coll. « Les études » (série Économie), La Documentation française, Paris, 2000, 208 p.

Voyenne (B.), *Les journalistes français, D'où viennent-ils ? Qui sont-ils ? Que font-ils ?*, CFPJ/Retz, Paris, 1985, 287 p.

Wirtz-Habermeyer (D.), *Histoire des Dernières Nouvelles d'Alsace*, éditions La Nuée bleue, Strasbourg, 1987, 344 p.

Wouts (B.), *La presse entre les lignes*, Flammarion, Paris, 1990, 264 p.

Histoire

Bellanger (C.), Godechot (J.), Guiral (P.), Terrou (F.) (dir.), *Histoire générale de la presse française*, Puf, Paris, 5 vol. (1969-1976).

Presse, radio et histoire, Actes du 113e congrès des Sociétés savantes d'Aix-en-Provence, Éditions du CTHS, Paris, 1988, 360 p.

Albert (P.), *Histoire de la presse,* coll. « Que sais-je ? », n° 368, Puf, Paris, 1re éd. 1970, 10e éd. 2003, 128 p.

Almeida (F. d'), Delporte (C.), *Histoire des médias en France de la Grande Guerre à nos jours,* Flammarion, Paris, 2003, 434 p.

Cazenave (E.), Ullmann (B.), *Presse, radio et télévision en France depuis 1631,* Hachette, Paris, 1994, 256 p.

Delporte (C.), *Histoire du journalisme et des journalistes en France*, coll. « Que sais-je ? » n° 2926, Puf, Paris, 1995, 128 p.

Feyel (G.), *L'annonce et la nouvelle : la presse d'information en France sous l'Ancien Régime*, Fondation Voltaire, Oxford, 2002, 1 388 p.

Feyel (G.), *La presse en France, des origines à 1944*, Ellipses, Paris, 1999, 192 p.

Ferenczi (T.), *L'invention du journalisme en France*, Plon, Paris, 1993, 278 p.

Guillauma (Y.), *La presse politique et d'information générale de 1944 à 1958. Inventaire des titres*, YG, 79, avenue Denfert-Rochereau, 75014 Paris, 1995, 622 p.

Wolfensinger (J.), *L'histoire à la Une. La grande aventure de la presse*, La Découverte/Gallimard, Paris, 1989, 192 p.

able des matières

COMMANDES :

La Documentation française

124, rue Henri-Barbusse

93308 Aubervilliers Cedex

Téléphone 01 40 15 70 00

Télécopie 01 40 15 68 00

www.ladocumentationfrancaise.fr

NOS LIBRAIRIES :

— à **Paris** : 29, quai Voltaire, 75007 Paris

— à **Lyon** : Cité de la Part-Dieu, 165, rue Garibaldi, 69003 Lyon

TARIFS AU 1er MARS 2004 : UN AN (20 Nos)

— France : 159 € (TTC)

— Europe : 183 € (TTC)

— Dom-Tom : 184 € (TTC)

— Autres pays : 206 € (HT)

Imprimé en France. - Journaux Officiels
N° 50004-0006-00-03-04 - Dépôt légal : Mars 2004